序　章　電報です！　1
第1章　トロールの町　12
第2章　迷える民主主義　51
第3章　史上最大の電撃情報作戦　100

第４章　やわな事実　148
第５章　ポップアップ・ピープル　189
第６章　未来はここからはじまる　238
謝辞　271
訳者あとがき　273
参考資料　278
注　289

〔……〕は訳者による注記である。

序章　電報です！

彼は海から浜辺に上がったところで逮捕された。脱いでおいた服のそばにスーツを着た男がふたり立っていた。早く服を着ろと命じられたので、濡れた水着の上にズボンをはかざるをえなかった。乗せられた車の中で、まだ濡れている水着は体にぴたりと張り付き、冷たくなり、ズボンと後部座席に黒い染みができた。取り調べを受けているあいだも同じだった。なんでもないふりをしていたが、濡れた水着に身をくねらせていた。彼らはわざと濡れた水着の上にズボンをはかせたのだとふいに気づいた。彼らのような中堅のKGB職員［正式名称は「ソ連国家保安委員会」。いわゆる「秘密警察」。ソ連崩壊の一九九一年まで存在］は、こうしたことに長けていた。ちょっとした侮辱を与えて楽しむ――レベルの低い駆け引きの達人だ。

なぜここオデッサで逮捕されたのだろう？　自分の住まいはキエフだというのに、と彼は思った。そのときひらめいた――今は八月だから、彼らは海辺で数日過ごしたかったのだろう。取り調べの合間に海辺に連れ出されたが、それは自分たちが泳ぐためだった。ひとりが泳いでいるあいだ、もうひとりが彼の監視役だ。ある日、海辺で画家がイーゼルを立てて三人の姿を描きはじめた。KGBの大佐と少佐［KGBの前身の「チェカー」が軍事組織だった］はそわそわしはじめた。なにしろKGBだ。任務中に顔を描かれるなんてことはあってはならない。「なにを描いているのか、見てこい」とふたりは彼に命じた。彼は画家に近づき、絵を眺めた。今度は彼がKGBをからかう番だ。彼は戻ってくると、「僕の顔はあまり似ていませんでしたけど、あなた方の顔は実物そっくりに仕上がりそうです」と答えた。

彼は「有害図書を友人や知人に蔓延させた」罪で拘留された。有害図書とは、ソ連の強制収容所について真実を語ったため（ソルジェニーツィン）、あるいは亡命者によって書かれたため（ナボコフ）に検閲を受けた図書のことだ。彼の逮捕は『時事クロニクル』［ソ連の体制批判派の拠点となった定期刊行物］に記録された。『時事クロニクル』には、ソ連の反体制派が政治的な理由で逮捕され、取り調べを受け、裁判にかけられ、刑務所に送られ、虐待された事実が記録された。そうした情報は人づてに集められたものもあれば、手作りの小さなプラスチック製カプセルを飲みこんで後で排泄するという方法で強制収容所からひそかに持ち出されたものもあった。カプセル内の文書はタイプされ、暗室で写真に撮られてから、本にはさんだり外交用郵袋《ゆうたい》に紛れこませたりして人から人へと手渡され、やがて西側諸国に届き、人権団体やBBCワールドサービス［BBC（英国放送協会）の海外向けラジオ放送］、ボイス・オブ・アメリカ［当時アメリカの情報局が海外向けの短波放送を行なっていた］、ラジオ・リバティ［ソ連向けの自由主義陣営の紹介・宣伝用放送］に届けられた。

『時事クロニクル』は抑制された文章で知られていた。彼の逮捕はこのように記載された。

「彼はKGBのV・P・メンシニコフ大佐とV・N・メルグノフ少佐に取り調べられた。彼はすべての嫌疑には根拠がなく証拠もないと否定した。友人・知人についての証拠の提出も拒否した。六日間にわたる取り調べのあいだ、彼ら三人はニュー・モスクワ・ホテルに宿泊した」

大佐が席を立っているときは、少佐はチェス・パズル［チェスのルールに則ったパズル］の本を取り出して、鉛筆の端を噛みながら問題を解いていた。初めのうち、これは巧妙な心理戦かと彼は思ったが、やがて少佐は暇つぶしをしているだけだとわかった。

六日後に彼はキエフに戻ることを許されたが、取り調べは続いた。図書館での勤務を終えて帰宅する途中に黒い車が近づいてきて連行され、ふたたび取り調べが行なわれることもあった。

たとえ取り調べがあっても、日々の生活は続いた。婚約者が妊娠し、ふたりは結婚した。披露宴会場の物陰ではKGBのカメラマンがこそこそ動きまわっていた。

彼は妻の実家で暮らすことになった。ゴロシーフスキー公園の向かいにあるマンションで、義父は豪華な鳥かごをいくつも飾り、たくさんのカナリアを飼っていた。鳥かごは公園に面していた。玄関の呼鈴が鳴るたびに彼は飛び上がり、KGBじゃないかと不安になっては、不利になりそうな手紙や原稿を焼却しはじめる。カナリアたちはパニックに襲われて羽をバタバタさせる。

彼は夜明けとともに起きてラジオの電源をそっと「オン」にし、つまみを短波に合わせる。立ちこめるジャミング（電波妨害）を追い払うためにアンテナを動かし、電波がうまく入るように椅子やテーブルに上る。簡単に受信できる東ドイツのポピュラー音楽とソ連の軍楽隊の周波数のあいだを、聴覚だけを頼りにつまみを動かし、耳に押し当てたスピーカーのジージー、バリバリいう音の彼方から「こちらロンドン」「こちらワシントン」という魔法の言葉をやっと聞き取った。彼は逮捕者のニュースに耳をそばだてる。

それから彼は未来派の詩人ヴェリミール・フレーブニコフ［ロシアの詩人。一八八五年〜一九二二］

の一九二一年のエッセー「未来のラジオ」を読んだ。フレーブニコフは「ラジオは世界中の魂をつなぎあわせて途切れることのない鎖を作り、人類を融合する」と予言していた。

彼が組織したサークルは包囲された。グリーシャは森に連れていかれ、容赦なく叩きのめされた。オルガは売春婦だと言いがかりをつけられ、嘘を真にするために本物の売春婦と一緒に性病専門病院に入院させられた。ゲリは拘置所に収容され、かたくなに「治療」を拒んだ末に死んでいった。

誰もが最悪の事態に備えていた。義母はソーセージを使った秘密の暗号を彼に教えた。「もし右から左にスライスしたソーセージを私が差し入れしたら、あなたが逮捕されたニュースは西側諸国に伝わってラジオで放送されたってことよ。左から右にスライスしたソーセージの場合は失敗したってこと」

「古い冗談か出来の悪い映画の一場面のようだが、本当の話だ」と彼は後述している。「KGBは夜明けにやってくる。そのときあなたは夢うつつで『どなたですか?』と聞く——彼らは『電報です!』と答える。あなたはまだ半分眠ったままで、もう少し眠るつもりだからはっきり目を覚ます気はない。『ちょっと待ってください』と言ってズボンを急いではき、配達人に渡す小銭をポケットから取り出してドアを開ける。なによりつらいのは、KGBがあなたのところにやってきたことでも、こんなに早い時間に起こされたことでもない。幼い子供のように電報という嘘に引っかかったことだ。手のなかの小銭が自分の汗で急にぬるぬるしだすのを感じながら、屈辱の涙をぐっとこらえる」

一九七七年九月三十日午前八時。取り調べの日々のなかで、彼と妻とのあいだに子供が生まれた。祖母は、彼女の祖父の名を取って私を「ピナス」と、両親は「セオドア」と名付けたがった。何度も話しあった結果、私の名前は「ピョートル」[ピーターのロシア名]に落ち着いた。

＊

私の両親がKGBに追いまわされてから四十年という年月が流れた。読んだり書いたりする権利、聴きたいものを聴いたり、言いたいことを言ったりする当然の権利をふたりが求めたからだ。今日、ふたりが願ったこの世界では検閲はベルリンの壁のように崩れ去り、世界はより親密になったように思える。私たちは一部の学者のいう「情報過多」の時代を生きている。しかし前世紀に「真実と情報で武装した市民」と「検閲と秘密警察で武装した体制」のあいだで起こった「権利と自由を求める闘争」から勝ちとったと思われたこの勝利は、ないがしろにされてしまった。現在私たちは昔よりもはるかに大量の情報を得ているが、期待するほどの恩恵は受けていない。

権力者に立ち向かうとき、より多くの情報はより多くの自由を意味するはずだったが、他者を中傷したり屈辱を与えたりして意見の相違を押しつぶし、黙らせる強力な方法を新たに授けてしまった。多くの情報は本格的な議論を意味するはずだったが、熟慮する能力を低下させてしまったように思える。多くの情報は国境を越えた相互理解を意味するはずだったが、新しいさりげない形での紛争や政府転覆を可能にしてしまった。私たちは世論操作が暴走している世界に生きている。そこでは人を操る方法が広まり、増殖していっている。ダークポスト［特定の人にしか見られない広告］、心理操作、ハッキング、ボット［一連の単純な作業を自動で行なうコンピュータプログラム］、ソフトファクト［少ないサンプルやサンプル抽出に偏りのあるデータ］、フェイクニュース、ディープフェイク［人工知能など高度な合成技術を用いて作られる、本物と見分けがつかないような偽物の動画］、洗脳、トロール［インターネット上の嫌がらせ行為。またはそれをする個人やグループのこと］、ISIS（イスラム国）、プーチン大統領、トランプ大統領……。

父がKGBの取り調べを受けてから四十年が経ち、いつの間にか私は両親の旅のかすかな痕跡をたどるようになっていたが、ふたりの勇気、信念、危険に立ち向かう姿勢のどれも私は持ちあわせていなかった。本書を書くかたわら、私はロンドンにある大学の研究機関で、新しいタイプの世論操作（「プロパガンダ」と何気なく呼ばれることもあるもの）を調査するプログラムに取り組んでいた。ただし、「プロパガンダ」という言葉はその解釈において問題が多すぎるので――それを「欺瞞」と定義する人もいれば、「たんなる伝達活動」と定義する人もいる――私は使うのを避けている。

大学の機関と書くと研究者と勘違いされるかもしれないが、私はそうではないし、本書も研究書ではない（さまざまな分野の学者の言説は引用している）。私はしがないテレビプロデューサーである。新聞・雑誌に寄稿し、ときにはラジオ番組に出演するが、メディアの世界を――それによってなにが作られ、どんなふうに人の心に定着するのかを――不信の眼差しで見ている自分に気づくことがある。調査の過程で私は、ツイッター革命、ポピュリスト、トロール、エルフ、「行動変革」の研修プログラムを売りこむ人間、おおぼら吹きの極右の陰謀論者、ジハード（聖戦）に憧れる少年、極右白人ナショナリスト、ボットハーダー［脆弱性のある多数のコンピュータを悪意を持って支配するハッカー］と出会った。そして知り得たことをすべて、ずんぐりした六角形のコンクリートの塔に持ち帰り（そこのオフィスは私の仮住まいでもあった）、合理的な「結論と提言」にまとめ上げ、きちんとフォーマットされたPDFレポートとパワーポイントを使ったプレゼンテーションに仕上げた。それは、偽情報と虚偽、「フェイクニュース」、「情報戦争」、「情報との闘い」にあふれている現状を診断し、治療法を提案するものだ。

しかしながら、それはなにを治すための治療法なのだろうか？　整然と箇条書きされた私の報告書は改善可能な一貫したシステムの存在と、新しい情報技術へのいくつかの技術的提言がすべてを治せることを想定している。けれども問題はますます深刻になっている。イギリスの低迷する自由民主党（冷戦時代の政治的対立から誕生）の議員たちに私の研究と知見を示すと、彼らは途方に暮れたような顔をした。私は愕然とした。政治家は自分たちの政党がなにを代弁しているのかを、また官僚は権力の所在がどこにあるのかを、もはやわからなくなっているのだ。億万長者の財団は「開かれた社会」を擁護するが、彼らはもはやその言葉の意味を定義できない。

かつては拡大解釈されたように見えた大げさな言葉（「民主主義」「自由」「国民」「ヨーロッパ」「西側諸国」）は、私たちの生活とは無関係なものになってしまった。それはまだじゅくじゅくと汁を出す私の手のひらのつぶれたマメのようでもあり、パスワードを忘れてアクセスできなくなったファイルのようでもある。

私たちが自分自身を語るときに使う「左派」「右派」「リベラル派」「保守派」という言葉は、ほぼ意味をなさなくなってしまった。そしてその影響を受けるのは、思想的対立や選挙だけではない。私は、これまで知己を得た人たちがソーシャルメディアで私からそっと離れていき、聞いたこともないような情報源からの陰謀論をリポストするようになったようすを何度も見た。ある種のインターネットの暗示によって家族がばらばらになるケースも見た。これでは私たちはお互いのことをあまり知らず、アルゴリズムのほうが自分たちのことを熟知しているかのようだし、私たちが自分自身のデータの一部（サブセット）になってしまったかのようだ。私たち自身のデータはそれ自体の論理で、あるいは私たちのうかがい知れない誰かの利益のために、私たちの関係やアイデンティティを変えようとしている。

本、テレビ、新聞、ラジオといった従来のマスメディアを載せた大型船には、アイデンティティと意味——私たちは何者で、どんなふうに話しあい、わが子に世界をどのように説明し、自分たちの過去についてどんなふうに話し、戦争と平和、ニュースと意見、諷刺とまじめさ、右派と左派、善と悪、真実と虚偽、現実と架空をどのように定義するのか——が積みこまれ、管理されていた。だが大型船にはヒビが入り難破してしまい、なにが誰に関係し、誰が誰にどんなふうに話しかけるのかというこれまでの基本設計（アーキテクチャ）が崩れ、すべての比率を拡大したり、縮小したり、ゆがめたりして、私たちを混乱のスパイラルへと送りこむ。そこでは言葉は共有していた意味を失う。

私がオデッサ、マニラ、メキシコシティ、ニュージャージーで繰り返し耳にしたのは、「あらゆることに関して大量の情報、偽情報があるので、なにが真実なのかもうわからない」という言葉だ。「世界が私の足元で揺れているように感じる」という言葉も聞いた。「強固だと思っていたものすべてが今やぐらつき、流動しているように感じる」と考えている自分に気づくこともある。

本書はこの難破船を調査し、そこから救出できそうなアイデンティティと意味を探す。トロールが犠牲者をいじめるインターネット上のじめじめした片隅からはじめて、私たちの社会を理解する物語をめぐる争いを経験し、最後には私たちはどうやって自分たちを定義するのかを理解しようと思う。

第1章では、フィリピンからサンクトペテルブルクへと旅し、新しい情報機器で人々を仲たがいさせる方法を知る。それはKGBが使った方法よりもはるかに巧妙だ。

第2章では、バルカン半島西部からラテンアメリカ、EUへと移動し、抵抗運動を新しい情報戦術で抑える方法を知る。それは二十世紀の戦術よりもさらに巧妙だ。

第3章では、ある国が他国をほぼ干渉することなく破壊し、戦争と平和、「国内」と「世界」の相違をあいまいにする方法を調査する。そこでもっとも危険な要素は「情報戦」そのものの概念なのかもしれない。

第4章では、事実に基づいた政治への要求け進歩と未来をめぐるある考え方を拠りどころにしており、その考え方が崩壊することによって大量殺人と虐待がどのように起こったのかを調査する。

第5章では、このような流動的な状況のなかで、政治がアイデンティティの構築をめぐる闘争になっていることを論じる。宗教的な過激派からポピュリストに至るまで、新たな形の「国民」を作り出そうとしている誰もが、新しい情報システムを利用してあなたを再定義したいと思っている。アイデンティティがつねにしっかり確立しているように見えた国――イギリスでさえそうだ。

第6章では、中国とチェルニフツィ［ルーマニアとの国境に近いウクライナ西部の都市］で未来を探す。

本書のなかで私はときに旅をする。だが空間の旅とはかぎらない。なぜなら昔からなじみのある地図、つまり大陸、国々、海が描かれた物理的かつ政治的な地図は、情報フローの新しい地図ほど重要ではなくなる可能性があるからだ。こうした「ネットワーク地図」はデータサイエンティストによって作り出される。彼らはこの工程を「浮上させる（surface）」と呼ぶ。データサイエンティストはキーワード、メッセージ、物語を抽出し、世界の膨張し続けるデータのプールに投げこむ。次にそうしたキーワード、メッセージ、物語を追加したり、あるいは交流する人々、報道機関、ソーシャルメディアアカウント、ボット、トロール、サイボーグ［プログラムの支援で高速かつ効率的に投稿を行なうアカウント。手動運用］を「浮上させる」。

そうしたネットワーク地図はカビの菌糸体あるいは遠い銀河系の天体写真のようだ。私たちの地理学上の定義がいかに時代遅れになったかを示し、どこかの誰かがあらゆる場所のあらゆる人に影響を与える予想外のネットワーク地図を明らかにする。たとえば「根っからのコスモポリタン」はスコットランドの家にいたまま、中東のデモのあいだ警察官に捕まらないように活動家たちを道案内した。ISISの支持者はアイフォンの広告に見せかけてイスラム国のキャンペーンを載せた。

ソーシャルメディア部隊を持つロシアはネットワーク地図によく現れる。冷戦時代のようにまだ一丸となれる軍隊があるからではなく、クレムリンの指導者たちはこの新しい時代のゲーム性にとくに精通しているか、あるいは彼らがいかに善人であるかをすべての人に語らせるのが得意だからである——それはなによりも重要な策略になりうる。これから説明するが、こうしたことはまったく偶然に起こったわけではない。冷戦に負けてしまったからこそ、ロシアのスピンドクター［メディア対策アドバイザー］とメディアマニピュレーター［メディア操作の専門家］は誰よりも早く新しい世界に適応しようとしたのである。私は二〇〇一年から二〇一〇年にかけてモスクワで暮らし、いたるところで芽生えた世論のなかに同じようなコントロール戦術と同じような症状を見出した。

本書は情報フローを旅し、ネットワークと国々を横断しながら、私の両親の物語へ、冷戦時代へと時間をさかのぼる。だが本書で私の家族の歴史を回顧するつもりはない。私は、私の家族の物語が本書のテーマとどんなふうに交差するのかを書こうと思う。テーマのひとつは、過去の理想が現在においてどんなふうにばらばらになってしまったのかを知ることであり、もしそのかけらが残っていれば、どんなものを拾い集められるのかを知ることである。なにもかも混乱してきたら、私は無意識のうちに振り返り、過去とのつながりを探し、未来について考える方法を見つけるだろう。

家族の歴史を調べ執筆しながら、私はほかのことに感銘を受けた——私たちの個人的な思い、創造への衝動、自意識が、私たち自身よりも大きな情報力によって形成される度合いのことだ。勤務する大学の図書館で書棚の本を拾い読みするたびに痛感させられたことがある。それは「態度の形成」「対象への感情や判断に基づいた心理的な傾向」を理解するためには、人はニュースや政治の先にある、詩、学問、さらには官僚主義や余暇という言葉も熟考しなければならないということだ。こうしたプロセスは私の家族においてはときにより明白である。なぜなら私たちの人生の劇的な事件や不和のせいで、そうした情報力のはじまりと終わりが、広大な気象システムのように容易にわかるからだ。

第1章 トロールの町

「言論の自由」対「検閲」は二十世紀のもっともわかりやすい対立だった。そして冷戦後、言論の自由は多くの場所で勝利を収めたように見えた。ところが権力者たちが「情報過多」を悪用してあなたを抑えつけ、言論の自由の意味を逆転させて反対勢力を壊滅させる新たな方法を発見したとしたらどうなるだろうか？　しかも、関与を否定できるように匿名性は十分に残したままで——だとしたら。

◉偽情報のアーキテクチャ

フィリピンでの出来事を検討してみよう。私の両親がKGBからひどい目にあっていた一九七七年に、フィリピンはアメリカ合衆国が支援する独裁者フェルディナンド・マルコスに支配されていた。アムネスティ・インターナショナルのウェブサイトでざっと見ただけでも、彼の政権下で三千二百五十七人の政治犯が殺害され、三万五千人が拷問され、七万人が投獄された。マルコスは、社会を安定させるには拷問が重要な役割を果たすという芝居がかった考えの持ち主だった。「行方不明になる」だけでなく、殺害された人たちの七十七パーセントの遺体が見せしめとして道端に並べられた。たとえば、脳みそを取って、そこにパンツを詰めこまれた犠牲者がいた。あるいは遺体がばらばらにされた例もあった。[1]

一九八六年にマルコス政権が民衆の抵抗にあって崩壊すると、アメリカは政権支持を放棄し、フィリピン軍の一部は逃亡した。何百万人もの人が街に繰り出した。それは新しい日のはじまり――賄賂の横行と人権侵害の終わりのはずだった。マルコスは亡命し、晩年をハワイで過ごした。

今日、マニラの町を歩くと、あなたを出迎えてくれるのは腐った魚とポップコーンの臭い、排水溝から漂ってくる悪臭と揚げ物用油の臭いだ。あまりにひどくて通りに吐いてしまう人もいる。だが実際には、それは「通り」という言葉は当てはまらない。散歩できるような広い歩道という意味で使うなら、そんな通りはまずない。その代わりにあるのは、ショッピングモールと超高層ビルの端をぐるりとめぐる細い立体歩道橋である。あなたは渋滞した道路を横眼に見ながら一歩ずつ歩いていく。この町ではショッピングモールからショッピングモールへ行く途中で、いきなりスラム街という深い谷に迷いこむ。そこでは夜になると路上生活者が銀色のアルミホイルに包まれて眠り、両足を突き出して路地をふさいでいる。路地には小人ボクシングをやっているバーがあり、体の線を強調した服を着て足をぴったりからめてくる女の子たちとにお金を払ってK－ポップを一緒に歌うカラオケパブがある。

日中は、ショッピングモールとスラム街と超高層ビルのあいだの空間をなんとか進むことができる。何層にもなった高速道路のあいだを縫うように走る宙に浮かぶ立体歩道橋を歩くのである。歩道橋の控え壁にぶつからないように首をすくめたり、下から一斉に聞こえてくるクラクションやサイレンの音にしりごみしたりしているうちに、近づいてくる列車や、スパムを食べる女性の巨大なビルボード

（広告掲示板）が目に飛びこんでくる。ビルボードはあちこちにあり、スラム街と超高層ビルを隔てている。

一八九八年から一九四六年にかけてフィリピンはアメリカの統治下にあった。戦後はアメリカ海軍基地があったので、アメリカ人の食べ物がご馳走になった。幸せそうな妻がハンサムな夫に缶詰のチャンクツナ（大きくほぐしたツナ）を食べさせているポスターがあるかと思えば、肉汁したたる焼いたハムのポスターがストリートキッズの泳ぐ汚い川に長いこと浮かんでいたりする。その子供たちの後ろでは「イエス様は救ってくださる」という電光掲示板が点滅している。ここはカトリックの国だ。スペインの植民地だったのは三百年間。アメリカ統治下の五十年をゆうに超えている（フィリピンのジョークに「われわれは三百年間は教会の、五十年間はハリウッドの支配下にある」というのがある）。ショッピングモールには警備員のいる教会があり、貧しい人たちが入ってこられないようになっている。

人口二千二百万人のマニラには公共の場という概念はほぼない。しかしショッピングモールの中では強力な空気清浄機が作動し、なんらかの香りが漂ってくる。ファストフード店があるエリアではラベンダーの香りがし、おしゃれな店のエリアではほのかにレモンの香りがする。だがそのせいで自分がトイレにいるような気がしてくる。その臭い――排水溝の悪臭とショッピングモールから流れてくるラベンダーやレモンの香りが雑ざったもの――は、いつまでもまとわりついてくる。

マニラを歩いているとすぐに気がつく。ここではいつも誰かが自撮りをしている。脂ぎったサンダルをはいた汗だらけの男が公共バスの金属製キャニスター（大気汚染防止機器）に乗って自撮りをしている。ショッピングモールでカクテルを待ちながら自撮りをする中国人の女性。フィリピン人は自撮り数が世界一だ。ひとりあたりのソーシャルメディアの使用数も世界一。携帯電話のメール数も世界一。その理由を、無能な政府のもとでなんとか生きていくためには家族や個人とのつながりが重要だからだ、と考える人がいる。自撮りはナルシストの証拠――とは必ずしも言えない。彼らが信用するのは自分の顔となじみの顔だけなのだ。

そしてソーシャルメディアの興隆があったからこそ、フィリピンはデジタル時代の新種の世論操作の中心地になったのだ。

私は全面ガラス貼りの超高層ビルの隣にあるショッピングモールのバーで「P」と会った。Pは名前を出されては困ると言ったものの、自分が関わった選挙運動――自分の手柄にはできないのだが――を評価してほしくてたまらないらしいことは手に取るようにわかった。二十代前半、韓国の男性アイドルグループのような服装だった。やけにテンションが高い。大統領を当選させたことについて話すときも、彼のインスタグラムのアカウント名の横に青い認証バッジ（著名人やブランドの公式アカウントを証明する）が付いていることを話すときも。

「国民をコントロールできるとしたら、僕にとっては幸せなことなんだ――いけないことかもしれないけど。それは僕のエゴを、心の奥にあるなにかを満足させてくれる……。デジタルの世界で神様になったようなものだから」と彼は説明した。「いけないこと」と言いながらも、彼の言い方は、ミュージカル・コメディに登場する悪役を演じているように聞こえた。

Pは十五歳のときにソーシャルメディアをはじめ、人が自分の恋愛経験を語れるような匿名のページを開設した。「最悪の別れ話を教えて」「最高のデートの相手ってどんな人？」と彼は質問したという。彼はウェブサイトのひとつを見せてくれた。フォロワーが三百万人以上いた。

高校生のときに彼は新しいソーシャルメディアグループをいくつか作り、それぞれ異なったプロフィールにした。楽しいことが大好きな人物にしたり、強靭な精神の持ち主にしたり。十六歳のときに企業から声がかかり、自社製品についてさりげなく触れてほしいと言われた。彼はその技術を磨いた。たとえば、愛について、一番大切に思っている人について語るコミュニティを一週間で作る。それから愛する人を失ったらどんなにつらいだろうかと語りかけ、やがて頼まれた商品名をそっと滑りこませる――この薬を飲めば愛する人の命を引き延ばすことができる、と。

二十歳になる頃にはすべてのソーシャルメディアを合わせるとフォロワーが千五百万人になった、と彼は言う。地方出身の控えめな中産階級の青年が、いきなりマニラの超高層ビルのマンションに住めるようになったのだ。

商品の宣伝に飽きると、彼は次の挑戦に取りかかった――政治だ。当時は、政治的な広報活動（PR）と言えば、ジャーナリストになにかの文章を書かせるのが常だった。だがソーシャルメディアで自分の主張を打ち出せたら、どうなるのだろうか？

Pはいくつかの政党に自分の考えを売りこんでみた。彼の話に乗った候補者がひとりだけいた。ロドリゴ・ドゥテルテである。ドゥテルテは独自の考え方をする人物で、ソーシャルメディアを勝利へと導く新しい楽な方法ととらえた。候補者としてのドゥテルテの主なセールスポイントは、薬物犯罪と戦うことだった。彼はフィリピンの深南部にあるダバオ市の市長だった時期に、みずからオートバイに乗って麻薬ディーラーを射殺したと自慢した。

当時Pはすでに大学生で、一九二〇年代に行なわれた「リトルアルバート実験」［「行動心理学の父」と言われたジョン・ワトソンによる実験］の講義に出席した。その実験は、生後十一か月のアルバートに白いネズミを見せ、そのたびに実験者が背後でおそろしい音を立てるというものだった。やがてアルバートは白いネズミを彷彿させるふわふわした動物を見ただけで怖がるようになった。[2] Pはこれにヒントを得て、似たようなことをドゥテルテで試してみようと思った。

最初にPはさまざまな町のフェイスブックグループを立て続けに作った。町で起こっていることをインターネットの掲示板に載せるだけの無害なものだった。コツは方言で載せることだ。なにしろフィリピンには無数の方言がある。六か月後、各グループにおよそ十万人ずつのフォロワーがついた。やがてそれぞれの管理者（アドミニストレータ）たちは、地元の犯罪ニュースを一日に一件、毎日同じ時間（交通渋滞のピークや夕方）に載せた。犯罪のニュースはとてもリアルだったが、そのうち管理者は犯罪と薬物を結び付けるようなコメントを書くようになった。「殺人犯は薬物ディーラーだったらしい」とか「この人は麻薬密売人の犠牲者だ」などだ。一か月後には管理者たちは犯罪のニュースを一日に二件載せるようになり、さらに一か月後には三件載せるようになった。

薬物がらみの犯罪がホットな話題になった。ドゥテルテは世論調査で上位に躍り出た。だがこのときPはドゥテルテ陣営のPRメンバーと喧嘩をして仕事を辞め、ほかの候補者の陣営に加わったそうだ。この候補者は経済に精通していることを売りにしていた。Pはこの候補者の支持率を五ポイント以上あげることができたと言ったが、流れを変えるには遅すぎた。そしてドゥテルテが大統領に選ばれた。今やPRメンバーの誰もがドゥテルテの当選を自分の手柄のように話すのを見て、Pは腹を立てている。

情報の世界で働いている人間をインタビューするときの注意点は、彼らはいつでも自分の影響力を大げさに言いがちなことだ。それは職業病と言える。Pはドゥテルテを作り出したのだろうか？もちろん、違う。インターネットで薬物犯罪についてのやり取りがはじまったのは、多くの要因があったからだろう——とくにドゥテルテ自身に。とはいえ、ドゥテルテのセールスポイントは薬物犯罪の撲滅だけではなかった。私は彼の支持者たちと話したことがあるが、彼らは「帝都マニラ」のエリートや取り澄ましたカトリック教会の幹部と闘う田舎者に魅力を感じたのだ。Pの言っていることは、ある学術研究の受け売りだった。

『ネットワーク化された偽情報アーキテクト *Architects of Networked Disinformation*』でマサチューセッツ大学（州立大学）のジョナサン・コーパス・オング博士は同僚のジェーソン・カバネスと一緒に、マニラの「偽情報アーキテクト」に一年かけてインタビューしたが、この国ではどの政党も彼らを使っていた。「偽情報アーキテクト」とは、博士が命名した「偽情報アーキテクチャ」の担い手たちのことだ[3]。

彼らの上位にいるのは、オング博士がこのシステムの「チーフ・アーキテクト」と呼ぶ人たちだ。彼らは広告会社出身で、しゃれたタワーマンションに住み、自分たちの仕事について人気ファンタジードラマ『ゲーム・オブ・スローンズ』のキャラクターたちにたとえながら説明した。「捕まったらおしまいです《ゲーム・オーバー》」と彼らはオング博士に言った。彼らは恵まれない境遇からはい上がり、仕事で上り詰めたことを誇りにしていた。「偽情報アーキテクトは公共への責任や義務を否定する。その代わり、自分たちの力が増すような個人的なプロジェクトについてはよくしゃべる」とオング博士は断定した。

アーキテクトの下には「インフルエンサー」がいる。たとえば、ネット上のコメディアンは最新のジョークを言いながら対立する政治家を揶揄して報酬を得ている。「偽情報アーキテクチャ」の底辺には、オング博士が「地域レベルの偽アカウントのオペレータ」と呼ばれる人たちがいる。コールセンターは二十四時間シフトの、時給で働く人たちでいっぱいで、それぞれが十人以上のソーシャルメディアのペルソナを管理している。彼らはほんの少し余分なお金が欲しい人（たとえば学生や看護師）だったり、選挙スタッフだったりする。オング博士はそんなオペレータのひとりであるリタにインタビューした。彼女は市長選の選挙運動に参加したときにこの仕事をさせられた。彼女はもともとは理想主義的な思いから選挙の仕事に興味を持ち、大学でもトップクラスの成績をおさめていた。しかし指示された仕事は、さまざまなオンラインのペルソナを捏造し（ビキニ姿の女の子は一番効果がある）、オンラインの友達を作り、候補者の名前を広めて対立候補を貶めることだ。リタはこんなことをしている自分を恥じた。だから彼女は仕事をなまけようと思った——同僚たちはフェイスブックのフォロワーを数千人にも増やしているが、自分は二十人だけにすることで。

オング博士によれば、この世界では関与のレベルを問わず、自分たちの活動が「トロール」や「フェイクニュース」と関係があるとは誰も思っていない。それどころか、それを否定するための言い訳を全員が用意している。たとえばアーキテクトは、通常のPR活動を多少積極的にやっただけであると主張し、自分たちがなにをしているかを明らかにしようとしない。いずれにしろ、彼らは選挙運動全般に携わっているわけではなかった。「グループごとのオペレータ」は、本当に意地の悪い憎悪に満ちたコメントを書く人間はほかにいると主張した。これがオンライン上の世論操作のアーキテクチャだ。そして、ドゥテルテが権力を握ったときにより攻撃的なものに変わったのである。

ドゥテルテは多くの麻薬ディーラーを殺害すると誓っていたので、彼らの遺体でマニラ湾の魚はよく肥えたことだろう。彼は自分を許すために恩赦に署名するとジョークを飛ばし、「じろっと見た」だけで人が死んだと吹聴した。麻薬ディーラーの命は、彼にとってはどうでもよいものだった。用心深い暴力団や警察官は、麻薬取引に関わっていそうだというだけでどんな人間でも射殺しはじめた。選挙期間中にいったい何人の人間が殺されたのか、正確には誰もわからない。人権擁護団体は一万二千人、野党政治家は二万人と推定しているが、政府の発表は四千二百人だ。一日に三十三人が殺害されたこともある。殺された人が本当に罪を犯したのかどうか、誰も調べようとしなかった。殺害されたあとに犠牲者の体に薬物が入れられたという報告も頻繁にあった。五十四名の子供も処刑された。マニラのスラム街の路地は遺体であふれていた。バイクに乗って近づいてきた男たちに頭を撃たれた人もいた。刑務所は養鶏場のように混雑したという。

こうした殺害に異を唱えたひとりの政治家――上院議員のレイラ・デ・リーマがいきなり裁判にかけられることになった。そして、服役中の麻薬密売組織のボスが、自分たちのビジネスに彼女も関わっていたと証言しようとしていた。オンラインの暴徒は彼女の逮捕を声高に要求したが、彼女は身を隠して、けっしてはじまることのない裁判を待った。アムネスティ・インターナショナルによれば、彼女は政治犯だ。フィリピンの大司教がこうした一連の殺害を非難すると、オンラインの暴徒は大司教にも牙をむいた。次はメディアが攻撃される番だった。ターゲットは、大統領側が「プレスティテュート」――ろくに取材をせずに事実とは異なる記事を書く報道記者や報道機関――だと断じる人々。彼らは大胆にも大統領を殺人罪で告発していたのである。

そして政権がターゲットにした最大のプレスティテュートは、「ラプラー」というニュースサイトの代表、マリア・レッサだった。皮肉なことに、ドゥテルテを大統領にするのにうっかり手を貸したのはラプラーであり、マリアだった。

◉#マリア・レッサを逮捕しろ！

マリアとしばらく話しているうちに、彼女は自分が取材対象とされていることに居心地の悪さを感じていることに私は気づいた。彼女は非常に礼儀正しかったので、このことを自分から言い出せなかった。その代わり、自分自身の話ではなく、部下のジャーナリストたちの仕事ぶりや彼らのドラマチックな話を取材するように私を誘導しようとしていた。彼女の経歴を見れば、一貫して取材する立場の人間であったことがわかる。最初はCNNの東南アジア支局長として、次はフィリピン最大のテレビネットワークのニュース部門の責任者として、最後にはラプラーの創業者兼CEOとして。しかし今、ピーナツバターとオイルサーディン（フィリピン人の好物）のサンドイッチのランチをオフィスで慌ただしく食べているマリアをインタビューしているのは私だけではなかった。そこにはカタールのテレビ局、アルジャジーラの英語放送のドキュメンタリー班もいた。彼らはドゥテルテ大統領と偽情報を相手に闘うマリアのようすを記録するために彼女に張り付いていたのだ。

アルジャジーラのスタッフから、マリアをインタビューする私を撮影してよいかと聞かれた。私が承諾すると彼らは大きなカメラを抱えて部屋の隅にしゃがみこんだ。私はだんだん落ち着かない気持ちになった。私は、相手を観察し、撮影したものを編集する立場の人間なので、自分があとでどのように編集され、再現されるのかを多少は予測できる。ドキュメンタリー・プロデューサーとしての仕事で習得したコツは、いま撮影しているこの映像がいかに意義深いものであり、たとえ一瞬でも後世に残るものだと取材対象者に感じてもらうことだった。取材後、私はそうやって撮影したものをひとつの形にするために力を尽くして編集する。出来上がったものはまさに正しい報道と呼んでよいものだ。しかし、取材される側の認識と出来上がったものとのあいだに、また編集の過程で再構築された現実と彼らが真実と感じるものとのあいだに埋めようのない隔たりが生じるのは事実だ。その日マニラで私は、自分がアルジャジーラの取材対象にされてしまい、いつもとは逆の立場になったことにとまどいを感じていたが、やがて完成する本書にアルジャジーラを登場させることで立場はふたたび逆転し、自分が編集する側になれると考えて自らを納得させた。

というわけで、マリアのオフィスにはアルジャジーラの一団がいて、マリアをインタビューしている私を映像に収めているというわけだ。ジャーナリストの仕事は事件現場の情報を伝えることだが、同心円的状況のマリアへの取材が示すように、伝えようとする情報それ自体が進行中の事件そのものなのである。

マリアはもともとマニラ出身だが、十歳のときに母親が家族を連れてアメリカ合衆国に渡った。ニュージャージー州東部のエリザベス市ではクラスで一番小さくて、一番肌の色が浅黒かった。幼い頃から優秀だった彼女は家族のなかで初めて大学（プリンストン大学）に進学した。一九八六年にフルブライト奨学金で政治パフォーマンス（政治劇）を勉強するためにフィリピンに戻ったが、気がつけば反マルコス派による革命の真っ只中にいた。その頃マニラのあちこちで政治劇が大々的に演じられていた。やがて彼女は、当時はまだアメリカの小さなケーブルネットワークだったCNNに入社した。史上初の世界的なニュース専門ネットワークになるという大志をCNNは抱いていた。CNNでもっとも重要なのはテレビ画面に登場する記者であり、どのニュースをいつ、どんなふうに報道するかを決定できた。マリアはそうした決断をするのは好きだったが、撮影されるのは嫌いだった。昔からずっと悩まされている顔の湿疹がその理由だが、テレビに出ているときはあらゆる撮影技術を使ってごまかしていた。とはいえ、気取りのなさと子犬のように夢中になるところが視聴者に愛された。彼女の大きな目は好奇心であふれていた。

マリアは東南アジアのCNNの顔となり、一九九〇年代の数々の「民主化」運動を報道した。マルコス政権崩壊後のこの時期、東南アジアでは次から次へと独裁政権が倒れていった。そうした変化を冷戦の勝利者の目で眺めるのは魅力的なことだった。拡大し続ける自由——新しい政治的変化がそれを裏付けているように見えた——のその先にあるのがそうした時代の変化だった。しかし二〇〇一年九月十一日のアメリカの同時多発テロ事件によって、このわかりやすい夢物語は粉砕された。

だがマリアはさほど驚かなかった。CNNの同僚と違って彼女は方言を使いこなせたので、相変わらず貧しい村やスラム街では「民主主義」はほとんど根を下ろさないことを知っていた。彼女がフィリピンのアルカーイダの新兵と家族にインタビューしたときにまず驚いたのは、彼らの生い立ちはいたって平凡であり、イスラム原理主義者の純粋さとは遠い世界の住人であることだった。アルカーイダのビン・ラーディンが仕掛けたトリックとは、さまざまな集団のさまざまな不平や怒りを拾い上げることだった。そして、彼らが世界的に団結すればより良い世界に到達できるという幻想、ただ異教徒を排除するだけでいいという幻想を彼らに与えたことだったのである。

二〇〇五年にマリアはCNNを退社した。今から思えば潮時だったのだろう。CNNは変わりつつあった。記者は事実を報道するというより、感じたことを表現するように要求された。利益を上げることがなによりも重視されるようになりつつあった。こうしたことはマリアをうんざりさせた。彼女はテロリストについて取材し、調査したかったのであって、ニュースを扱うリアリティ番組のスターにはなりたくなかった。

マリアがフィリピン最大のテレビネットワークでニュース部門の責任者をしていた二〇〇八年六月九日の早朝、彼女は部下である花形レポーターのセシリア・ドリロンの電話でたたき起こされた。「マリア、すべて私の責任なんだけど……私たち誘拐されて、身代金を要求されてるの」[4]。マリアの指示に逆らって、セシリアはムスリムの武装勢力を取材しようとしていたが、アルカーイダ傘下のフィリピンの武装組織アブ・サヤフにカメラマン二名とともに誘拐されてしまったのだ。

その後の十日間、マリアは昼夜ぶっ通しで救出活動の陣頭指揮をした。最終的にはセシリアの家族が誘拐犯が納得するお金をどうにか用意した。

セシリアたちが解放されてから、マリアは誘拐犯を突き止めるべく調査に乗り出した。関連する組織を三つたどっていくうちにビン・ラーディンにつながった。アフガニスタンから東南アジアへと拡大するアルカーイダの勢力について報道していたときから彼女が注目していたおなじみのパターンだ。イデオロギーがネットワークを通じて広がるとき、イデオロギーへの忠誠の度合いはその人間がネットワークのどこにいるかによって決まる。だからアルカーイダのイデオロギーがなぜ、どのように広がっていくのかを知るためには、彼らの思想や社会経済的要因などを研究するよりも、人と人とのつながりを理解しなければならない。同じことが複雑にからみあった個人と社会の問題についてもいえる。ある問題に別のネットワークからアプローチすれば、まったく違った様相を呈するかもしれないのである。こうした生身の人間同士のネットワークはすぐにソーシャルメディアに取って代わられるだろう――マリアは肌でそう感じた。

二〇一二年、マリアはフィリピン初のインターネット・ニュースサイト、ラプラーを創設した。彼女は自身のネットワークの知見を大いに活用した。ラプラーは時事問題を伝えるだけでなく、広範なオンラインコミュニティを作り、重要なクラウドファンディングには協力を惜しまなかった。たとえば、自然災害時の人命に関わるような情報を集めて、洪水や暴風雨に見舞われた被災者がシェルターや支援を得られるようにした。マリアは時代遅れのハッカーではなく、ソーシャルメディアにくわしい二十代の若者——ファッション関係のブロガーやウェブデザイナー——を雇った。ラプラーのガラス張りで、間仕切りのないオレンジ色のオフィスに足を踏み入れると、スタッフが若いことと、女性が多いことに気づくだろう。もちろん年長のジャーナリストも数名いて、威厳を漂わせながら若いスタッフを監督している。マニラでは彼らは「ラプラー・ファミリー」と呼ばれている。

ドゥテルテがソーシャルメディアに刺激されながら選挙運動をはじめたとき、彼とラプラーの関係は理想的なカップルのようだった。テレビ局はドゥテルテをまじめに取り上げなかった。ラプラーがフェイスブックでフィリピン初の大統領候補者討論会を開催したとき、わざわざ姿を現したのはドゥテルテだけだった。だが、華々しい成功を収めた。ラプラーのオンラインコミュニティではドゥテルテが支持率トップになった。彼は「薬物犯罪」についてしか語らなかったが、それは徐々に受け入れられていった。いつしかラプラーの記者たちは「麻薬撲滅戦争」というキャッチフレーズを繰り返し口にするようになっていた。のちにドゥテルテが大虐殺をし続けたとき、彼らは「戦争」という言葉を使ったことを後悔した。彼の行動をあたかも正しい行為に見せる手助けをしたからだ。「戦争」ならば大虐殺は仕方ない、と受け入れられてしまう。

ドゥテルテ大統領とのトラブルは、女性への口笛からはじまった。記者会見でドゥテルテがテレビ局の女性記者に口笛を吹いたのだ。その場にいたラプラーの女性記者は大統領に謝罪を求めた。するとラプラーのオンラインコミュニティは、「ラプラーの女性記者は大統領にもっと敬意を払うべきだ」

という書きこみでいっぱいになった。「おまえの母親は売春婦だろう」という書きこみもあった。ラプラーの人々は困惑した。こうした言葉は彼らのコミュニティにはふさわしくなかった。彼らはそれを性差別的な男性至上主義の名残とみなした。女性が男性を非難すれば必ずその女性は攻撃されることになるからだ。

その間もドゥテルテ大統領の下品な言葉遣いが改まることはなかった。[5] 彼はローマ教皇やアメリカ大統領を「売春婦の息子」と呼んだり、嫌いな記者から厳しい質問をされると、「女房のあそこが臭くてたまらないからそんな質問をするんだろう?」と言ったりした。自分には愛人がふたりいると自慢したり、誘拐犯の代わりに自分が美人の人質をレイプするべきだったと冗談を言ったりもした。国連とEUの幹部が彼の大虐殺を非難すると、植民地主義がまだ残っているから自分を告発するのだと言い、彼らの歴史的な過ちを私の罪にしようとしていると反論した。テレビ番組では、テロリストの肝臓《レバー》を塩で味付けして食べたいと言ったり、彼の部隊の兵士がそれぞれ三人の女性に性的暴行を働いたら、兵士に性的暴行の刑罰を与えると言ったりした。

こうした発言の文脈が私に少しわかったのは、マニラ市内の町ケソン——フィリピンを代表するテレビ局のテレビ塔があり、その隣で十代の売春婦とニューハーフが夜陰に紛れてたむろしている——にある「コメディバー」に行ったときのことだった。コメディアンは客のなかから「いけにえ」を選び、ペニスのサイズや体重のことで彼らをからかう。家族の目の前でからかうのだが、身内が恥をかかされているのに家族は大笑いだ。

これこそが、ドゥテルテがひっきりなしに放つ下品なジョークで使っている言葉だ。そしてそれは、世界中の男性指導者グループと共有する一種のユーモアでもある。ロシアのウラジーミル・プーチン大統領は「排便中でも《くそったれ》」テロリストを殺すと約束して、うまいレトリックだと名を揚げた。アメリカのドナルド・トランプ大統領は女性の「あそこ」をつかんだと自慢した。チェコ共和国のミロシェ・ゼマン大統領は「ロマ（ジプシー）の黒焦げになった死体に小便をかけよう」と呼びかけた。ブラジルのジャイール・ボルソナーロ大統領は女性の政治家に向かって「醜すぎて」レイプする気にもならないと言ったり、黒人活動家は「動物園に戻る」べきだと言ったりした。[6] イギリスでは、反移民の政治家ナイジェル・ファラージは特大の口を開けて耳障りな笑い声を発しながら、「中国人」についての無礼なジョークを言い続けた。[7] こうした下品なユーモアは彼らが「エスタブリッシュメントではない」ことを示すために使われ、彼らの「反エリート主義」的な政治は、エスタブリッシュメントの道徳と言語的規範を拒否することで表現された。

　下品なジョークが権力者を揶揄するために弱者によって使われる場合は、権力者をその地位から引きずり下ろし、政権を一時停止状態にすることもできる。[8] だからこそ下品なジョークはしばしば禁止されてきた。一九三八年、私の父方の曾祖父はハルキウ［ウクライナ東部の州都。ロシア名はハリコフ］の巨大な工場で会計士として働いていたが、そこのカフェテリアで酒を飲み、ソ連最高会議幹部会議長［ソ連共産党書記長のこと。当時はスターリン］の睾丸について皮肉を言った。たちまち報告され、逮捕された。ヴォルガ川河畔の強制収容所送りとなり、そこで亡くなった。

　しかしこうした下品なジョークが弱者を蔑《さげす》むために権力者によって絶えず使われる場合、それはユーモアではなく威嚇となる。さらにそれは弱者に屈辱を与える言葉の暴力へと発展し、やがてすべての規範が消えてしまうことになる。

　ラプラーがドゥテルテの超法規的殺害（裁判なしの処刑）を報道しはじめると、オンラインの脅迫状がひっきりなしに舞いこんだ。一時間に九十通の脅迫メールが届いたこともあった。「ラプラーが伝える『殺害』はでっちあげだ」「ラプラーはドゥテルテの敵から金をもらっている」「ラプラーの報道はすべてフェイクニュースだ」といった書きこみが絶えず送られてきた。そうした脅迫メールは虫のようにメールボックスの中に侵入し、彼らのコミュニティを襲いはじめた。ラプラーは自分たちのオンラインコミュニティがインターネット上の「民衆の知恵」の場になるように注意深くキュレート［インターネット上の情報を収集して整理すること］してきた。だからラプラーのスタッフがレイプの脅迫者を突き止めることもあった。それは使い捨てのアカウントだったのだろうか？　残念だが、それは実在するアカウントだった。人々はおもしろがっていたのである。ラプラーの記者がショッピングモールで怒鳴られることもあった。「おい、おまえのとこはフェイクニュースじゃないか！」「恥を知れ！」

マリア・レッサは攻撃の矢面に立った。なかにはくだらないものもあり、ナチスの制服のような服を着ているというインターネットミーム［急速にコピーされて広がる流行りの画像、ビデオ、文章のこと］のように、彼女の反応を見るだけのものもあった。「マリア、おまえの母親は中絶するべきだった――精子の無駄使いだ」というものまであった。

彼女をひどく困らせたのは――湿疹だった。それは昔から彼女のウィークポイントだった。誹謗中傷の書きこみをする人たちが彼女の湿疹をからかいはじめるとたちまちエスカレートし、彼女は心の準備ができないうちに対応を迫られた。

彼女はまず自分を責めた。なにかまずいことをしたのだろうか？　なにか誤報を流しただろうか？　彼女はラプラーが発信したニュースをすべて繰り返しチェックしたが、なにも出てこなかった。やがて「#マリア・レッサを逮捕しよう」というハッシュタグが付いた書きこみが流行りはじめた。次は「#ラプラーのフォローをやめよう」だった。

そんなときフィリピン政府がマリアを告訴した。ラプラーへの投資家のなかにアメリカの財団があったことから、ラプラーは外国からの編集指示に従ったとフィリピン政府が告発したのだ。すると取締会の役員のなかから辞職する者が出てきた。広告も急激に減った。マリアは自分の保釈金のために金策に走った。ラプラーの初公判は高等裁判所で開かれ、そこで結審された。ラプラーにとって最悪の事態は過ぎたかと思われたとき、ドゥテルテの支持者たちがラプラーに対して別の裁判を準備しているという噂をマリアは耳にした。[9]

ラプラーへの攻撃の最中、私が見たところ、オフィスのなかで一番落ち着いているのは編集長であるグレンダ・グロリアだった。それは、彼女がこうしたことをすでに経験済みだったからかもしれない。グレンダはマルコスの時代を覚えていた。一九八〇年代、彼女は学生記者で、マルコス政権が行なった反政府勢力への拷問を取材していた。彼女の恋人も拷問を受けたひとりであり、小さな独立系印刷所を経営していたために逮捕され、睾丸に電極をつながれた。

当時の拷問は心理的な拷問と肉体的な拷問を混合させたものだった。その究極の目的は、残忍な仕打ちをするのみならず、人間性を破壊することだった。ウィスコンシン大学マディソン校のウィリアム・マッコイ教授は冷戦時代のCIAとアメリカの傀儡政権が行なった心理的な拷問テクニックを研究してきた。教授は著書でカングレオン神父の例を取り上げている。カングレオン神父はフィリピンのカトリック教会の聖職者で、政府転覆を企てて共産主義者に協力したとして告発されたが、冤罪だった。彼は二か月以上、睡眠を取ることも日光を浴びることも禁じられた。取り調べの最後、目隠しをされて新しい監房に連れていかれ、椅子に座らされた。何人か人が入ってきたのがわかった。やがてあらかじめ用意された筋書きに沿って、さまざまな声が彼を侮辱しはじめた。私がこの本を読んだのは二〇一八年だが、侮辱の内容はソーシャルメディアの匿名トロールとほぼ同じだった。[10]

「神父さん、セイクレッドハートカレッジで知りあったシスターの名前、覚えてるだろ？……一発やったのか？　気持ちよかったか？」

「私にとって彼は聖職者なんかではありません。そう、あなたのような人は聖職者として尊敬される価値はない」

「よし、シャツを脱がせろ。あの体を見ろよ。セクシーじゃないか。ここにいる女たちもおまえのことをマッチョだと思ってるぜ。おい、おまえはホモか？」

このあと、この茶番の取り調べは肉体的拷問に変わった。

「俺が殴ってもマッチョでいられるか見てみようぜ」（肝臓のあたりを素早く殴られる）

「おい、机にもたれるな。両腕を体の横に置け。それでいい」（殴られる）

「椅子を取り上げろ」（神父が椅子から立ち上がると頭の後ろを殴られる。首をすくめるとさらに殴られ……）

カングレオン神父が取り調べに協力すると言うと、テレビ局に連れていかれた。共産主義者を支援したと生放送中に告白すること、反政府運動に参加したと思われるほかの聖職者の名前を言うことを強制された。

マルコス政権下ではすべての大学、教会、農場、オフィスに政府のスパイが潜りこんでいたことをグレンダ・グロリアは思い出した。スパイはあなたの同僚や隣人や友人に、あなたは共産主義者だ

――たとえそうでなかったとしても――と言いふらし、耳打ち作戦であなたの評判を悪くする。それから彼らはあなたを逮捕しに来る。マルコスはメディアを「本物のジャーナリスト」と「共産主義者」にグループ分けし、彼や政府を批判した者はすべて「共産主義者」として解雇された。

「マルコスが得意とした心理戦はいま進行中の出来事とよく似ています」とグレンダは私に言った。「ただし大きな違いがあります。ドゥテルテはメディアを攻撃するために軍隊を使う必要がありません。軍隊の代わりにテクノロジーを使うんです」

マルコス政権崩壊後の新しいフィリピンの民主政治は、たしかに完璧とは言い難かった。人権侵害は続き、ジャーナリストの命は、とくに地方では軽んじられた[11]。とはいえ弾圧した側にも、自分たちの行動は民主政治に反しているという自覚は多少はあり、虐待の事実をごまかそうとしたり、少なくともルールに従うふりくらいはした。しかしドゥテルテはまったく違った。自分の命じた超法規的殺害やジャーナリストへの攻撃に浮かれ騒いだ。

今やドゥテルテは、文字通りマルコスの名誉回復をしようとしていた。マルコスの遺体を掘り起こし、軍葬を執り行なった。マルコスの息子ボンボン・マルコス（フィリピン北部にある父親のかつての地盤をいまだに支配している）と政治的な結びつきを強くした。やがて一九七〇年代のマルコスの罪を免除しようというビデオや、殺害と拷問をしたのは彼の軍隊の悪党どもだと主張するビデオがインターネット上に続々と現れた。

まるでマルコス時代が今のデジタル時代に甦ったかのようだが、違いもあるとグレンダは思った。当時は、どんなルールなのかがわかっていた。彼らがあなたに近づいてきたとしても、あなたには選択肢があった。ひそかに町を出られたし、弁護士と連絡を取ることもできた。人権団体に手紙を送ることもできた。誰がスパイなのか、誰があなたのもとに来るのか、誰があなたの敵かはわかっていた。そうしたことを予想することができた。それはある種のルールに則っていた。

ところが今はどうだろう？　ソーシャルメディアから隠れられる場所なんてあるのだろうか？　あなたが田舎にいようが、自宅の居間にいようが、外国にいようが、ソーシャルメディアはあなたのもとにやってくる。そもそも、あなたが実際に対決しているのはいったい誰なのだろう？　目に見えない彼らは、どこにでもいるともいえるし、どこにもいないともいえる。彼らのうちの何人が実在するのかもわからないのに、どうやってあなたはオンラインの暴徒と戦うのだろうか？

こうした猛攻撃が数か月続き、マリアとラプラーのスタッフはこの攻撃はいったいなんだったのかを懸命に理解しようとした。彼らはこの大混乱のなかにひとつのパターンを見出した。まず信用を傷つけられ、次に脅迫された。それから名声が徐々に損なわれ、インターネット上の攻撃が実際の逮捕状に変わった。こうしたことすべての背後に筋書きのようなものがあるのではないだろうかと彼らは考えた。

最初に目を引いたのは韓国人ポップスターだった。

彼らはラプラーのオンラインコミュニティに登場し、ボンボン・マルコスとドゥテルテがいかに偉大であるかをコメントした。韓国人ポップスターがフィリピンの政治に関心を持つなんてことがあるのだろうか？　彼らの書きこみをチェックすると、どれも一字一句違わず一致した。明らかに偽アカウントで、同じ発信源からコントロールされている可能性が高かった。

次にマリアとラプラーのスタッフはインターネットを徹底的に調べ上げるプログラムを実行し、ほかにも同じ言葉を使っているアカウントがないかを探した。二か月かかったが、同じ表現を繰り返すアカウントを発見できた。だがそれらは実在する人のアカウントのように思えた。普通に仕事をしている本物のフィリピン人だとプロフィールに書いてあったからだ。ラプラーのスタッフはひとりずつ調べ、勤務先に電話をした。ところが誰も彼らのことを知らなかった。要するに二十六人分のプロフィールがうまく偽装されていたということだ。一方、韓国人ポップスターの偽アカウントのほうは同じメッセージを同じ時間に繰り返し、三百万人のオーディエンスに届いていることがわかった。

ラプラーのスタッフは一斉に安堵のため息をもらした。ここに動かぬ証拠がある。攻撃方法がわかったからには、あとは現実的に対処すればいい。自分たちのせいではない。誰かが攻撃しているのだ。

スタッフは、オンラインの暴徒が彼らを攻撃するときに使う表現をすべて分類した。リストは十以上になった。「メディアは腐敗している」「ラプラーを利用しないようにしよう」「デ・リーマ上院議員は逮捕されるべきだ」などだ。スタッフはそうした表現が現れる頻度に注目した——心拍数モニターのようなものだ。政治的イベントの前になるとその数はいきなりピークを迎えることがわかった。「メディアの腐敗」についての言及は選挙前に一気に増大していた。「デ・リーマ逮捕の要求」は、警察が彼女のもとに来る直前にあった。それが自然発生的に起こるなんてことはありえなかった。

スタッフは一種のインターネットの攻撃監視レーダーシステム——マリアは「サメの水槽」と呼んだ——を作り上げた。それは、作り話が書きこまれたり、組織的な中傷が飛び交いはじめたりすると警告を発するものだった。中傷がこれまでと同じものならラプラーは当意即妙な返信を自動的に送り、さらに彼らのオンライン支援者に警告してラプラーの理念を守った。

二〇一八年二月、ラプラーのスタッフはフィリピンのインターネット上に異常な人物を発見した。

ユーザー名は＠Ivan226622、記事を頻繁に投稿していた。フィリピンの政治について一週間で千五百十八もの記事を載せている。アイコンの写真は目立たないもので、プロフィールにはコンピュータに興味のあるフィリピン人男性と書かれていた。アメリカの大学が作成した「なぜわれわれはメディアを信用できないのか」というタイトルの講義映像を自分のプロフィールに貼り付けていたが、その「大学」は学術機関ではなく、アメリカの右翼のトークショー司会者が作ったビデオで使用された自称の「大学」にすぎなかった。[12]

さらに異常なのは、フィリピンに現れる前の＠Ivan226622の活動だった。最初はイラン、次にシリアについて頻繁に投稿していたのである。それからスペインに関心が移り、カタルーニャ独立運動を煽動するような記事を無数に投稿していた。彼の記事はロシアの政府系メディアからスペイン語で送られていた。そして別の多数のアカウントで同じ記事が同時期に投稿されている。

＠Ivan226622が発見された二〇一八年前半は、おそらく世界でもっとも悪名高いトロール工場がニュースで多く取り上げられた時期と一致する。ロシアのサンクトペテルブルクにあるインターネット・リサーチ・エージェンシー（ＩＲＡ）がそれで、二〇一六年のアメリカ大統領選でドナルド・トランプが有利になるように働きかけたことが判明して悪評を得た機関である。アカウントの後ろに誰が実際にいるのかを突き止めるのはひと筋縄ではいかない。ＩＲＡの存在が暴露されても、興味深いインターネットの利用習慣があっただけで罪はない人たちが「ロシアのトロール」として告発されるだけだ。＠Ivan226622は、ラプラーが彼について記事にした直後に、そして彼の正体を暴く人が出てくる前に姿を消した。

ロドリゴ・ドゥテルテがプーチン大統領と会談して親しくなってからは、フィリピン政府はロシアの政府系メディアの記事を引用するようになった。マリアは、@Ivan22622がフィリピンに現れたこととそれが関係があるのではないかと思った。ラプラーの身に起こったことは、それから起こる世界的な現象の前触れだったのである。

●トロールを捕まえる

インターネット・リサーチ・エージェンシー（IRA）はアメリカの大統領選で世界的な悪評を得たが、主な仕事はロシア国内の反対勢力を「トロールする」ことだ。早くも二〇一五年に、ほっそりして弱々しそうに見える若い女性リュドミラ・サヴチュクはIRAに潜入し、その実態を明らかにする証拠を集めようとしていた。その後彼女がトロール工場の活動を中止させるための長く困難な努力をしている最中、私はヨーロッパで、次にアメリカで偶然彼女に会ったことがある。

リュドミラは、以前ロシアで知りあった活動家を彷彿させた。ロシア政府は市民社会組織（CSO）の大半を解体させたので、そのメンバーだった人たちはジャーナリスト、小さな会社のオーナー、慈善活動家といったさまざまな職業についているか、あるいは仕事を転々としていた。グーグルでリュドミラのことを調べたが、彼女をひと言で語るのは難しいことに気づいた。彼女は環境保護論者、ジャーナリスト、インターネット活動家、反政府活動家と呼ばれていた。ある意味で、どれも正しかった。

「私について書かれていることはすべて無視してください」――彼女は開口一番にそう言った。一部のジャーナリストが自分を「トロール工場の内部告発者」と呼んだことにリュドミラは当惑していた。そもそも彼女はそこに潜入して証拠集めをしていたのだから、内部告発者などではなかった。『内部告発者』と言えばわかりやすいと考えたんでしょうけど」と彼女はため息をついた。

リュドミラがトロール工場に潜入できたのは偶然だった。二〇一四年、彼女はプーシキン市［サンクトペテルブルク市の管轄下にある市］でテレビ記者として働いており、緑地保全地区で違法な建設計画を立てている市の役人を取材した。取材をはじめると公園に違法建築物を建設する計画があることがすぐにわかり、それを阻止しようとするデモの組織作りを手伝った。やがて彼女は地方議会の議員に立候補する。活動家がインターネットで中傷され、「金で雇われている」「怠け者」などと非難されることを座視できなかった。

サンクトペテルブルク市の郊外にトロール工場があるという噂はすでに出まわっていたが、その規模や、どのように運営されているのかを知る人はいなかった。そしてそれに注目する価値があるのかどうかについては、意見が分かれていた。とはいえ、もしトロールされたらどうなるのだろうか？強気の活動家は相手にする必要はないと考えていたが、リュドミラは違った。尊敬する人が中傷され、怒りを抑えられなかった。

二〇一五年一月、長い付きあいの同僚の記者から、「母国のため」のプロジェクトに参加する気はないかと誘われた。彼女は「特別プロジェクト」のためのチーム作りをしていて、文章が書ける人を探していた。「リュドミラ、面接を受けてみない？」と言われたとき、同僚はトロール工場のことを言っているのではないかとはたと気づいた。これはトロール工場の実態を知る絶好のチャンスだ。リュドミラはロシアでたった二紙のみ生き残っている独立系新聞「モイ・ライオン（私の町）」と「ノーヴァヤ・ガゼータ（新しい新聞）」のジャーナリストたちとひそかに計画を立てた。リュドミラがトロール工場に潜入し、その運営方法が明らかになる証拠を撮影あるいはダウンロードして、ジャーナリストたちがそれを公表するという計画だ。リュドミラは自分のソーシャルメディアアカウントをただちにすべて消した。録音・録画するためのスマートフォンが彼女に与えられた。

トロール工場のオフィスはサンクトペテルブルク市郊外にあった。四階建ての新しい建物で、二階分の吹き抜けを正方形のどっしりした柱が支え、黒枠の狭い窓は矢狭間《やざま》［矢を射るための隙間］のようだ。入口のドアにはなにも書かれていない。同僚の記者が入口でリュドミラを待っていて、責任者の部屋まで連れていってくれた。驚いたことに、その人物はモイ・ライオンのコラムニストだった（名前だけは知っていた）。「工場」には治安機関の人間やPRの専門家はおらず、元ジャーナリストであふれていた。彼らの転職の動機はすぐに想像がついた。リュドミラはこれまでの給料の数倍もの金額を提示されていたからだ。責任者はリュドミラの採用をしぶっていた。彼女が調査報道の仕事をしてきたことを知っていたからだ。リュドミラの同僚の記者は彼の不安を一笑した。「何を言ってるの。そういう仕事をしてこなかった人がここにいる？」

四階建ての建物すべてがトロール工場だった。細長く配置された机の上にコンピュータが所狭しと並んでいた。コンピュータは二十四時間・週七日休みなく管理され、シフト制で働く職員は出社と退社時間を記録する通行証を持たされた。休憩時間の喫煙でさえも規則があった。

工場は縦社会で、はっきりとしたランクがあった。もっとも下に見られているのは「コメンター」で、そのなかでも最下位の者はオンライン新聞のコメント欄に投稿する仕事を受けもつ。そのひとつ上はソーシャルメディアにコメントを載せた。コメンターの上には編集主任がいて、ロシアのどの反対勢力の人間を攻撃すべきかを彼らに指示する。その指示のもと、コメンターは朝から晩まで彼らのことを「ＣＩＡのスパイ」「売国奴」「サクラ」と非難する。コメンターのなかには十分に教育を受けていない者もいた。ロシア語の文章が拙い者もいたので、彼らに文法を教えるための国語教師までいた。

リュドミラはかぎられた人しか入れない別の階で働いた。「特別プロジェクト」には「カンタドラ」を創造することも含まれていた。カンタドラは神秘主義的なヒーラーであり、占星術と超心理学と水晶の専門家である。カンタドラのブログは、普段は政治に関心のない中産階級の専業主婦を対象にしていた。リュドミラの仕事は、占星術のサイン［黄道を十二等分したそれぞれの領域］と恋愛話の合間に時事問題を少し紛れこませることだった。カンタドラのブログは四人が担当していた。リュドミラは四人の担当者のなかでスタス［スタニスラフの愛称］が一番好きだった。彼はこの仕事のせいですっかり落ちこんでいた。任務が終わったら彼を救い出そう、とリュドミラは決心した。

リュドミラとスタスとほかの二名のもとに、政治記事とそこから導き出すべき結論が添えられたワードの文書が毎日送られてきた。「EUはアメリカの家来だ」「ウクライナ（ロシアが侵攻していた）はファシストに支配されている」などの結論だ。それらをカンタドラのブログにどのように挿入するかはリュドミラたちに任されていた。リュドミラはこんなふうに書いた。カンタドラにはドイツに住む姉妹がいることと、彼女が見た悪夢（砂漠にいて毒蛇に囲まれている）を結び付けて、毒蛇はEUを危険にさらすアメリカの外交政策であると説明する。この工場で作り出された言葉がロシアの辺境にまで達していることがだんだんわかってきて、リュドミラは驚かざるをえなかった。たとえば二名のトロールが小さな地方紙のコメント欄に照準を定め、最初は彼らが住んでいる町の通りや天気についてチャットをしながら、そのうちに極悪非道な西側諸国がロシアを攻撃するというコメントをさりげなく載せるといった具合だった。

マニラの偽情報アーキテクトと同じように、トロール工場で働いている人は誰も自分のことを「トロール」とは言わない。それどころか、自分たちの仕事を受け身形で話すのだった――「記事が書かれた」「コメントがつけられた」。ほとんどの人は工場での仕事をただのどこにでもある仕事であるかのようにとらえ、最小限の仕事をしてさっさと退社した。リュドミラが見たところ、彼らの多くは快活な若者であるが、その一方でターゲットを侮辱したり恥をかかせたりするように指示されても瞬きひとつしなかった。犠牲者がいとも簡単に中傷されることと、犠牲になる人の数の多さを考えるとリュドミラは頭がくらくらしてきた。証拠を集めればこうしたことすべてを止めさせられる――そう考えてリュドミラは自分を奮い立たせたが、それは大変な仕事だった。あらゆるところに監視カメラがあった。文書をコピーするためにコンピュータにUSBメモリーを差しこむとき、リュドミラはウェーブのかかった長い髪で手元を隠すようにした。

工場に仕事の指示を出すのはいったい誰なのたろうか？　クレムリンか？　それともこの大量の指示はIRAのなかで出されているのだろうか？　誰も何も言わない。ほかのジャーナリストが以前教えてくれたことだが、このトロール工場のオーナーはエフゲニー・プリゴジンという男らしい。プリゴジンは公の仕事に参入するために政権を頼り、クレムリンに〝ケータリングサービス〟をするようになった。彼は一九九〇年代からウラジーミル・プーチンを個人的に知っており、また強盗罪で九年間服役していた。[13]のちに判明することだが、彼もまた傭兵部隊の指揮官であり、ウクライナからシリア、さらにはその先までのクレムリンの闇の戦争を戦ったのだった。

リュドミラは、この工場はもっと大きなネットワークの一部なのではないかと思う瞬間があった。野党の政治家ボリス・ネムツォフが二〇一五年二月に赤の広場に建つ大聖堂の近くの橋で射殺されたとき、工場の中間管理職の男がいきなりオフィスを走りまわり、トロールに直接指示を与えたことがある。ロシアの大手出版社の記事のうち、どの記事の下になにを載せればいいかを指示したのだ。大手出版社の記事を読む時間はなかったが、なにを載せたかは誰もが正確に覚えていた。トロールが命じられたのは、ネムツォフ暗殺の黒幕は誰なのかについて混乱を巻き起こすことだった。ウクライナ人か？　チェチェン人か？　アメリカ人か？　クレムリンとの関係をわざとぼやかしているＩＲＡは、暗殺と関係があると思われるクレムリンを今度はわざとぼやかしたのだった。[14]

　日中、リュドミラはトロールによって偽りの現実が次々と作り出されるのを目の当たりにする。夜はなにもかも忘れてしまいたいと思いながら家路に急ぐのだが、結局は工場で量産された彼女の文章を親族や知人が口にするのを聞くはめになる。テレビからの大量な情報にだまされまいと思っている人たちは、ソーシャルメディアのメッセージには逆に感化されやすいようだ。そうしたメッセージは非常に個人的なオンライン空間に入りこんでは包みこみ、彼らの生活をいきいきとしたものに変える。

　リュドミラは工場で二か月半働いたところで、計画通りに証拠のデータを新聞社の人間に渡した。彼らはそれを「匿名」記者によって書かれたものとして新聞に載せた。翌日工場に行くと、コメンターたちは彼女の記事を貶めることに躍起になっていた。「トロール工場などというものは存在しない」とトロールが書いていた。「それらはすべて母国の敵に金で雇われたジャーナリストたちがでっち上げたものだ」。リュドミラが工場に潜入したモグラ（スパイ）だと編集主任が気づくのは時間の問題だった。彼らは犯人を割り出すために監視カメラをすでにチェックしていた。しかしリュドミラは抜かりなく任務を遂行したので最初は彼女がスパイだとは誰も信じなかった。リュドミラを工場に紹介した同僚記者の女性は彼女をかばった。「リュドミラはスマートフォンだって持っていないのよ！」

リュドミラは工場を辞めた。工場に潜入したのは自分だと公表する決心もした。目撃したことについて取材も受けたかったし、工場を閉鎖させる運動も起こしたかった。それは「匿名」ではできないことだった。彼女は多数の取材を受けた。外国で講演もした。

今度はトロール工場がリュドミラを攻撃した。この女は「性的倒錯者だ」「スパイだ」「売国奴だ」と言い募る記事が出まわった。匿名電話が親族にかかってきて、リュドミラがしでかしたことで人が死ぬこともあると言って脅した。リュドミラはスタス――カンタドラのブログを一緒に書いていた青年で、彼女は好意を持っていた――と連絡を取ろうとしたが、彼からは罵詈雑言のメールが送られてきた。彼女は悲しくなった。スタスが工場を憎んでいることは知っていたし、スタスなら彼女の任務を理解してくれるかもしれないと思っていた。リュドミラは願っていた――IRAの活動を暴露して国民のあいだに非常に激しい怒りをかき立てられればその活動を止められるかもしれない、国民は目を覚まし自分たちがどんなふうに世論操作されていたかを知るようになるかもしれない、工場で働いている人たちに恥ずべきことだと自覚させて仕事を辞めさせられるかもしれない。工場で会った人の大半はモンスターではなかった。彼らが工場で働き続けたのは、社会的な不名誉を受けることがまずなかったからだ。

リュドミラの強い抗議にもかかわらず、仲間の活動家を含め大勢の人は彼女の暴露にただ肩をすくめるだけだった。このほうが彼女をぞっとさせた。それは、工場で量産された嘘が現実の力を持ったのみならず、工場の存在そのものが「問題なし」とみなされたことと同じだった。

一時期、殺すぞという脅迫や嫌がらせのためにリュドミラは精神状態が不安定になってパニック障害を起こし、ある心理療法士に診てもらった。心理療法士は彼女の話をうなずきながらじっと聞いたのちに、なぜそんなふうに国を相手に闘いたいのかと尋ねた。金で雇われた裏切り者だから？　そう言わんばかりの質問にリュドミラは動揺し、別の医師を訪ねたが、同じ質問をされた。トロール工場によって広められたものの考え方が、国民の無意識の領域に浸透してしまったかのようだ。もう工場の外に出たはずなのに、今でも工場が彼女をすっぽり包んでいるのだった。

　やがて二〇一八年となり、アメリカ合衆国の特別検察官の捜査によって、IRAの活動はロシアを越えてアメリカ深くまで浸透し、無数の偽アカウント、偽グループ、偽メッセージが作られていたことが判明した。彼らは生粋のアメリカ人として投稿した——右翼民族主義者、ドナルド・トランプ支持の銃愛好家、公民権運動の黒人活動家……。この偽活動家たちはトランプの対立候補は投票するに値しないという考えを広めた。IRAの活動は二〇一六年の大統領選挙後も続いており、アメリカ人をお互いにさらに憎みあうように仕向けていた。三千万人以上のアメリカ人が、家族や友人とそのコンテンツを共有していた[15]。

　もうすぐアメリカがトロール工場に制裁をするだろう、とリュドミラは確信した。IRAのコメンターたちは、トロールという仮面をかぶって「西側諸国」のおそろしさについて長ったらしい文章を書くその一方で、アメリカで休日を過ごすことを夢見る人々でもあった。アメリカへの渡航禁止というもっとも根本的な脅しをアメリカがかければ、多くの若者は工場で働かなくなり、これは普通の仕事などではないと思うようになるだろう、とリュドミラは考えた。

　だがリュドミラはがっかりしたにちがいない。アメリカの特別検察官は、銀行口座を開くために偽の身分証を使ったなどの手続き違反を理由として、IRAの中堅の管理者（アドミニストレータ）を数名告発したにとどまったからである。結局工場が閉鎖されることはなく、それどころか工場の敷地は三倍も拡張された。

なぜトロールに制裁が科せられないのかとアメリカ政府で働く弁護士に私は尋ねた。理由はいくつか挙げられるが、主たる理由はIRAがロシア政府のために直接働いていたかどうか、そして彼らの活動が「敵性国家」の作戦であったかどうかをはっきりさせるのが難しかったからだと彼らは答えた。

IRAの活動規模には目を見張るものがあったが、ほかに類を見ないというわけではなかった。欧米の広告会社が顧客に対してオンラインの偽ペルソナを使って似たような活動をしていることはよくあったし、アメリカの軍にしても、中東のテロリストのメッセージ攻撃に対抗するためのオンラインの偽アカウントを運営するプロジェクトは二〇一一年から存在した（「アーネスト・ボイス（真剣な声）」作戦と呼ばれた）。ロシアだけがテクノロジーをこのように使ったわけではない[16]。

さらに重要なことは、人はトロールが書いたものを好まないかもしれないが、嘘は違法ではないということだ。より良い情報こそが虚偽への対抗手段である——私はこれはジャーナリストの信念であるとしてきた。私の両親のような民主的反体制派もまた、良い情報の前提となる「表現の自由」を得るためにつねに闘ってきた。

カミーユ・フランソワは違う考え方をした。彼女はハーバード大学のサイバー戦争の研究者だったが、グーグルに転職した。フランソワは、ロシアのリュドミラの証拠集めの話とフィリピンのマリアの経験談は、自分が世界中を見てまわって得た大きなパターンに合致すると感じたようだ。それは「権力」対「反対勢力」、「表現の自由」対「検閲」といった従来のゲームの新しいバージョンであり、これまでのルールをひっくり返すものだ。たとえば、これまでの検閲方法では体制を守ることはできない。ソ連時代とは違い、国民が情報を得たり広めたりするのを完全に止められる政権はまず存在しない。しかしながら、権力者はその状況に適応してきた。反対勢力の人たちを苦しめたり、中傷したり、屈辱を与えたりして最後には黙らせ、彼らの信用を傷つけたりするのは権力者ではない。今ではソーシャルメディア暴徒やサイバー民兵［民間の大学や情報関連企業などに軍のサイバー部隊としての機能を持たせたもの］の役目となった。ただし政府とこうした運動との関係ははっきりしていない。政府は、自分たちはソーシャルメディア暴徒とはなんの関わりもない、彼らは表現の自由を行使している個人の集まりだと主張する。

もし政府とこうした運動との関係を立証できたらどうなるのだろうか？　そのあとに政府に責任を取らせることはできるのだろうか？　とフランソワは考えた。

一九九〇年代のパリでインターネットの「海賊」として知られた人たちを支援する活動に、かつてフランソワは携わったことがある。「海賊」とは、すべての知見を無料で共有しようという目的のために、著作権が存在する音楽や書籍、ソフトウェアをオンライン上に載せたハッカーたちのことだ。誰でもお互いの知見にアクセスできるように人はパソコンのパスワードを差し出すべきだという考え方を、フランソワは擁護さえした。しかし二十年後、そうした理想論は、インターネットはますます危険な場所になっているという認識の前に姿を消した。そしてフランソワはセキュリティに関する問題にさらに没頭していった。

ラテンアメリカ諸国の政府がジャーナリストや活動家の携帯電話やパソコンをどのようにハッキングしているのかをフランソワは調査した。現在、彼女はそうした被害者たちとふたたび連絡を取るようになり、ハッキングをされたときにオンラインハラスメントもあったかどうかを尋ねた。ほぼすべての人があったと答えた。

エクアドルの政治家、マルタ・ロルドスは、無数のアカウントから「彼女はスパイだ」と糾弾され、脅かされた。彼女が「自分の両親を殺した」とあらぬ嫌疑をかけられたこともあった。オンラインハラスメントについて彼女はこう明言する。「昔、私は政治的権利を否定されました。私の娘は家のすぐ外から武装した男たちに銃を向けられました……でもそれはサイバー暴力ではありませんでした。私が取材記者を支援するようになってからです。サイバー暴力の時代がはじまったのは」

二〇一五年から二〇一八年にかけての三年間、フランソワは二十名からなる調査チームを作り、アジア、中近東、南北アメリカ、ヨーロッパをめぐって、「政府がスポンサーのトロール」と彼女が命名したものを分類した。そして「トロール」とは「憎悪のメールとオンラインハラスメントで個人を故意に標的にするオンラインアカウント」と定義し、「政府がスポンサーのトロール」は「政府に批判的な個人を恫喝し沈黙させるために、オンラインヘイトとオンラインハラスメントを利用する」と定義した。

フランソワの目的は、政府とサイバー民兵やソーシャルメディア暴徒との親密度の度合いを測る尺度を示すことだった。この調査――その大半は「未来研究所」という名の機関からのちに出版される――で、いくつかのカテゴリーが定義された[17]。そのもっとも明白なカテゴリーは「政府が指示した運動」だ。政府は標的にすべき人間、方法、時期について指示を与える。ただし必ずしも積極的な役割を果たすわけではない。ベネズエラのマドゥロ政権は非公開のソーシャルメディア・チャンネルを開設すると、熱狂的な支持者に、誰を攻撃し、どんなメッセージを書き、いつ書くべきかを指示した――しかし実際に手を下したわけではない。

こうした関係性を少しでも否定するため、青年たちを動員する政府もある。たとえばアゼルバイジャンだ。この国には「情報戦争で積極的な役割を果たせる若者を輩出するために」作られたIRELIがある。その活動とは、つまりはアルズ・ゲイブラのような批判的なジャーナリストにオンラインの脅迫状を実際に送ることだ。「いろいろなことを言われました。尻軽女、スパイ、強欲女——とにかく言いたい放題です」とゲイブラは語った。「こうした侮辱は、病気だった母や亡くなった父にも向けられました。母は売春婦、父はアルメニアの尻軽女と寝た裏切り者と言われました」

バーレーンのケースはさらに陰険なものだった。二〇一一年の民主化運動（アラブの春）の最中、あるインターネットアカウントにデモ参加者たちの顔のアップと彼らの住所と携帯電話番号がいきなり表示されたのだ。そこにはデモ参加者を直接政府に報告するための政府ホットラインへのリンクすらあった。このアカウントの裏には誰がいるのか？　なにもわからなかったが、政府はこのアカウントの存在を知ったあとでも、それを止めさせる手立てを講じなかった。フランソワは思った。それでいいのだろうか？　彼らに責任を取らせなくていいのだろうか？　彼女はこのケースを「政府が調整した運動」に分類した。

関係の否定のもうひとつのカテゴリーは、攻撃を煽動するだけでオンライン暴徒には加わらないというものだ。トルコのケースがこれにあたる。新聞で健筆をふるう与党議員たちがオンライン暴徒をけしかけ、エルドアン大統領を批判する人たちを攻撃させた。

このような「政府が煽動する運動」は、アメリカ合衆国でも顕著になってきた。未来研究所の調査報告では、ホワイトハウスのソーシャルメディア・チームとトランプ大統領を支持するウェブサイト、そしてまさに大統領自身が、彼に批判的なジャーナリスト、学者、野党陣営を「クズ」「下衆《げす》」「国民の敵」と呼び、彼らを標的にした偽情報や偏向記事を流しては嘲笑した。彼らは辛辣な言葉を大量に浴びせられ、勤務先に「首にしろ」という電話がかかってきたり、殺害やレイプをほのめかす電話がかかってきたりした。

ワシントンに本部を置き、報道の自由度を評価する国際NGO団体フリーダム・ハウスは、二〇一七年は「フェイクニュースやジャーナリストへの嫌がらせ行為（トロール）……のためにアメリカ合衆国の順位は下がった。これ以外の面では概して自由な環境にあるにもかかわらずだ」と述べた。フリーダム・ハウスは全体主義体制と闘うために一九四一年に創設された組織であり、冷戦中はソ連の反体制派の人々を擁護した。だが現在はアメリカにおける自由の濫用が彼らの調査テーマだ（これは初めてのことではない。一九五〇年代に反共主義者であるジョセフ・マッカーシー上院議員の魔女狩りにフリーダム・ハウスは反対している）。

フランソワは政府とサイバー民兵やソーシャルメディア暴徒との親密度を示す尺度を作ったのち、法律文書を熟読するようになった。国際連合憲章にも明記されているとおり、政府は国民の基本的権利を守る義務があった。偽ペルソナを使って政府を批判する人間を抑えこみ、脅し、卑しめてよいとする「政府の権利」は存在しない。

しかし政府が支援するトロールに「表現の自由」が認められたことで、こうした法律的争点は消滅してしまった。「表現の自由」は濫用され、被害者の人権を抑圧しつづけた。これはトロールによる検閲だった。「情報過少のイデオロギーから情報過多のイデオロギーに至る状態までわれわれは政府の戦術的手段を監視し、言論の自由それ自体が検閲の武器であることが判明した」と法律学のティム・ウー教授は書いている。[18]

一方、よほどのことがないかぎりトロール工場とそれを支援する政府が裁かれることは期待できそうもない。フランソワはIT企業自体を説得することにした。つまるところ、自由の濫用が起こるのはそうした企業のプラットフォームにおいてだからだ。そしてわずかだが、彼女は成功した。二〇一五年から二〇一八年にかけて、少なくともフェイスブックやツイッターのようなソーシャルメディア関連企業が、政府が組織したキャンペーンは実際にあったこと、「問題」のあるソーシャルメディアアカウントを削除した事実が何回かあったことを認めるようになったのである。

二〇一八年後半のある日、私はワシントンDCでフランソワが書いた文書を読み返しながら、時差ぼけによる奇妙な時間の流れのなかにいた。昼か夜かもわからない無窮《むきゅう》の時間が不自然に私を支配し、時は私を支配する力を失ってしまったかのようだった。そんなぼんやりした時間のなかで、フランソワの目指した未来がすぐそこまで来ているように感じられた。私は未来を想像してみた。そこでは、世界の大国とIT企業がオンライン上の人権を守ると約束する。反対勢力を標的にした運動がはじまると、IT企業は彼らに警報を出して保護する。嫌がらせ行為（トロール）はただちに中止させて罰し、二度とふたたび誰かを苦しめないようにする。政府は、権力に向かって真実を語る人々を屈服させるための「言論の自由」を濫用しない。人々は、誰かがトロール工場で働いていると聞いて、なんでもないことのように肩をすくめてやり過ごさない……。

そんなことをぼんやり考えながら宿泊中のホテルの狭苦しいロビーを歩いているとマリア・レッサにばったり出会った。私は白日夢から一瞬で目がさめた。彼女も同じ会議に出席するためにワシントンDCにいたのだ。彼女に会うのは三か月ぶりだった。ラプラーへの脅迫は収まったのだろうと私は思っていた。マリアは、編集長のグレンダから受信したばかりのテキストメッセージを私に見せてくれた。分厚い書類の写真が添付されている。捏造された脱税疑惑がマリアにかけられ、十年の実刑が科せられる可能性があるという。マリアはマニラに帰るために空港に向かうところだった。彼女はその件については保釈金を払うことができたが、数か月後にまた訴えられた。二〇一二年のある記事に対する名誉棄損の訴えだった。彼女がまさにラプラーのオフィスで逮捕される現場を私はフェイスブックのライブ動画で見たが、彼女は翌日には釈放された。これは政治的動機によるものだ、と人権団体が声をあげてくれた。[19]

この取り調べの最中、マリアは権威ある国際ジャーナリズム賞爵士（Knight International Journalism Award）の二〇一八年度受賞者に選ばれた。マリアは授賞式でトロフィーを手にして、次のように語った。「ソーシャルメディアで急増する虚偽は憎悪を駆り立て、言論の自由を抑圧します。私たちはフィリピン政府とフェイスブックが罰せられずにいるこの現状と闘っています。ではなぜあなたも私たちの闘いに関心を持つべきなのでしょうか？　この問題はすぐにあなたたちの問題になるからです。いま世界中の境界がなくなりつつあります。そして、ある種の世界戦略を私たちはいま目撃しているのです[20]」

マリアの発言は国際的な注目を集めたにもかかわらず、彼女に対する攻撃や裁判は続いた。まるで言論の自由には意味がないと誰かが言おうとしているかのようだ（その「言論の自由」は、ひと昔前は広い世界に向けてあなたの主張を叫ぶことができる根拠だった）。ラプラーの物語は悲しい結末、あるいはハッピーエンドのどちらを迎えるのか。あるいは結末そのものがあるのかどうか。そして現在はなにが起こっているのか。それはあなたが自分で調べなければならない。本書を執筆している二〇一九年前半の段階ですでにわかっていることは、マリアはもはや歴史について語るたんなる記者ではなく、いかに容易に語れなくなってしまったかを示す象徴なのである。これは新しいメディアのパラドックスだ。新しいメディアは私たちを遠くへ、未来へと連れていくはずだった。だが、克服したと思っていたはずの女性蔑視が、もう用済みとしたはずの国家権力が息を吹き返してしまったのである。ソーシャルメディアというまさにその形態が、時間と空間とバランスをシャッフルしてしまった。猫のビデオの次にテロリストが攻撃する映像が流れる世界を、私たちはいま生きている。

そしてその結果、平板な――過去も現在も遠近感なく存在するような、そんな平板なものばかりになった。

リーナはストレスを感じるといつも疥癬《かいせん》を発症し、体中、赤い発疹《はっしん》だらけになる。取り調べのためにKGBに連行されたらどうなるのだろうと考えただけで不安になった。体中がかゆくなるのかしら？ どうやったら冷静でいられるの？ KGBが両親の仕事を取り上げると脅したらどうしよう。そうなったら、どうやって暮らせばいいのかしら？ そして誰がペーチャに乳を飲ませてくれるの？

母親のエスフィールはリーナをなだめた。私たちのことは考えなくていい——自分たちでどうにかするから。赤ちゃんのことも心配する必要はない——私たちが乳母を見つけるから。おまえ自身がくじけないようにしなさい、と諭した。

「KGBは長時間尋問するだろうから、乳腺炎《にゅうせんえん》でお乳が酸っぱくなる。胸が張ってきて乳管が詰まり、膿《うみ》がたまってきて発熱するようになる。だから『今やらないと』と思ったら、取調室だろうと壁際に行って、乳を搾り出して壁にかけなさい。恥ずかしいと思わないこと。逆にびっくりさせてやるの」

リーナが衝撃を受けたのは、お堅い弁護士である母親が秘密警察への抵抗の仕方をあからさまに語り、なにをすべきかよくわかっているように見えたことだ。

母親がなぜKGBの取り調べについてくわしいのか、リーナは尋ねるようなことはしなかったが、たしかにエスフィールは逮捕されるとどうなるかについてはかなり知っていた。

一九四八年、エスフィールがまだ学生だったとき、法学部の学部長からキエフ裁判所で速記者として働くようにと言われた。彼女は驚異的な記憶力の持ち主で、当時は多くの裁判があったのだ。だが、それらは裁判と言えるようなものではなかった。工場のベルトコンベアーのように次から次へと人が連れてこられ、刑を言い渡された。戦後のスターリンによるウクライナ民族主義者への粛清の時代だった。しばらくするとエスフィールはどの裁判官が何年の刑を言い渡すかがわかるようになった。この裁判官は五年、あの裁判官は十五年といった具合だ。とくに厳しいことで知られる裁判官のときは、判決文が読み上げられる直前にエスフィールはタイプを打つのを止める。法廷で働く人も全員作業を中断して両手で耳をぴったりとおおう――裁判官が量刑を言い渡すために唇を動かすのが見え、やがてざわめきが起こるのがわかる。風のようなざわめきは悲しみの嵐となり、泣き叫ぶ声がその場にいる全員の体中に染みこんでくる。

「ウウウオオオ……」

それは刑が確定した被告の親族の声だ。だから法廷で働いている者はいつも両手で耳をおおう――泣き叫ぶ声が聞こえないように。

リーナが育った世界では、誰もが現在進行中の出来事について直接尋ねたり、話したりしないようにしていた。彼女は沈黙のなかで育った。誰もが受け身形で話し、小声で話した。「Xが連行された」「Yもどこかに連れ去られた」(大人になるとリーナは受動態の話し方とささやき声を聞くたびに激しい嫌悪感を抱くようになった)。こんなこともあった。キエフのバビ・ヤール峡谷の近くに貯水池があったが、貯水池のダムが決壊してキエフ全体が大洪水になり、多くの建物と市電が激流で流されてしまった。死者が何百人も出たという人もいれば、数千人が死んだと言う人もいたが、誰も正確な数字はわからないのだった。ニュースはすべて「向こう」からやってきた男たちによってもみ消され、死者を悼む公式行事は禁止された。死者を「地面が濡れている」とだけ言った。これは口にしてはいけない洪水を表現するひとつの方法と言えるが、同様にもうひとつの語られない惨事を思い起こさせた。バビ・ヤール渓谷は戦時中にナチスが数万人のユダヤ人を銃殺し、多くの血が流された場所でもある。誰も責任をとらず、沈黙を隠れ蓑におおい隠されてしまった。

大学でリーナは初めて禁書を手にした。語られなかったことがついに語られるのだ。やがて私の父となるイーゴリを中心とした小さなサークルに入った。そこにはささやくことも受動態で言うこともなく、思ったことを口にする人たちが、禁書をまわし読みする人たちがいた。禁書は粗悪な紙に印刷され、カードを張り付けた靴箱に入っていた。

イーゴリが逮捕される一年前のある晩、リーナはソルジェニーツィンの『収容所群島』[旧ソ連における強制収容所の実態を暴いたルポルタージュ文学。ソ連体制下では禁書とされた。木村浩訳/ブックマン社ほか]が入った靴箱を持ち帰った。リーナは靴箱を脇の下にはさんだまま家に入り、レインコートを脱ぐときに玄関の鏡をちらっと見た。鏡の中に祖母のツィーリャの姿が見えた。よく見えるほうの目でリーナをじっと見ていたが、おそらくリーナの表情に変化が現れたのだろう、「エスフィール!」と大声で呼んだ。「この子は禁書を家に持ちこんだよ」。エスフィールがリーナの部屋に飛びこんできた。

「自分は勇気があるとでも思ってるの？　あいつらがおまえになにをするのか、説明しようか。長くて暗い廊下を歩かせて小さな監房におまえを入れ、重い扉を閉めて鍵をかけるんだよ」

エスフィールは錆びた大きなものが何度も回転するような音を喉から発した。その音を聞いてリーナは縮み上がった。それは人の意志の力を奪うような音だった。それから何年経っても、リーナはエスフィールがその音をどうやって出したのかまったくわからなかった。

その晩リーナは靴箱を家から持ち出した。

「私はひどい人間なのかもしれないが、自分が子供の頃や思春期に成人だった人のことを考えると、裏切り者という言葉しか思い浮かばない」とイーゴリは『読む権利 *The Right to Read*』というエッセーのなかで書いている。

「教師たちに裏切られたように感じた。誰ひとりとして祖国の悲劇について真実を語ってくれなかった。……私も自分を裏切っていたのだろう。なぜ教師や新聞を信じてしまったのだろう？　なぜ二十六歳になるまで仲間の市民を守るために公の場で抗議することができなかったのだろう？　彼らが刑務所に、鉄条網の中に、精神病院に入れられたのは、考える能力、自分たちの言葉を大声で語る能力が彼らにあったからだ。……私は両親を愛していたが、裏切られたようにも感じていた。両親は、息子のために人間の尊厳と誠意を――少なくとも家庭では――持ちあわせているふりをしていた。……私をけっして裏切らなかったのは、本だった――本だけだった。……本物の文学はすべて反ソ的だ。人間、個人、唯一無二のものを認める良書はどれも反ソヴィエトである。ソ連の独裁政権は個人としての人間に牙をむくからだ」

イーゴリは、父［著者の祖父］ヤーコフ・イスラエロヴィチの人生はソ連の実験を否定したことで台無しになったと思っていた。祖父は筋金入りの共産主義者だった。反ユダヤ主義者のいない公正な社会を築けると夢見て、オデッサに住む信心深い裕福な家族とも縁を切った。一九四一年に「ドニエプロペトロフスク・ユース・ガゼット」［ドニエプロペトロフスクは現在のウクライナのドニプロ市］の編集者になり、ジャーナリストとしての栄光をつかみそうな勢いだったが、それも第二次世界大戦後にスターリンがユダヤ人粛清をはじめるまでのことだった。ヤーコフ・イスラエロヴィチは家族とともに遠くへ――ルーマニアとの国境にあるウクライナの地方都市チェルニフツィへ避難せざるをえなくなった。チェルニフツィは第一次世界大戦まではオーストリア＝ハンガリー帝国領だったが、戦後はルーマニア領になり、一九四四年にスターリンによってソ連に併合された。ここでも彼は地元の新聞社で働いた。そしてユーゴスラビアの指導者であるチトー元帥について記事を書き上げると一回目の心臓発作を起こした。祖父の記事は甘すぎると思われたようだ。「ユーゴスラビアのチトー反動主義政権の本質を意図的に隠したことでソ連共産党からの厳しい叱責」を受けた。ヤーコフ・イスラエロヴィチは激怒し、党則違反を承知でモスクワの党機関紙プラウダに手紙を書いて自分の「リベラル」な社説を弁護した。イーゴリが父親の「背筋をぴんと伸ばした姿」を見たのはそのときだけだった。プラウダから返事は来なかった。

ヤーコフ・イスラエロヴィチは、イーゴリがまだ大学生のときに二度目の心臓発作を起こして帰らぬ人となった。臨終のときにイーゴリはソ連の政治犯が書いたサミズダート［ソ連時代の地下出版物］の冊子をヤーコフの手に握らせた。ソ連はそもそも反ユダヤ主義であるという点で父と息子はついに意見の一致を見た。その頃にはイーゴリは政府への態度を決めていた。転機が訪れたのは一九六八年のことで、そのときソ連が率いるワルシャワ条約軍の戦車がプラハになだれこんできた。それが侵略であると誰もがわかっていたが、ソ連は「（社会主義の危機に対する）兄弟的援助」であると信じこませようとした。

イーゴリの最初の中編小説『フォークナーを読む *Reading Faulkner*』は二十七歳のときに書かれたもので、彼自身の人生からヒントを得ている。小説の語り手は若い作家で、彼の父親が書いた無味乾燥な公文書を見つけ、それと自分の文章を比較する。

この国は資本主義の奴隷の鎖を解き放った！　ブルジョア文化はつねに国民からかけ離れている！今やその素顔が明らかになった――独占資本の召し使いの顔だ！　ようこそ社会主義の太陽！資本主義の暗闇よ、去れ！

ほんの少し前、きみは通りを歩きながら空気を吸いこんで、言葉を吐き出していた。きみが言葉をそのページに書き連ねたかと思ったら、今度はそのページがジャケットの中に入れておいた野生のキイチゴのようにあふれて出てくる。このとき第一人称で書けることがどれほどのよろこびであるか？

この中編小説は、自分が何者であるかを明確にするよろこばしい権利を謳いあげている。アメリカのモダニスト、ウィリアム・フォークナーの小説『響きと怒り』を読んで刺激を受けた語り手は、彼の心の状態、チェルノヴィッツ（チェルニフツィのドイツ語名）、彼の家族について語るためにさまざまな文体を試す。

「おまえはウィリアム・フォークナーに憧れているのか?」と初めての取り調べでヴィーレン大佐(ウラジーミル・レーニンの省略形)[V・P・メンシニコフ大佐のこと]がイーゴリに尋ね、彼に会話のきっかけを与えようとした。「やつはブルジョア作家だって、わかってるのか?」

「じつは彼の作品は最近ソ連邦で再版されて、ブルジョア制度の批判者と発表されましたよ」とイーゴリは言い返した。KGBの連中は宿題をしていなかった。望ましい作家と望ましくない作家の境界線は、政治的状況によっていつでも変更された。

取り調べにおけるイーゴリの戦略は、友人や家族や同僚についての話を避けることだった。となると、本の話題しか残っていない。取り調べは文学の話が中心になった。KGBの取調官は飴と鞭のあいだを行ったり来たりした。

「われわれに協力しろ!」(「友人の名前を挙げろ」の意)

「われわれと一緒に働いている作家は大勢いる。なんならおまえの仕事の面倒も見てやろう」と微笑みながら言ったかと思うといきなり態度を変えて机の上に禁書——友人に渡したと嫌疑をかけられたまさにその本——を放り投げた。

「イーゴリ・ヤーコヴレヴィチ、おまえはもう逃れられないぞ」

大佐は禁書の一冊を取り上げた。ウラジーミル・ナボコフの『断頭台への招待』なのはわざとだろう。それは、名もない国で名もない罪で逮捕された男の悪夢の物語だ。大佐は本をぱらぱらとめくり、頭を振った。

「おまえはこれのせいで七年と五年になるぞ」

脅しても無駄だ。懲役七年、流刑五年——キエフの作家や文芸批評家が刑を言い渡されるのはいつものことだ。モスクワやサンクトペテルブルク［当時はレニングラード］なら、本棚にナボコフの作品を並べても罪を問われることはまずなかった。だがここではウクライナの反乱をおそれるソ連の偏執病《パラノイア》は深刻で、締め付けもかなり厳しかった。

イーゴリはそんな本は見たことがないと答えた。昔から「なにもかも否定する」のが取り調べに対する戦術だが、そう答えることで彼自身が傷ついた。本はけっして彼を裏切らなかったのに、今や自分が本を裏切っている。ふと気づくと彼は得難いもの——KGBの地下室に保管されているはずの禁書へ思いをはせていた。そこは文学の宝庫に違いない！

心が恐怖にとらわれないようにするために、イーゴリは取調官たちに人間味を持たせようとした。お決まりの「良い警官と悪い警官」の猿芝居をしていないときは、ふたりはいったいどんな人間なのだろうか？　取調室に行くまでの廊下の壁に貼られたKGBの新聞を見てイーゴリはつい笑ってしまった。彼らもまた自分たちの組織の新聞『ジェルジニエッツ』に寄稿するように言われていたのだ。「ジェルジニエッツ」という名は、KGBの前身であるチェカーを創設したフェリクス・ジェルジンスキーにちなんで付けられた。こうした言葉遊びは職業的傾向なのかもしれない、とイーゴリは考えた。職業的傾向といえば、KGBの男たちはある種の職業倫理に従って行動する。彼らは人々の会話を盗み聞く。抱擁する姿を磁気テープに記録し、交わしたキスをたねに脅迫する。読んでよい本と読んではいけない本を決めつける。彼らは的確で論理的な質問をする有能な人間であると同時に、平然と暴力を振るう人間でもある。KGBと呼ばれるのを嫌い、古い革命時代の言葉「チェキスト」と呼ばれるのを好む。そのほうがロマンチックで、高尚な目的を与えられたように感じるのだろう。

この時代のイーゴリの詩を読むと、よろこびの一人称は客観的な三人称に変わり、彼のまわりにいた人たちはどこかに消えたように書かれなくなってしまった。木漏れ日が差す昼は感傷的な夜に取って代わられる。刑務所が茶色い霧のなかからいきなり浮かび上がり、夜の話し声は月光に包まれた恋人たちのそれではなく、秘密警察の警官たちの会話となる。ある詩のなかで正体不明の動物である作者は、恐怖のあまり野良猫の一団から身を隠す。彼は恐怖をハリネズミにたとえる――丸くなったハリネズミが鼻をつんと上げるようすは最初はかわいらしいが、やがて背中の尖った棘を逆立て、相手をずたずたに切り裂く。

一日のなかで、仕事が終わって家に歩いて帰るときが一番恐怖を感じる時間だった。車が通りすぎるたびに耳を澄ませ、停まりませんように、走り抜けますようにと祈った。玄関にたどり着いてもドアを開けるのが、このドアの向こうできょう何があったかを知るのが怖くてしばらく動けなくなる。KGBが彼を尾行し、彼の知人をしらみつぶしに訪問していることはわかっていた。誰かがしゃべっただろうか？　自分がつかまるようなことをうっかり漏らしはしなかったか？　KGBが欲しがっているのは、ほんのひと言だった――イーゴリは禁書を知人に渡した、と誰かが証言しさえすればいい。

『時事クロニクル』の記録には、「一九七七年十月にキエフのウクライナKGBがポメランツェフの知人を十六名取り調べた」とある。そのうちの一名が口を割り、こう証言したことになっている。「ポメランツェフは反ソ的作品を回覧していた。ソヴィエト社会主義共和国連邦（USSR）では創造的な人間は能力を発揮できない、と主張する中傷的な内容の作品だった」

KGBはイーゴリに、その一名の署名入りの供述書を見せた。法廷でイーゴリが密告者と対面したとき、その男は「相手がKGBであっても嘘はつきたくなかった」と答えた。彼の行動は「正直」だったのだろうか？　それとも「正直」ではなかったのだろうか？

イーゴリの義母エスフィールが町を歩いていると、法学部時代の友人に出会った。友人は今「向こう」で働いていた。「イーゴリの裁判が結審した。あなたができることはなにもない」と言われた。
イーゴリはそのときのことをこう書いている。

偉業は達成された
一か月ほどで逮捕される
しかしそれまでのあいだに
なにもかも決定済みで
前もって決められているにもかかわらず
習慣から彼は考え
熟考し　予想する
まだ選択の余地がある
かのように

＊

一九七〇年代の反体制派、非協調主義者、活動家はまず想像できなかっただろう。わずか十数年後に大規模なデモが世界——モスクワからマニラ、ケープタウンまで——を席巻し、独裁政権が一掃されることを。ごく普通の人々が独裁者の銅像を引きずり下ろし、彼らを抑圧してきた秘密警察の大きないかめしい建物を襲撃することを。レーニン像が象徴するような古い秩序はもう永久になくなった

——ように思えたことを。

市民が主導するこうした「革命的」な映像は、圧政への民主主義の勝利を世界中に明確に伝えると同時に、それまでの反体制運動や公民権運動から継承したすべての言葉につながるものであった。しかし、もっと狡猾な支配者が別の方法を見つけたとしたらどうなるだろうか？　その「別の方法」は、反体制派を弱体化し、彼らが戦うべき明確な敵を取り除くことを目的とする。市民主導の大規模なデモの映像や考え方や物語のなかに侵入し、内部からそれらを吸いつくし、意味をなくしてしまうことを目的とする。そのとき彼らは——目的は正反対であるにもかかわらず——「民主主義者」と同じ言葉や戦術を使うのだろうか？

◉民主化の波

電話が鳴ったとき、スルジャ・ポポヴィッチ［一九七三年生まれのセルビアの政治活動家。独裁者ミロシェヴィッチを倒した学生運動のリーダー］は独裁者の倒し方について私に説明している最中だった。電話は、明日出る特集記事への警告だった。その記事には、スルジャはCIAと関係があり、中東の「色の革命」の黒幕だと書かれているという。[1] 記事が最初に出たのはトルコのイスタンブールの日刊紙で、次に出たのはセルビア語の二流のウェブサイト——ロシアが支援するさまざまな陰謀のスポークスマン的役割を果たしている——だった。記事はあるウェブサイト（正教会の愛国者がオーナー）にも転載され、その直後にセルビア最大のタブロイド紙の一面で特集記事になった。スルジャによれば、そのタブロイド紙が特集記事を組んだのは、彼に対して個人的な恨みがあるからというより、陰謀論を載せれば売れるからだった。

つまるところ、スルジャ・ポポヴィッチならおもしろい話になるからだ。ロシア政府系テレビの撮影班がノヴァ・ベオグラード［セルビアの首都ベオグラード市で最大の人口を擁する地区］の彼のオフィスに現れた。オフィスは共産主義時代に建てられた継ぎ目のないコンクリート製の建物の中にあり、両隣は美容院とパン屋である。撮影班はオフィスに無理やり押し入ろうとした。大勢のCIAの工作員を見つけ出したかったのだろうが、がっかりしたはずだ。ここにはスルジャのほかに四名の専任スタッフしかいない。スルジャの商標とも言える「握り拳」のポスターがところ狭しと貼られていなければ会計事務所のようにも見える。このオフィスで専任スタッフは、世界中で何万回もダウンロードされている──最多の国はイラン──非暴力直接行動の段階的な運動マニュアルを編集している。また、ワークショップを組織し、スルジャ自身が講師を務めるハーバード大学オンライン研修プログラムの時間割も作成している。この研修プログラムを受講すれば、銃を一発も撃つことなく独裁者を倒す方法を誰もがいつでもどこでも学ぶことができる。

「彼らが戦場を拡大しているようすを見てください」。電話を切るとスルジャは私に言った。「彼らは仲間同士でもないのに、同じメッセージをコピーして、それぞれ別の角度から攻撃してくる──まるで僕の研修を受けたかのようです。おもしろいことがあるんです。僕たちの活動がどうしてもうまく行かない国がふたつあります。どこだと思いますか？　ロシアとトルコです」

彼はあらゆる場所で精力的に活動してきた。あなたが本書を読んでいるそのときも、スルジャはアジアかラテンアメリカか、東ヨーロッパか中東にいるかもしれない。平凡なホテルチェーンの会議室に意識が高そうな老若男女、人権派の弁護士や教師、学生や中小企業のオーナーたちが半円形に座るテーブルの真ん中に立っているのは、ほっそりしたスルジャだ。フード付きのパーカーを着た姿は、四十代だが大学生のよう。部屋の雰囲気を自分の体を動かすことで盛り上げようとしているかのように、膝をまわしたり、屈伸したり、動きながらしゃべる。基本的にはややアメリカ訛りの英語を話すが、「r」の音がスラブふうの長い巻き舌になるので、なにげない話でもとても強烈に聞こえる。部屋にいる人はみな、スルジャは自分たちのもっとも親しい同志であり、一緒に歴史を変えてくれる人だと思っている。彼らはノートをとりながら話を聴くが、スルジャが冗談を言うと顔を上げて大笑いする。

スルジャはワークショップを軽い話題からはじめることが多い。たとえば「冗談主義（laughtivism）」だ。これは革命運動の最中に使われる「ユーモアあふれる離れ業」である。一九八〇年代のポーランドの反共産主義活動家は国営メディアへの拒絶を表明するために、ソ連のニュースが流れている時間にテレビを積んだ手押し車を押して町を歩いた――そんな例をスルジャは思い浮かべてほしかったのかもしれない。

スルジャの説明によれば、冗談主義には二重の役割がある。まずは心理的な効果だ。冗談は独裁者の謎めいたオーラを取り払う。また、独裁政権をスルジャの言う「ジレンマ状態」に追いやることもできる。もし武装した治安部隊が活動家を「冗談の罪」で逮捕したとしたら、国民は反発するだろう。スルジャのワークショップですぐにわかることがある。ワークショップでは非暴力を勧めるが、それは臆病者になれと言っているわけではないことだ。非暴力主義を勧めるのは彼が平和主義者だからではない。むしろ計算ずくの行動と考えている。体制側は物理的な力では優勢だが、目の前にいるのが普通の平和的な大群衆である場合、ほとんど何もできない。

典型的な抗議運動として、スルジャは自身が主導した、一九九〇年代半ばから二〇〇〇年にかけてのデモ[2]のビデオを見せる。ユーゴスラビアの独裁者スロボダン・ミロシェヴィッチ政権の転覆を目指して学生運動団体「オトポール」を率いたときのものだ。ミロシェヴィッチは隣国との戦争に三度も自国を巻きこんだ。わざわざ強制収容所を建設してムスリム市民を虐殺した勢力を支援した。当時の政権側のメディアが繰り返し国民に送り続けた世界観がある。セルビアは何世紀にもわたってヨーロッパを救うという任務を負ってきたにもかかわらず、西側帝国主義の哀れな犠牲者であり続けた、というものだ。一方、愛国主義者を自称するならず者たちがベオグラードの暗い路地で反体制派の「裏切り者」を殴り倒し、強烈なビートのテクノミュージックと民族音楽がミックスした曲で浮かれ騒ぐ状況が続いていた。

デモの最初の年、スルジャは冗談主義で乗り切った。ミロシェヴィッチの傲慢な妻が、デモの参加者が降伏するよりもデモが流血の惨事となってほしいと言ったとき、オトポールは献血会場を設けて血液バッグを政府に送った。

スルジャのワークショップでは、しかしふざけた話題は最初だけだ。話が進むにつれて内容はもっと戦略的になる。スルジャは、受講者がこうであってほしいと思う政治の形態を細部まで考えることの必要性を説く。また、比較的見つけやすい共通項でくくることでそれまでとはまったく異なるグループをつくる方法や、敵の「権力を支える柱」の弱点を見つけ、味方に引き入れる方法も教える。

ミロシェヴィッチ政権が終焉を迎える年、ポポヴィッチと仲間たちは、真の愛国主義は隣国との平和を築くことであるのだから、国際社会に参加し、とくに西側諸国やヨーロッパ諸国と友好的関係を結ぶべきだと宣言し、マニフェストを作った。世界は、ミロシェヴィッチが言うような陰謀をセルビアに企てているわけではないと主張した。学生のデモ行進では多数の国の旗を振り、これは大勢のセルビア人の自意識と歴史意識に訴えかけた。セルビアはナチスと戦い、ソ連邦と距離を置いてきた。ならば西側諸国と手を組んでいけないはずがない――それは学生だけでなく鉱山労働者や農業従事者にも共感を呼ぶメッセージだった。

オトポールは前進し続けた。しかしミロシェヴィッチのコソボでの「民族浄化」を阻止するため、一九九九年にNATO（北大西洋条約機構）がベオグラードを爆撃した。スルジャにしてみれば、それは独裁者の側近たちの結束を強めただけだった。「バスチーユ」という異名のあるミロシェヴィッチのテレビ局の建物に爆弾が落とされた。だがその頃にはメディアの独占はすでに終わりつつあった。スルジャには「B92」があった。「B92」とは禁止されているラジオ局を意味し、友人の家の地下室からインターネット――ミロシェヴィッチ政権がようやく理解しはじめたテクノロジー――を通じて放送を開始した。パンクロックも流せば政治討論も放送するその小さなメディアで、スルジャは国中にオンラインネットワークを作ろうとした。

オトポールは学生や労働組合だけでなく、ミロシェヴィッチ政権の牙城ともいえる警察官も味方に引き入れはじめた。オトポールは街頭で演劇を上演して「ベオグラードで一番好ましい警察官」を表彰し、警察官はデモ参加者に歓迎されているのだと彼らに思わせた。今やほとんどのセルビア人が反ミロシェヴィッチであることを示す世論調査が出たが、オトポールの活動家たちはスルジャのような都会の自由主義者は広くは支持されないとわかっていたので、ぐっとこらえて愛国主義者だがほぼ無名の学者を間もなく行なわれる大統領選挙の統一候補として支援することにした。その選挙で、ミロシェヴィッチは不正を働いた。デモが広がった。ベオグラードのあちこちでパーティが開かれ、鉱山労働者や農業従事者も学生に加わった。ミロシェヴィッチが軍隊を派遣する。すると少女たちは鏡と花を手にして兵士たちの前に立ちはだかった。少女たちは兵士たちが鏡に映った自分の顔を見て人間らしさを取り戻してくれることを願い、さらに一歩前に進み出て銃身に花を挿した。軍隊はデモ参加者に発砲するのを拒んだ。政権は崩壊し、二年後にミロシェヴィッチはハーグの国連旧ユーゴスラビア国際戦犯法廷で起訴された。

二〇〇〇年以降、スルジャの名声は広まった。彼はジンバブエ［当時はロバート・ムガベ大統領の独裁政治。二〇一七年に辞任］とベラルーシ［アレクサンドル・ルカシェンコ大統領による独裁政治］の反体制グループから、ノウハウを教えてほしいと頼まれた。これが僕の仕事だ、とスルジャは思った。世界中をまわって抗議運動の教育者となるのだ。彼はオトポールのもうひとりの創設者であるスロボ・ジノヴィッチと一緒に、CANVAS（the Center for Applied Non-Violent Actions and Strategies 非暴力応用活動および戦略センター）を立ち上げた。彼はグルジア（現在のジョージア）、ウクライナ、イランの活動家を教育した。やがて彼らが参加した運動が「色の革命」（それぞれ、バラ革命、オレンジ革命、緑の革命）として知られるようになった。次にエジプト、チュニジア、シリアの反体制運動の指導者たちを教育した。やがて彼らがはじめた運動が「アラブの春」として知られるようになる。

スルジャはこうした運動を大きな歴史的発展段階の一部ととらえた。民主化とはいわば次々と打ち寄せる波であり、複数政党が競う普通選挙、十分な数のメディア、裁判所のような独立した機関、等々の集合体である。最初の波は、二十世紀後半の南アメリカ、南アジア、南アフリカの独裁政権の転覆と、東ヨーロッパでのソ連の支配の終焉だった。ソ連の終焉にはチェコスロヴァキアの「ビロード革命」［当時の共産党政権を倒した流血のない静かな革命］、ベルリンの壁の崩壊、バルト三国の「歌う革命」［エストニアではデモや集会のたびに禁止されていた国歌、聖歌、民謡などが歌われた］も含まれる。それは忘れられない光景だ。何百万もの人々が町に静かに繰り出し、反ソヴィエトを一途に願う大海となったのだ。二番目の波が「色の革命」、三番目がソーシャルメディアの隆盛によって大きく波打った「アラブの春」だとスルジャは主張する。

スルジャは自分自身について、最初の波とそれに続く波をつなぐ存在だったと見ている。ユーゴスラビアでの民主化運動はソヴィエト体制崩壊の最後の余波であると同時に、新しい民主化の最初の波でもある。彼は自分を強くする方法と街頭デモの戦略を教えるが、どちらもシンプルな原則に基づいている。つまり、もし市民が自分たちの生活を自分たちで良くする力を持てれば、彼らの民主主義もいっそう良くなる、というものだ。また、民主主義の究極の守護者は市民自身であり、市民が目覚め、教育されることで、自分たちが選出した代表に責任を全うさせられるのである。

何年にもわたってスルジャは、独裁者たちにとって目の上の瘤《こぶ》だった。彼の非暴力直接行動の運動マニュアルは、ロシア、ベラルーシ、イランの保安省では必読書になっているという。これはスルジャにとっては勲章だ。モスクワやテヘランの指導者が彼に警告を与えれば与えるほど、活動家たちは彼と連携したくなる。

スルジャのオフィスの家賃と四人のスタッフの給料はビジネスで成功したオトポールの元活動家たちが支払っている。各国の反政府運動の組織もスルジャに報酬を払って自分たちの活動家を教育している。自然保護団体のグリンピースが主催する講座でもスルジャに講師料を払っている。

彼の仕事のかなりの部分は、冷戦時代に出現したいわゆるアメリカの「民主化支援グループ」と関係のある組織の提携先から依頼されるものだ。たとえば、全米民主党国際研究所（ＮＤＩ）、共和党国際研究所、フリーダム・ハウスだ。スルジャとそれらの団体との関係はミロシェヴィッチ政権末期からはじまった。NDIが行なった世論調査はセルビアの反体制派の人々を勇気づけ、自由主義的な指導者のもとで団結する力となった。ほかの「民主化支援」団体はB92のような人たち、つまりインターネットに明るい学生たちにインターネットラジオ局を設立するための技術的サポートをし、二千の投票所に配置する三万人の監視員を教育する手助けをした（ミロシェヴィッチが不正を働こうとしたからだ）。

スルジャの敵にとっては、こうした組織はアメリカ帝国主義の手先であり、内政干渉以外の何物でもない。だがスルジャたちの側にしてみても、これらはアメリカが適切なイニシアチブを発揮した数少ない例と言える。これらのグループはたとえば中東や中央アジアに多く見られる独裁政権下にありながら民主主義を信奉し、独裁政権に立ち向かっている組織だが、その独裁政権とアメリカは外交上は友好関係にあるからである。

スルジャは、アメリカの外交政策の利益に合致する国の活動家だけを教育していると言われることにうんざりしている。「エジプトのムバラク大統領は何十年にもわたりアメリカ軍とアメリカの民間援助機関の最大の受益者でしたが、アラブの春で倒されました。僕はそのムバラク政権下で活動する人たちを教育する手助けをしました。CANVASがブラックリストに公式に載せられている唯一の国がどこだかわかりますか？　アラブ首長国連邦です。アメリカの同盟国です。僕にとっては二種類の社会しかありません。ひとつは政府が市民をおそれる社会、つまり僕たちが『民主主義社会』と呼ぶ社会です。もうひとつは、市民が独裁的な政府をおそれる社会。僕は人々が自由になるために力を貸しているのであって、どの独裁者から自由になろうとしているかは僕にとっては問題ではありません」

しかし最近になってスルジャは、新しい世代の支配者たちは抗議運動への新たな対策を立てていることに気がついた。以前は民主化の波を大きな流れにすることができたし、その歴史を自信たっぷりに語ることもできたが、今は突然の大嵐が来ているかのようだ。なにが、どこに、どの方向に流れていくのか、見当もつかない。[3]

スルジャの第一の原則は、現政権とは違う別の政治的ビジョンとアイデンティティを新たに作り出すことである。これはかつては単純明快な考え方だった――「独裁者」対「民主主義者」、「閉鎖された社会」対「開放された社会」。セルビアでは孤立主義に代わって、国際社会への参加を意味した。けれども今日の独裁者たちはそれほど頭が固いわけではない。ひとつだけのイデオロギーに執着せず、さまざまな言葉で語ることを学んできた。たとえば、プーチン政権の初めの頃は、クレムリンは偉大なるソ連への讃美と、西側諸国のリアリティ番組や消費社会への讃美を同時にしていた。指導者がさまざまなイデオロギーをそのように易々と取り入れてしまう場合、反対勢力は自分たちのイデオロギーをどうやって主張すればいいのだろうか?

独裁者たちの変化を見るためにわざわざ遠くまで行く必要はない。スルジャのそもそものホームグランドがそうなのだから。

セルビアでは十年以上もCANVASのワークショップは開かれていない。現大統領のアレクサンダル・ヴチッチはミロシェヴィッチ政権で情報大臣だった。彼は自分の「過去の誤った行為」に対して許しを請うた。「西側諸国はセルビアを包囲する不倶戴天の敵である」と報道するマスメディアを昨日まで支配していたのに、今日はEUとNATOへの加盟を掲げている。「すべての改革」は彼のスローガンのひとつである。[4]

ヴチッチは、時代遅れのメディアの影響力をもっと洗練されたものに変身させた。一九九九年、情報大臣だったヴチッチは、規則に従わなかった新聞に対しては、担当者を呼びつけて脅したものだった。しかし今日のセルビアには外国メディアを含め何十ものメディアがある。新聞社やテレビ局が、政府の広告の仕事を取りたい、あるいは政府となんらかの契約を結びたいと思ったら、政府の規則に従わなければならない。[5] 事情はエルドアン大統領のトルコ、オルバーン・ヴィクトル首相のハンガリーでも同様である。こうした国々は見かけは市場経済だが、中身は独裁主義だ。そもそも民主化が成功するためには、自由市場のルールに基づいた複数のメディアが、民主主義を発展させる手助けをできなくてはならない。だがそれは現実にはいつも難しい。実業界の大物はたいてい大いなる野心とともにメディアを所有しようとするものだ。今やメディアは内部からすっかり空洞化されている。

国内メディアが描くヴチッチは、西側諸国の代表団と面会するヴチッチ大統領とは多少違う。国内のタブロイド紙では、彼はいまだに隣国と激しく争い、戦後失った領土を嘆く古き良きセルビア民族主義者だ。だがEU本部での首脳会議では、バルカン諸国に安定をもたらすと約束する元首となる。[6]

セルビアはずっと停滞しつづけている。それは町のようすを眺めても明らかだ。夜になると、暗闇というショールに包まれたベオグラードが魔法と戯れるために姿を現す。ぴっちりしたドレスと黒い革のジャケットを着た長身の男女が、薄暗いバーやレストランがひしめく道をさまよい歩く。そうした店は、月に届かんばかりの高い円柱が建ち並ぶ荘厳な広場のはずれにある。あちこちから音楽が聞こえてくる。ロマたちが演奏しているのだ。船を改造した川岸のクラブからも流れてくる。だが朝になれば音楽は消える。日の光が戻り、円柱のてっぺんが砕けていたり、レストランが入っている建物の上部が崩れていたりするのがわかる。かつて大セルビア主義を掲げてヨーロッパ南東部を支配したベオグラードは、少しずつ海になかになだれ落ちているように思える。

この町ではデモは日常茶飯事だ。不正な建設プロジェクトに対するデモ。怪しげな選挙結果に対するデモ。しかしオトポールが行なったような首尾一貫した物語に作り上げられてはいない。ヴチッチはどんな選択肢も排除しない。たとえばヨーロッパ統一主義——ヴチッチはブリュッセルの首脳会議を思いのままに動かした。自由市場主義——ヴチッチは彼に忠実な企業を励ましてきた。反企業——そうかもしれないが、これだとデモ参加者はまたぞろ怒れる民族主義者になってしまう。それでもヴチッチはかまわないのだが。

一方、政府に忠実なメディアはすべてのデモ参加者を金で雇われた外国勢力の手先とこき下ろす。これではミロシェヴィッチの時代と変わらない。違いがあるとしたら、ミロシェヴィッチは自分の与太話を本当に信じていたことだ。隣国との紛争を繰り返していたとき、ミロシェヴィッチ側のメディアは、オトポールは「たっぷり報酬をもらってそそのかされた学生」で構成され、CIAの指示を受けていると主張した。革命後にスルジャは知ったのだが、ミロシェヴィッチはワシントンDCにあるはずのオトポールの本部を探し出すために治安部隊のチームを送りこんでいたという。だがオトポールの本部はずっとスルジャの実家の居間だった。ヴチッチ大統領が陰謀論をかなり巧妙に利用して西側諸国をもてあそんでいるあいだ、彼に忠実な新聞社は「セルビアはCIAによって包囲されている」とか、「イギリスの諜報機関MI6がヴチッチ殺害を企てている」といった記事をさかんに載せた。陰謀が陰謀を呼び、すべてを操る黒幕が背後にいたとでも言いたいのだろう。

陰謀論は昔から権力を維持するためのものだった。ソ連の指導者たちは、資本主義者と反革命主義者の陰謀はいたるところにあるとした。ナチスのユダヤ人陰謀説と同じである。しかしそうした陰謀論は、実際には「共産主義実現のための階級闘争」あるいは「ナチスのための民族闘争」といったイデオロギーを強化してきた。そして現代の数々の政権もまた、人間は陰謀だらけの世界に生きているという世界観に立脚している。自己憐憫と妄想と自信過剰とエンターテインメントが混ざりあったイデオロギーへと移行する。陰謀論は、エルドアン大統領、トランプ大統領、プーチン大統領、オルバーン首相らはさまざまな事件の説明をするために陰謀論を利用し、ただしくわしくは語らず、ほのめかす。そしてどんな理論にも増して一般的な世界観であると強く思わせようとする。こうした現象は、ロシアでもっとも重要な時事問題を扱う番組の司会者ドミトリー・キセリョフの決め台詞によく現れている――「偶然の一致でしょうか？　私はそうは思いません！」。彼は歴史や文学や原油価格についての聞きかじりの話と色の革命の話を脈絡もなく語っては、結局世界はロシアに難癖をつけているというテーマに落ち着く。

そして陰謀論は、それを受け入れた人たちにある種の「恩恵」をもたらす――もし世界が陰謀で成り立っているのならば、あなたの失敗はあなたの責任ではない。あなたが望み通りのものを得られないことも、あなたの人生がひどく混乱しているのも、すべて陰謀のせいなのだ。

さらに重要なことは、陰謀論は政権を維持するための装置であるということだ。もっとも独裁的な政権でさえやすやすと検閲できない現代では、誰かが政府に抗議するようなことをしたら、それを皮肉まじりに話題にして陰謀論にすり替え、テレビの前の視聴者を楽しませてくれる。もし陰謀論に変えられなければ、一見して素晴らしい行動の裏には邪悪な動機が潜んでいるなどと語って視聴者を説得しなければならない。その結果、人は現政権とは違う別の政治的ビジョンという代替案を考えられなくなる。

このように次から次へと陰謀論がはりめぐらされると、普通の人間には世界はなにも変えられないと思いたくもなってくる。もし正体不明の力がすべてを支配しているのなら、誰が世界を変えられるだろうか？　先行きが不透明な状況では、あなたを導いてくれる強い人間に頼るのが最善だ、ということになる。「トランプがアメリカを救う」は、トランプ陣営のメディア担当者の言葉である。「プーチンだけがロシアを立ち上がらせることができる」と言ったのはプーチンだ。

「僕たちがいま直面しているのは抑圧の問題というよりは、アイデンティティの欠如、無関心、分断、相互不信です」とスルジャはため息をつく。「世の中を変えるツールは昔より多くなったのに、変えようとする意志がないんです」

◉永久革命

メキシコで開かれたスルジャのワークショップに参加する機会を得たとき、私はこれまでの抗議運動の論理が通用しなくなってきたことを悟った。その日、ワークショップが開かれたホテルの地味な会議室では、メキシコの活動家、ジャーナリスト、学者、政治戦略家が集まり、反腐敗運動を起こす方法についての議論した。

メキシコは二〇〇〇年に民主化の偉大な瞬間を迎えた。制度的革命党（ＰＲＩ）による約七〇年間の一党支配が終わり、「民主的」になったのである。本物の選挙が行なわれ、現在の課題はもはや独裁政権ではなくなったものの、その後の新しい政府はどれも腐敗しているように見える。政府は相変わらず麻薬王や新興財閥が支配するメディアと結託していた。

ワークショップに参加していた人たちの一部、とくにメキシコの政界で何十年間も馬車馬のように働かされてきた人たちは、なにかが変わるとは思ってもいなかった。メキシコ人は百年ものあいだ、大変革によってなにかが変わると期待してきたが、いつも失望してきた。十九世紀にはスペインからの独立戦争で共和制を実現させたが、自国の独裁者たちに支配されるという結果に終わった。二十世紀初頭には今度は社会主義者たちがメキシコにつめかけたものの、希望はふたたび打ち砕かれ、PRIによる一党独裁が七十年も続いた。

私はスルジャのワークショップを後にして、メキシコで抗議運動をはじめようと奮闘している人たちに会いにいくことにした。スルジャの考え方が、デジタルな新しい世界でどのように展開しているのかを知るために。

アルベルト・エスコルシアに初めて会ったとき、彼は疲れはて、おびえているようにさえ見えた。しばらく前から、何者かが玄関のベルを鳴らして逃げるピンポンダッシュをしたり、寝室に緑色のレーザー光線を当てたり、オンラインの殺害予告——彼の名前が書かれた銃弾の画像付き——を送ったりしていた。毎日無数の殺害予告が来る彼の携帯電話は朝から晩まで振動し続けていた。

しかしアルベルトが携帯電話の電源を切ることはない。携帯電話は彼が生計を立てる手段であり、それ以上に彼の信仰のようなものだった。「僕は形而上学的な観点からインターネットをとらえます。それはアルゴリズムで計算できる『愛と恐怖との闘い』なのです」と彼は言う。アルベルトには多少浮き世離れしたところがある。何か月も費やして何千ものソーシャルメディアのメッセージの言語パターンを分析し、その関係を見つけ出す。ほかの人ならコンピュータを使ってやるが、彼は自分でやる。

けれどもメキシコシティでデータの神性《しんせい》について語るのは場違いなように思える。この町は宗教的なドラマがあらゆるもののなかに混在する場所であり、山の空気と排気ガスの混合物がかすかな光の揺らめきを作り、ステンドグラスのように光を屈折させる場所でもある。また毎年何百万人もの巡礼者が町の丘に登り、バラの花と手足を失った物乞いが並んでいる道を通って、グアダルーペの聖母（褐色の聖母）が祭られている巨大なバシリカ（聖堂）で祈る場所でもある。ここにあるキリストのイコンは本物の毛で飾られている。司祭は大勢の信徒に向かって大人気のカルト「サンタ・ムエルテ」「死を擬人化した、大鎌と地球儀を手に持つ骸骨の女性像」、つまり「死の聖母」「影の聖母」を崇拝しないようにと命じる。サンタ・ムエルテは麻薬密売人の守護聖人でもある。

アルベルトはスルジャ・ポポヴィッチに心酔している。ワークショップに参加したことはないが、彼と友人たちがデモを計画したときにはスルジャのマニュアルを熟読した。彼ら全員が、警察官の日常的な殴打、麻薬がらみの銃撃戦、すでに投票用紙が入っている投票箱、不正な取引に対する憎悪で一致団結していた。おしゃれなポランコ地区にあるブティック（窓ガラスが目隠しシートでおおわれ、侵入防止のフェンスでかこってある）と、バロックふうの広場でかたまって眠る貧しいインディオたちとのあいだのあまりの格差にも我慢がならなかった。

アルベルトと友人は、まずは警察官による暴行へ人々の関心を向けさせる活動からはじめた。学生たちは警察官に殴打されると道路にあおむけになる「寝そべり抗議」を行なった。アルベルトのデモは個人的な動機からはじまっている。二〇〇九年、彼の故郷ネカクサ［アグアスカリエンテス州にある町］にある「セントラル・ライト・アンド・パワー・カンパニー」を救うため、彼の家族を含めた労働者たちはハンガーストライキを行なった。すでに有名なブロガーだったアルベルトは国中にこの抗議運動の内容をくわしく伝えた。勝利したのは労働者たちだった。

二〇一〇年代になると、デモはより広い世界とつながるための手段となった。アルベルトは地元での活動と並行してスペインやアメリカ合衆国の活動家たちと絶えず連絡を取り続けた。彼らは彼らでトルコや中東の活動家と連絡を取りあっていた。

ロンドン大学シティ校のブラジル人教授、マルコス・バストス博士は、二〇〇九年から二〇一三年までの抗議運動に関係した二千万のツイートを分析した。バストス博士は、活動家たちは「草の根のコスモポリタン」から力を与えられたと述べている。たとえば、スコットランドに住む若い女性は年老いた家族の介護で家を離れられないが、中東のデモのライブ動画を見ながら、武装した警官がどの通りにいるのかをデモ参加者に伝えることはできる。このように遠く離れた土地に住む人間のそれぞれの思いが、インターネットを介してひとつに集まるのである。スウェーデンの「昔からの活動家」はボストス博士にこう語った。「私は階級闘争、フェミニズム、環境保護運動、無政府主義といった大それた主義主張のために闘っているわけではありません。私は普通の大多数の人々に救いの手を差し伸べるために闘っています。個人的な価値ではなく、正義や自由のような公共の価値のために闘うのです[7]」

だがアルベルトは「草の根のコスモポリタン」のデモが行き当たりばったりであることに不満を感じていた。多くの人が参加するデモもあれば、時間の無駄としか思えないデモもあった。デモの主催者たちは失敗を天気や政府のせいにした。アルベルトたちはスルジャのやり方を取り入れることにした。さまざまなグループに共通するもっとも小さなテーマを見つけ、そのテーマにぴったりな人たちへメッセージを送った。ではアルベルトたちはどのようにしてテーマを決めたのだろうか？　その方法は一見非科学的に見える。あるデモが政治的に正しい主張であることは、デモがうまくいくための必要条件のひとつにすぎない。人は正しい主張よりも、感情に訴えてくるなにか強力なものに参加したいのだ。これこそが、人があるデモには興味を持つが、別のデモには興味を持たない理由だ。アルベルトはこのことを直感で理解したが、その自分の直感をデータを使ってなにか具体的な形にしたかった。

　アルベルトは、デモが起きる前のグーグル検索の傾向を調べはじめた。そして、あるトピック（ガソリンの価格、警察官の発砲）への関心の高まり具合を時系列で数値化し、グラフにさえできることに気がついた。しかも、そのトピックがデモを起こす明確な理由として人々に意識される数か月も前に。これは、人々を団結させる問題を予想できるということを意味する。

　次に、成功したデモではソーシャルメディアのメッセージがどのように人々のあいだを行き来したのかを調べはじめた。ソーシャルメディアのユーザーのあいだでやり取りが活発になればなるほどデモは大規模となることがわかった。そしてユーザー間のやり取りは、相互接続《インターコネクション》により緊密な格子――情報工学の専門家が「キャピラリティ（毛細管現象）」と呼ぶもの――を作りはじめる。アルベルトは共有された回数が多い順に何万通ものメッセージをすべて読んだ。何か月もかかる骨の折れる仕事だ。そして、すべてのデモは相互接続《インターコネクション》の格子が太くなるような言葉――キャピラリティを強固にする不思議な磁石の役目をする言葉を一定量必要とすることを発見した。アルベルトは、相互接続《インターコネクション》の格子が太くなるような言葉はほぼきまって「愛」について言及していると言う。

　どのテーマが人々を結集させ、どの言葉が相互接続《インターコネクション》を強化するかがもしあらかじめわかっていたら、そのデモをより大きなものにすることも可能なのではないか、とアルベルトは思った。

アルベルトがノートパソコンを開いて画面を私に見せてくれる。画面の中央に小さな黒い点が集合した丸い塊があり（点同士は線で結ばれている）、こまかく振動している。点と点のあいだにさかんに新しい線がひかれていく。みるみるうちに小さな点が増加し、丸い塊はさらに振動しながら濃く大きくなっていく。これはメキシコ史上最大の二〇一四年のデモのあいだに、デモ参加者同士がオンラインで交わした会話のキャピラリティを視覚化したものだ。四十九名の大学生が麻薬ディーラーに殺害されたが政府はなんの調査もせず、それに対して何十万もの人々がデモに参加したのだった。小さな点は人で、線は人と人との会話を表している。デモに力を与えるような言葉が伝わると、丸い塊が大きくなった。

パソコンの画面をアルベルトが見せてくれていたとき、私たちがいたカフェの横をデモが通りすぎていった。まさに私がいつも見てきたデモだ——情熱的な人々、スローガン、演説、物語、歴史。ところがアルベルトは違ったふうに、もっと抽象的に見ていた。脈打つ小さな点と線から、論理的な文章ではなくひとつの単語が大きな力を持つ世界を見ていたのである。

そのとき画面の上から、なにか新しいものが現れた。コウモリのような形をした小さなものが大量に出てきてちょこまかと動いている。黒い点のように互いに接続しようとはせず、丸い塊に別々に近づき、塊を突っついてばらばらにしようとする。「これがボットとサイボーグです」とアルベルトは言った。

デモ参加者だけがテクノロジーに精通しているわけではなかったのだ。二〇一二年のメキシコの大統領選挙は世界の情報工学の専門家の注目の的となった。主人公は、最終的に大統領に選出されたエンリケ・ペーニャ・ニエトが使ったソーシャルメディア上の無数のペルソナ（基本的には人間のふりをしているコンピュータプログラム）である。「ペーニャ・ボット」として知られるそれらのペルソナはツイッター上に大量に作られ、ペーニャ・ニエトを支持するメッセージを吐き出すようにプログラムされていた。同じメッセージを繰り返すだけの「ボット」は愚かだが、「サイボーグ」はもう少し賢い。サイボーグは、誰かが餌に引っ掛かってメッセージのやり取りに応じはじめると、本物の人間のオペレータに入れ代わって会話を主導することもある。[8]

一度、サイボーグのオペレータがアルベルトに会いに来たことがあった。政府に近いとされる広告会社は、彼のような学生のボットハーダーに金を払い、百以上の偽りの人物のアカウントをまかせることがある。気が咎めた、と彼は言った。報酬は良かったそうだ。

デモが広がるにつれて、政府のボットとサイボーグはデモ参加者をひそかに傷つけることに使われるようになった。「野党から金をもらっている」「反愛国的だ」と中傷されていると知ったデモ参加者たちはかっとなって反応し、自分たちを守ろうとした。アルベルトのパソコンの画面に、そのときのようすが映しだされる。小さなコウモリの形をしたボットが丸い塊をつつくと、黒い点は互いにやり取りしあうのを中断し、自分たちを中傷するものと闘うようになる。そうしているあいだに濃い格子は薄くなり、丸い塊はばらばらに、点は振動するだけでまとまりがなくなってくる。

デモが危機に陥っているその瞬間、アルベルトにはあるアイデアがあった。彼はデモ参加者同士のつながりを示す線を太くする言葉を知っていた。そうした言葉でインターネットをいっぱいにしてみようと思った。彼はユーチューブ用のビデオを作った。デモがいかに重要であるか、カメラに向かった少女がその理由を具体的に述べるというシンプルな映像だった。しかし少女が口にした言葉はどれもアルベルトが考え抜いて選んだ言葉で、それぞれが「言葉の薬」となるものだった。

少女のビデオが広がると、デモ参加者はサイボーグに気を取られることがなくなり、ふたたびメッセージをやり取りして彼らがひとつになれる言葉を繰り返すようになった。振動する点がふたたび丸い塊となり、小さなコウモリのつっつきに動じなくなった。

「インターネットは、一方では愛であり、人と人がつながりあいます。しかし他方では恐怖であり、ばらばらになります。インターネットはその両者のあいだの大いなる闘いなんです」

サイボーグの次に登場してきたのは「ソックパペット」［多重アカウントによるなりすまし］である。これはデモ参加者のオンラインコミュニティに入りこみ、中からコミュニティを操るソーシャルメディアアカウントだ。

二〇一七年、ガソリンの値段が急騰したことに対してデモが起きると、ソックパペットが暗躍した。デモ参加者が町を安全に行進し、警察官に殴打されないように道案内するのは活動家たちの役目だった。ところがソックパペットが嘘の方向を教えるメッセージを投稿し、デモ参加者を警察官のいるほうへ誘導しはじめた。さらにソックパペットは、窓が壊されたスーパーの写真を添付した書き込みを行ない、暴行や略奪があったという作り話を広めた。じつはそれはよその国の暴動の写真だったが、まるでメキシコで起こったかのように見せかけたのだ。

そしてソックパペットの次に出てきたのがオンラインの殺害予告であり、アルベルトのマンションへの緑色のレーザー光線の照射であり、ピンポンダッシュだった。

メキシコに住む人々にとって、こうした脅しは本当におそろしいものだ。私がメキシコでアルベルトと会おうとすると、彼はイギリスの人権団体「アーティクル19」の年次総会で会いたいと指定してきた。アーティクル19はジャーナリストを保護する国際的NGOだ。総会では殺害されたジャーナリストの顔が次々と壁に映し出された。昨年だけで十一名が殺されたが、九十九・五パーセントが罰せられていない。総会は植民地時代の建物のひとつで開催された。それはメキシコシティにあるあずき色の宮殿で、高い優雅な円柱、アーチ形の門、回廊のある中庭を散策できる（この総会の悲しい趣旨を和らげるのに多少は役立っていた）。

カナッペが順にまわされると、アーティクル19の責任者のひとり、リカルド・ゴンザレスが私に声をかけてきて、メキシコ北東部の町レイノサのある女医の話をしてくれた。

レイノサでは麻薬カルテルが地元の新聞社を支配している。だから新聞は――ソ連時代の新聞のように――町がいかにクリーンで平和で繁栄しているかというような記事しか載せない。だが現実の町では麻薬がらみの銃撃戦が起きており、市民が撃ちあいに巻きこまれても公式の発表ではそんなことは起こらなかったことになっていた。しかしソーシャルメディアの時代となり、事態は一変した。「レイノサ・フォロー」と名乗るツイッターのアカウントが撃ちあいの最新情報をライブで発信するようになったのだ。レイノサの市民たちは警戒すべき情報を交換していたのである。「三番街と五番街の交差点に銃を持った男たちがいる。別の道を通れ……」。この書き込みはすべて匿名で書き込まれた。リカルドによれば、麻薬カルテルはレイノサ・フォローの支持者の実名を明かした者には賞金を与えると言ったらしい。麻薬カルテルは「ラ・フェリーナ」というアカウントにとりわけ怒っていた。「キャットウーマン」の絵をアイコンとする「ラ・フェリーナ」は、地元の麻薬カルテルの人物の写真を投稿し、その逮捕を求めていた。

そして八月のある暑い日のこと、レイノサのある麻薬カルテルが銃撃戦に巻きこまれ、そのうちのひとりが撃たれて負傷した。彼らはその男を抱えて地元の病院に駆けこんだ。三名の医師（男性二名と女性一名）が手当てをすることになった。しかし病院に長居するのが不安になった彼らは医師全員を誘拐して隠れ家に連れていき、そこで治療を続けさせた。それは、この町ではよくあることだった。彼らは医師の携帯電話を取り上げた。女医の携帯電話をチェックすると「ラ・ファリーナ」のアカウント画面が開いた。このぽっちゃりした五十代の女医が、彼らがずっと探していた人物だと判明した。数時間後に「ラ・ファリーナ」はツイートした。

私の友人と家族へ。私の本名はマリア・デル・ロサリオ・フエンテス・ルビオです。私は医師です。今日、私の命は終わりを迎えます。

私と同じ過ちを犯さないでください。ここから得られる教訓はありません。無駄死にです。彼らはあなたが思っている以上に私たちの近くにいます。

彼女の最後の投稿は二枚の写真だった。一枚はカメラをじっと見つめている彼女の写真。もう一枚は床に横たわっている彼女の写真。顔が銃で吹き飛ばされていた。彼らは彼女の処刑をツイッターで実況中継すると、キャットウーマンのアイコンをマリアの吹き飛ばされた頭に取り替えた。

麻薬カルテルは、情報技術（ＩＴ）を使って自分たちを弱体化することはできないと見せつけるのを好む。あるカルテルは死骸をカーニバルの仮装のようにコンピュータ部品で飾り立て、口にキーボードを、目にＣＤを当てた。麻薬カルテルは象徴化するのが得意だ。

次々と嫌がらせを受けていたアルベルトは、一時メキシコを離れるのが賢明だと判断する。

二〇一八年の総選挙で制度的革命党（PRI）は敗れ、アンドレス・マヌエル・ロペス・〝ルイ〟・オブラドール、通称「アムロ（AMLO）」が大統領に就任した。オブラドールは腐敗を一掃すると約束した。ただし彼はトップダウン方式を好む人物であり、保守的な国家社会主義者、民族主義者だった。アルベルトはオブラドールの陣営の何人かを知っていた。腐敗一掃の約束を気に入ってもいた。メキシコに帰国しても大丈夫だとは思ったが、用心深さは失わなかった。新政府はデモ参加者の地道な活動があったからこそ誕生したわけだが、こうして権力を握った以上、彼らの言うことに耳を傾け続けるかどうかはわからない。

「オブラドールも選挙期間中にボットを使いました。僕はこれからも彼を監視するつもりです」

PRIが権力の座を降りた今、アルベルトは敵陣営で自分と同じ役割をしていた人間について知りたくなった。「チョチョ族」［メキシコ南東部のオアハカ州北部に住むインディアン］というニックネームの選挙参謀について聞いたことがあった。彼はオンライン上で大勢のトロール、ボット、サイボーグを指揮していたと考えられていた。フェイスブックのプロフィール写真は笑顔のピエロ。[9]

「チョチョ族」がアルベルトとスカイプで話すことに同意した（素顔を見せるのは拒否）。ふたりは互いに敵という立場だが、会話自体は尊敬すべき専門家同士が意見を交換しあうものとなった。私が雇った通訳が彼らのスペイン語の会話を書き留めていると、時々どちらの話かわからなくなることがあったという。

アルベルトが略奪されたスーパーのフェイク写真について質問した。ガソリンの急騰に対するデモのときに拡散され、これがきっかけでデモが暴徒化した写真だ。誰がフェイク写真を広めたのかを知っている、と「チョチョ族」は答えた。SNS上の「サイエンティフィック・セクト」いうグループの十九歳になるメンバーだという。彼らは自分たちが作ったフェイクニュースが拡散されるたびにバカ騒ぎをした。メディアは「組織化されたサイバー犯罪」とか「心理戦争」などと書き立てたが、サイエンティフィック・セクトは注目を浴びたいだけのティーンエイジャーの集まりにすぎなかった。

アルベルトは、彼のマンションにやってきてピンポンダッシュをする人たちのことも「チョチョ族」に話した。「チョチョ族」は肩をすくめる。ティーンエイジャーはソーシャルメディアで人を怖がらせるようなアバターを作る。やがてオンラインの世界と現実の世界が混じり合うようになり、アバターを現実に持ちこもうとする。だが所詮ゲームだ。たとえばツイッターならば、人は誰にでもなれる——女性にも、トロールにも、活動家にも。ある論争の両極の立場に同時に立つこともできるし、しかも誰にもわからない。実際、サイエンティフィック・セクトの連中は暴力的ではなかったと「チョチョ族」は言った。

「クラブみたいなものですね」とアルベルトは言った。「照明が暗くなれば誰にでもなれる」

私たちの行く手にどんな大きな問題が立ちふさがっているか、アルベルトはわかっていた。彼自身は、検索結果のなかから社会の真のニーズ、願望、変化への要求を抽出することは可能だとまだ信じている。しかしデジタル操作の悲劇的な点は、個人がさまざまな嫌がらせを受けるだけでなく、彼ら自身の現実から遊離してしまうことだ。メキシコでは七十年間にわたり「真実」が一党独裁政治によって決められてきた。政府が「正常」だと押し付けた「真実」を国民は受け入れてきたのである。現代では、ボット、トロール、サイボーグが世論——つまり支持と不支持の動向を操作することが可能だ。しかも、昔のメディアよりも狡猾に行なえる。そしてこの世論操作がもっとも成功したとき、世論操作された情報に国民は自ら意見をすり合わせようとする。オックスフォード大学のボット研究者は、これを「意見を一致させる」プロセスと表現した。[10] それは、ある個人のアカウントの意見が別の誰かの心に深く影響を与えるのではなく、作られた集団が偽りの正常さを生むプロセスである。

何十年にもわたって行なわれてきた多くの研究によって、人間は自らの行動をいかに修正し、大多数の意見——と思われるもの——に合わせようとするかがわかってきた。一九七四年にドイツの政治学者で世論調査専門家のエリーザベト・ノエル＝ノイマンは、どのようにして人々は自分の意見を大多数の意見に合致させようとするのかを実証した。[11] ノエル＝ノイマンは、帰属欲求はもっとも人間らしい性向であり、孤立への恐怖が人々をそうさせると主張した。だからこそ、追放、つまり所属するグループから追い出されることが最古の刑罰のひとつなのである。[12]

マスコミュニケーションの時代ではメディアが判断基準になり、人々はメディアを通してなにが支配的な世論であるのかを判断する。ノエル＝ノイマンはこれを「沈黙の螺旋《スパイラル》」と呼んだ。人と人との実際の結び付きに基づいた意見が螺旋のリボンを上っていくとすれば、マスメディアの情報を鵜呑みにした意見が螺旋のリボンの裏側を下に降りてゆく——螺旋の底にあるのは沈黙だ。

さらにノエル＝ノイマンは、その沈黙に抗う人間には二種類のタイプがあると述べる。一番目のタイプは彼女が「強硬派」と呼ぶかたくなな人たちで、自分が社会から拒絶されていると思うあまり、人がどう思おうが気にせず、失われた——実際には「創造された」——過去に立ち戻ろうとする。[13] もうひとつのタイプは「前衛派《アバンギャルド》」で、何度挫折しても自分の話に耳を傾けてほしいと思う活動家だ。「前衛派に属する人たちにとっては未来に向けて何をするかがすべてであるから、現実の世界では必然的に孤立する。しかし自分たちは時代の先駆けだという確信があるので、孤独にも耐えられる」

それは、私が取材したリュドミラ、アルベルト、スルジャなどの活動家を表現するのにぴったりな言葉だ。

「ピーター、暗い時代になりそうです」。私がロンドンに戻った報告をすると、アルベルトはそう返信してきた。「新世代のボットやトロールのせいで、僕たちは人と人が直接やり取りする世界へ逆戻りさせられていますね」

◉パロディー化の抵抗運動

権力者たちは、抗議運動を分裂させたり、注意をそらせたりするのがうまくなってきた。そしてその路線を究極まで推し進めると、スルジャ・ポポヴィッチの戦術を自身の強権的政治のなかに取り込み、「独裁者を倒す方法」を「独裁者を強くする方法」に逆転することにまで行き着く。

ロシア政府は「色の革命」の自国版を作り出す方法を研究しはじめ、早くも二〇〇五年にはロシア国内に「ナーシ」［ロシア語で「私たちの」の意］、つまり「愛国青年運動」の組織を作った。その公式目標のひとつは、スルジャ方式の非暴力な「色の革命」がロシアに根を下ろすのを阻止することだった。さらにクレムリンは、「近隣諸国」に「ロシアの旗印」を作り出した。旧ソ連邦を構成していた国々に住むロシア人のあいだにロシア文化のネットワークを作ろうとしたのである。そして二〇〇七年、エストニアでソ連軍兵士像をめぐって「色」のデモのロシア版のようなものが起こり、世界が注目することになる。

「この人は射殺されました。この人は行方不明です――殺害されたのは明らかですが。この人は流刑にされました」。エストニア大統領（取材当時）のトーマス・イルヴェスは、首都タリンの大統領官邸の長い廊下を私と歩きながら、エストニアが初めて独立したときに国を率いた男たちの写真を指差しながら解説してくれた。エストニアが最初に独立したのは一九一七年のロシア帝国崩壊時である。しかし二十数年後の第二次世界大戦中にソ連に占領され、それは一九九一年のソ連崩壊まで続いた。

蝶ネクタイとツイードのジャケットはイルヴェスのトレードマークだ。エストニアをヨーロッパ一のデジタル先進国に変えるという彼の使命に似合っている。彼の在職中、エストニア政府は「インターネットへの接続は国民の権利である」と宣言し、すべての国民は、電子投票からオンラインでの処方箋の入手、納税、銀行の諸手続き、携帯電話での駐車料金の支払いまで可能となった（新学校指導要領では七歳からプログラミングを教えることを定めている）。ニッチな市場を開拓するこの「eエストニア」計画は実用的であると同時に、象徴的でもある。この計画は、「モスクワの後進地域」というソ連時代のエストニアのイメージを一新した。そしてエストニアは、二〇〇四年にＥＵとＮＡＴＯに加盟調印することになる。クレムリンの支配からの解放、デジタル国家、ＮＡＴＯおよびＥＵへの参加――等々のエストニアの発展のイメージは、しかしじきに薄れていく。

ソ連時代から五月九日は第二次世界大戦の対独戦勝記念日として知られ、エストニアに住むロシア民族主義者と退役軍人はタリン中心部にある「青銅の兵士像」［ソ連軍兵士像。タリン解放記念碑］に毎年集まってこの日を祝った。[14] この兵士像はアーリア人の顔をした筋骨たくましい大男で、ナチスへのソ連の勝利を記念するためのものだった。エストニアの人口の約三分の一はロシア人あるいはロシア語話者であり、こうした圧倒的多数の人々は第二次世界大戦後にソ連から移住してきたロシア人の子孫だ（その一方で大量のエストニア人が流刑になり、強制収容所に入れられた）。エストニア国内のロシア人の数は、一九四五年から一九九一年のあいだに二万三千人から四十七万五千人に膨れ上がった。だがソ連崩壊の一九九一年以降、新しい独立国エストニアに住むロシア人のなかに、自分たちは不当に低く扱われていると感じる人々が増えてきた。なぜ薬の処方箋はロシア語で書かれていないのか？　ロシア語話者が住む町なのにロシア語の道路標識がないとはどういうことなのか？　ソ連占領時代に生まれた人は市民権を得るためになぜ言語能力テストを受けなければならないのか？　一方、エストニアでも簡単に視聴できるロシアの政府系メディアを好んで観る国民は七割以上いる。放映されているのは、そもそもソ連邦はエストニアを侵略していないとか、エストニアの共産主義者の軍隊が彼らを招き入れた（実際はソ連の工作員たちがその軍隊に入りこんでいた）といった内容である。エストニアは実在する国ではないとロシアの政治家がほのめかすのは日常茶飯事であり、ロシアのテレビの歴史ドラマではエストニアのファシストはどうしようもない悪役として登場する。[15]

ロシア民族主義者とソ連時代を懐かしむ人々が青銅の兵士像に集まってソ連時代の歌を歌い、兵士像に旗をまとわせるようになると、エストニアの民族主義者たちが同じ場所で対抗デモを組織しはじめた。二〇〇六年、あるエストニアのライターが兵士像を吹き飛ばすと脅迫した。二〇〇七年三月、エストニア議会は兵士像を軍人墓地に移す法案を可決する。争いを避けるためというのが表向きの理由だったが、ロシアの政治家とメディアが凄い剣幕で反論した。「エストニアの指導者はファシストに協力するのか！」とモスクワ市長が言えば、「見下げはてた状況だ」と外務大臣がコメントした。ロシアのメディアはエストニアに「eSStonia」［SSはナチス親衛隊を指す］というあだ名を付け、「ナイト・ウォッチ（夜警）」と自称するグループが青銅の兵士像が撤去されないようにそのまわりでキャンプして寝ずの番をするという状況にまでエスカレートした。

二〇〇七年四月二十六日夜、兵士像を移動しようとしたとき、大勢のロシア系住民がエストニアの警察官に向かってレンガとガラスびんを投げはじめ、暴動が発生した。大規模な略奪がはじまり、男性ひとりが死亡した。以降、ロシアのメディアは繰り返し誤報を流しつづけた──男性は警察官に殺された、ロシア人がフェリー埠頭で殴り殺された、取り調べ中にロシア人は拷問を受け、向精神薬を飲まされた……。

翌朝、エストニア政府や新聞社、銀行のコンピュータシステムがダウンしていることがわかった。これは、分散型サービス妨害攻撃──「ディードス（ＤＤｏＳ）」として知られるサイバー攻撃だった。これは、あるインターネットアドレスに大量のリクエスト（データ処理）を送って、システムをクラッシュさせるというものだ。そして国中が、プロパガンダ、サイバー攻撃、街頭暴動でマヒ状態になってしまった。[16]

この攻撃の黒幕は誰だったのだろうか？　エストニアの治安当局は、ナイト・ウォッチのメンバーとロシア大使館の職員が会っているところを目撃したと主張した。しかしこの事態がクレムリンの指示あるいは調整によるものかどうかを突き止めるのは簡単ではない。ロシアの愛国青年グループ「ナーシ」が、このサイバー攻撃は自分たちだけで行なったと声明を出し、ロシア政府はサイバー攻撃とは無関係だと主張した。初歩的な愛国的トロールと言えるが、今回の被害者は一国丸ごとと、規模が大きかった。

イルヴェスと国家安全保障チームは、四月二十六日のこの攻撃の目的がよくわからなかった。私はエストニアの大統領安全保障顧問であるイーヴィ・マッソに尋ねた。「ロシアの政治家が、その気になればエストニアをロシアのものにするなんて簡単だと言うとき、それは彼らが実際にエストニアに侵攻するということなのですか？」これに対して彼女はこう答えた。「わかりません。彼らはわが国を混乱させようとしているだけなのかもしれません。あるいは、西側諸国のジャーナリストに自分たちの発言を引用してほしいのかもしれません。エストニアは安全ではないというシグナルを市場へ送り、わが国の投資環境を悪化させたいのかもしれません。私たちは、この攻撃の目的はわが国がパニックに陥り、同盟国にとって信頼できない国だと思わせることではないかと考えることがあります」。いずれにしろこのサイバー攻撃で、エストニアはNATOに加盟したにもかかわらずソ連から簡単には逃れられないことがわかった。NATOという軍事機構の根幹には、「条約締約国一国あるいは二国以上への武力攻撃はすべての締約国への攻撃とみなす」という規定がある（第五条）。だがその規定が成り立たないときはどうなるのだろうか？　ロシアがNATOと実際に武力衝突を起こすことはないと思われる――しかし、たしかに「武力攻撃」ではないし、その主体も明確ではないものの、これは「攻撃」とは言えないだろうか？

イルヴェスは二〇一六年に二期目のエストニア大統領職を務めあげ、カリフォルニア州パロアルト市［シリコンバレーの北端にありスタンフォード大学やハイテク企業がある］に移った。スタンフォード大学のフェロー（特別研究員）として迎えられたのである。おなじみの蝶ネクタイとツイードジャケット姿でイルヴェスはテクノロジー企業を訪れた。そこでは誰もがスニーカーをはき、明るい色の廊下を自転車で乗りまわっていた。しかしそうした早熟な情報工学の天才たちは、政治や歴史について、そして政治や歴史における情報工学の役割について、なにも理解していなかった。

イルヴェスは、デジタル時代では「同盟」という言葉を再定義する必要があるとよく考えるようになった。NATOは、物理的な侵略行為に対しては効力がある。それこそが、NATOが「北大西洋条約機構」と、すなわち地域的に限定された名称がついた理由であった。ところが現在、干渉という行為はどこででも可能だ。それでも地理的な条件が条約の原則であるべきなのか？　だとすればNA

TOになんの意味がある？　NATOにはトルコのような、民主主義的とはあまり言えない国も含まれている。世界の民主主義諸国は、たとえばサイバーNATOのようなもののために団結する日が来るのだろうか？

当時イルヴェスは、ソ連崩壊後のエストニアの発展はインターネットの普及にかかっていると考えていた。しかしパロアルトにいくつもあるソーシャルメディア企業を自分の目で見た今となっては、その考え方は甘かったのではないかと思うようになった。そうした企業が誰にでも、どんな国にもサービスを提供するからこそ、彼は故国エストニアの自由を守る闘いに力を注がざるをえなくなっていたのだから。そしてそうした企業は、自らの責任を認めようとはしない。彼はフェイスブックに頼まれてエッセーを書いたが、フェイスブックが非民主主義的な勢力によっていかに利用されているかについて書いたためなかなか発表されず、配信された頃には陳腐な内容になっていた（その内容は、二〇一六年のアメリカ大統領選挙時にクレムリンがあらゆるオンライン技術を駆使してドナルド・トランプを支援してアメリカ国内の憎悪や社会的分断を煽ろうとしたかを、ソーシャルメディア会社はいずれ開示せざるをえなくなるだろう、というものだった）。一方、アメリカの政界やメディアの世界のエリートたちが、いわゆる「ロシアの干渉」をまったく初めて経験することだと言わんばかりの反応をするのを見て、イルヴェスは目を丸くした。この事件を「オンライン版同時多発テロ事件」「オンライン版真珠湾攻撃」と呼ぶ人もいるが、アメリカだけが悲劇の主人公のように思う彼らの感覚を疑ってしまった。この程度のことは、十年ほど前のエストニアへのサイバー攻撃に比べたら穏やかなものだ。

アメリカ大統領選終了後、学者と専門家はアメリカにおけるクレムリンの情報操作の効果をどうやって計るべきかを議論した。少なくともふたつの別々の情報操作があったと考えられた。ひとつは、民主党の幹部職員の電子メールをハッキングして流出させたこと。この影響は甚大だった。だがこれをトロール工場の仕業と考えるのは無理があった。陰に陽に働きかけるアメリカのインターネット選挙運動に比べると、トロール工場は小規模だ。となると、比較的小規模な外国の情報操作の効果は考えず、もっと大規模なアメリカの大衆への影響力に焦点を絞るべきではないだろうか？　あるいは後述するような、外国で行なわれたの世論操作に焦点を絞るべきではないだろうか？

もしくは、ロシアの情報操作について別の考え方ができないだろうか――と私は考えた。彼ら、民主化の波と映像とのあいだのつながりを断ち切ろうとしたのだ。

エストニアは、ソ連の崩壊につながる非暴力デモが最初に行なわれた場所だ。一九八七年にタリンのメイン広場で普通の市民が愛国的な歌を大合唱したことからはじまった「歌う革命」は、一九九一年にデモ参加者がソ連軍戦車に勇敢に立ち向かったときにクライマックスを迎えた。それは、スルジャ・ポポヴィッチのような非暴力革命支持者にとっては原点とも言うべき事件だった。しかし、かつて東ヨーロッパで街頭デモを行なった人々と民主化の波という大きな物語とのあいだにあったつながりは、クレムリンの横槍によって断ち切られようとしていた。独裁者たちは、デモという行為を貶め、弱体化しようとしていたのである。そちらがデモならこちらもデモだ、とモスクワは言っているかのようだ。

サンクトペテルブルクのトロール工場がアメリカでした謀略は数々あるが、たとえばアメリカの公民権運動、たとえば「ブラック・ライヴズ・マター」［「黒人の命も大切だ」の意］の活動家になりすまして候補者ドナルド・トランプに投票するように呼び掛けたり、あるいはトランプの対立候補を支援する活動を妨害したりした。トロール工場はアメリカでトランプ支持のデモを組織さえした。とくに私の記憶に残っているデモは、スルジャの政治的な街頭演劇のじつにひどい模倣だった。「ビーイング・ペイトリアテック（愛国者たれ）」という偽のフェイスブックグループでドナルド・トランプ支持者のふりをしたトロールが、フロリダのある女性を説得して俳優を雇わせた。その俳優にヒラリー・クリントンのゴム製マスクをかぶらせ、独房のようなものに入れてカーニバルの行列のように練り歩かせたのである。[17]

しかしクレムリンの努力がもっとも目覚ましい効果を発揮したのは、それが暴露されて以降だ。人は偽アカウントの話――見かけは自由や公民権運動を支持しているが、じつはロシアのような外国政府の隠れ蓑だったと判明した等々――を嫌と言うほど耳にすると、いきおいオンラインで目にするものすべてを疑うようになる。あのアメリカの公民権運動のポスターは、じつはサンクトペテルブルクで作られたものではないのか？　ポスターに書かれていることを額面通りに受け取っていいのだろうか？　やがてオンライン上の抗議運動の概念そのものが信頼を失いはじめ、いたるところで行なわれているデモは、じつは外国のひそかな世論操作にすぎない――とクレムリンは主張しやすくなる。これは、クレムリン（とイランと中国）のメディアが強調しようとしている、より大きな物語を補強するものだ。つまり、「色の革命」や「アラブの春」のような運動はアメリカが仕組んだ陰謀であり、真に下からの国民主導のデモのようなものは存在しないという物語である。

クレムリンがSNS上の民主化運動の中に忍びこむ方法を考えはじめたのは、正確にはいつからだったのか？　トロール工場によるアメリカ大統領選への介入が明るみに出ると、ロンドン在住のブラジル人教授マルコス・バストス博士はこの点に関心を持つようになった。彼は「草の根のコスモポリタン」によるデモのツイートを長年にわたり調査していて、およそ二千万件の投稿を集めていた。彼が興味を持ったのは、そうしたインターネット上のペルソナは以前はなにをしていたのかということだった。

バストスは自分のデータベースをさかのぼってみた。二〇一二年のデータとブラジル、ベネズエラ、スペインのデモを分析したところ、仮面を被ったクレムリンのアカウントは民主化の「第三の波」、つまり「アラブの春」のピーク時からずっとそこにいたことがわかった。最初のデモがブラジル、ベネズエラ、スペインを席巻したとき、すでにクレムリンはそれらの国のSNSのなかに入りこみ、利用できる可能性を探っていたのである。この年、クレムリンのソックパペットのアカウントは華々しいことはなにもしていない。その代わり、自分自身をSNSの網のなかに埋めこみ（エンベッド）、稠密な格子（キャピラリティ）を作り上げ、なりすましをしながら活動家のデジタルネットワークのなかへ入りこんでいた。さらに念入りに調べると、すでに二〇〇九年に作られたアカウントがあることがわかった。もっとも、それらのアカウントがトロール工場によって作られたのか、あるいは後日彼らによって不正アクセスされたのかはわからない。

バストスは二〇一三年にサンクトペテルブルクにあるロシアの有名国立大学「高等経済大学」で行なった講義のことを思い出した。彼はその講義で、デジタルの抗議運動においては、大勢のフォロワーを持つ少数の強力なインフルエンサーが時折発信するよりも、多数の小規模なインフルエンサーが絶えず発信するほうが影響力は大きいと語った。彼の講義を聴くのはたいてい落ち着きのない学者か、ほとんど聴いていない新し物好きの裕福な学生だったが、四、五十代のスーツを着た男がふたり、じっと彼を見て、一字一句メモに取っていたことをバストスは覚えていた。

一方ベオグラードのスルジャは、自分の戦術が自分の理想に反する形で利用されているのをゆがんだ鏡の間に座らされているような気持ちで眺めていた。

二〇一五年と二〇一六年、プーチンの盟友であるマケドニア共和国の首相ニコラ・グルエフスキに対して正真正銘のデモが起きた。デモ参加者は噴水の中に赤のペンキを流し入れ、そのすぐ近くでひとりの学生がグルエフスキのSPによって殺害された。デモ隊は、ジャーナリストと野党を盗聴していた国家機関の建物にペイントボールを投げつけ、町の中心部はポロックの巨大な絵のようになったという。彼らは松明《たいまつ》を掲げ、白い仮面をかぶってナイトラリーを開催した。政権がいかに仮面をかぶっているかを象徴するためだった。ここまではスルジャ流だった。

ところが反政府派がデモをするたびに、政府側は「反政府デモへのデモ」を行なった。「反政府デモへのデモ」隊は同じように白い仮面をかぶって松明を掲げ、反政府デモと同じものをシンボルにした。結局グルエフスキは首相選出の投票で負けたものの、「色の革命」戦術が政府側にいかに容易に取り入れられてしまうかということを「反政府デモへのデモ」は示した。

この現象は翌年の二〇一七年に、モンテネグロでやや違った動きを見せることになる。ロシアで財を成したモンテネグロ人オリガルヒ「政治的影響力のある新興財閥」とロシア人オリガルヒおよびクレムリンの保安庁が、NATOに加盟したモンテネグロ政府を倒そうとしたのである。

スルジャの話では、彼らは最小公倍数的な問題である政府の腐敗を中心にそれぞれがうるさ型の反政府派をまとめ上げ、セルビアの民族主義者、正教会、共産主義者から成るモンテネグロ反政府運動を起こすことを協議した。彼らはロシアの資金で世界的な有力者たちを招いて戦いの場を広げることに成功する。選挙勝利宣言を行なう準備までしはじめ、結局負けたのだが、今度は街頭デモをはじめた。

「マケドニアとモンテネグロで起こったことは、まさに僕が本に書いたことを忠実になぞったものでした。ですが、方向がそもそも正反対でした。そして、もっとも大事な部分が抜けています」とスルジャは不満を述べた。「彼らは、国民の意志なんてどうでもいい、選挙に勝つ必要はないと考えています。けれど僕たちはそれを戦術の基本にしています。彼らは人気のなさを補うためには暴力を使ってもよいと考えますが、僕たちは非暴力運動こそが成功だということを知っています」

民主化の波の方向が定かとは言い難くなってきたこの混乱状態のなかで、しかしスルジャは疲れをものともせず活動しつづけた。彼のワークショップに参加できた幸運な人は誰もが、変化は起こるという希望を持ったはずだ。しかし時間の流れとともに、彼の話の内容も一部変わっていった。スルジャは、独裁政権の転覆の仕方を教えるというより、民主主義を守る方法を教えるようになっていったのである。

「民主主義を守る機関のなかで抗議運動で共に闘えるのはどこでしょうか？　裁判所ですか？　メディアですか？」と彼は私に聞いてきた。

インタビューのなかで、彼がいら立った瞬間が一度だけあった。彼がテクノロジーを使ったり、モデルケースを作ったりしていることに私が言及したときだ。

「これはモデルケースなんかじゃありません。テクノロジーでもありません」と彼は反論した。「僕たちは人々に技術を教えているんです。ギターの弾き方を教えているんであって、なにを演奏すべきかを教えているわけではありません。これこそが僕たちと彼らの大きな違いです。そして彼らが抗議運動で成功しない理由はそこなんです。彼らは人々を操り人形のように動かそうとします。けれど僕たちは自力で権力を獲得できるように教えているんです」

だが私は考えずにはいられない――権力を握りたいと思っている人たちが自力で権力を握り、ほかの人たちを屈服させたら、どうなるのだろうか?

●クローズド・チャンネル

「クローズド・チャンネル」とは、もともとはコンピュータゲームの熱狂的なファンが利用する非公開のインターネットサイトのことだ。これが極右グループのあいだで大人気となり、やがてオンラインで知りあった者同士がインターネット上での世論操作を計画するようになった。たとえば、あなたが「インフォクリーク(infokrieg)」グループ[クリークはドイツ語で「戦争」の意]に参加したいとする。まず最初に、あなたは哲学者のニーチェにちなんだアバターを作りたくなるだろう。次はオルター・エゴ(別人格)を作り出し、移民と文化の問題を論じる記事を定期的に書くようになるはずだ。めでたくインフォクリークのメンバーとなれば「情報戦マニュアル」をダウンロードできるようになり、何人のフォロワーがついたかによって「身分」も与えられるようになる。フォロワー数二十五人から百人で「バロン」。一万人以上で「超人インフルエンサー」に認定され、さまざまな戦術の情報を得る資格を取得する。ジャーナリスト「狙撃作戦」を組織する方法、政治家のフェイスブックを悪意のあるコメントだらけにする方法、あなたのライバルのユーチューブビデオに「低評価」が多くつくようにする方法、などがそうだ。もしあなたがオンライン上の敵と激戦になり、勝てそうもないと思ったら、インフォクリークの情報戦マニュアルに従って「#航空支援」のハッシュタグをつければいい。ほかのメンバーがあなたの救援にやってきて、嘲笑のこもった会話を敵に大量に送るだろう。

インフォクリークにもミーム工場がある。すでにある写真に言葉を付け加えてまったく別の意味の写真にしてしまうのだ。たとえば、一九五〇年代の広告からそのまま出てきたような幸せなアメリカ人家族の写真に「右翼過激派」というキャプションを付けたりする。インフォクリークで私の目を引いた、ある参加者の言葉がある。「社会主義者のミームは使うな。大量移民、イスラム化、アイデンティティ、自由、伝統といった最小公倍数のテーマに集中しよう」。この「最小公倍数」という言葉は、スルジャのプレーブック（極秘資料ブック）からそのまま出てきた概念だ。

インフォクリークはアイデンティタリアン運動［欧米の極右・白人ナショナリスト運動］のメンバーによって創設された。アイデンティタリアン運動のオーストリア支部長であるマルティン・ゼルナーは、この運動でもっとも有名かつ知的なリーダーだろう。ゼルナーは、文化的に均質なヨーロッパからムスリムを「再移民」する重要性を訴える。言葉はそれなりに慎重に選ばれているが、ミロシェヴィッチがユーゴスラビアで支援した民族浄化と似ていなくもない考え方だ。

ゼルナーが広く知られるようになったのは「ヨーロッパを守れ」というスタンドプレー以降だと言ってよい。このかけ声のもと、彼は船を一隻チャーターして地中海に乗り出し、北アフリカから船でヨーロッパに入ろうとしている難民を救助する活動を阻止しようとした。ゼルナーは、「公共の利益にならない」人物だという理由でイギリスへの入国を禁じられている。[18]

私がゼルナーとビデオ通話で話したとき、彼はスルジャ・ポポヴィッチの著作から多大な影響を受けたと語った。私がスルジャと知りあいだと言うと、彼はひどく感心したようだ。

黒縁メガネをかけたゼルナーは、極右の青年というより哲学専攻の学生のように見えた。彼はスルジャに刺激を受けてやったスタンドプレーについて、熱く誇らし気に語った。移民問題の議論をタブー視する「穏やかな権威主義」に私たちは支配されていると彼は主張したが、ロンドンにいる私にはばかばかしい言いがかりに聞こえた。ロンドンで一番売れている新聞は移民反対を絶えず声高に主張している。

ゼルナーの業績は、CANVAS（非暴力応用活動および戦略センター）の戦略に照らし合わせるとよくわかる。彼は自分が見たい変化、つまり文化的に均質なヨーロッパを目指すと名言してきた。移民問題では、まったく異質のグループをひとつにまとめる最小公倍数を発見した。インターネット上の右翼民族主義運動を研究しているジュリア・エブナーとジェイコブ・デーヴィー[19]は、ゼルナーの「ヨーロッパを守れ」を支持したさまざまなグループの動機を分析して、彼らには反ムスリムと反左翼傾向、テロへの不安、白人がヨーロッパから追い出されるという恐怖があることを発見した。ゼルナーの支持者には反エスタブリッシュメント・グループ、陰謀論者も含まれていた。ゼルナーは「戦いの場を広げ」（スルジャの表現だ）、各勢力の国際的なネットワークを調整した。イギリスの反ムスリム活動家と同盟関係を結び、ロシアの政府系テレビ番組に定期的に出演し、ハンガリーでは自分のグループを正式な活動団体として政府に届け出ていた。彼の恋人のブリタニー・ペティボーンはアメリカ有数の極右主義者だ。「ヨーロッパを守れ」のオンラインでの支持者のほぼ半分は、アメリカ人だ。そしてついにゼルナーは選挙に乗り出し、二〇一七年、インフォクリークはドイツの右派・極右政党である「ドイツのための選択肢」を応援することになった。

ビデオ通話を終えたあと、ゼルナーからメールが送られてきた。「ポポヴィッチによろしく」

第3章 史上最大の電撃情報作戦

エスフィールは高価なダイヤモンドが嵌めこまれたイヤリングをリーナの耳たぶに付けた。それから誰かが――リーナはそれが誰だったのかほとんど覚えていなかった――煙草を取り出して火をつけるとその灰を指の上に落とし、ダイヤモンドになすりつけた。「税関の役人に聞かれたら、ただのガラスだと答えなさい」

私たち家族は空港にいた。大勢の人が永遠の別れを言いに来ていた。誰もがわかっていることだが、私たちは両親、兄弟姉妹、友人、そして故郷にまつわるものすべてを二度と目にすることはないだろう。両親がキャンバス地のバッグに詰めこんだものは、大量の布おむつだった(ソ連では使い捨ての紙おむつがなかった)。両親はアメリカドルを百八十ドル持っていたが、それが全財産だった。ソ連の市民権ははく奪され、私たちは無国籍者になった。国境で私たちは服を脱がされて調べられた。母は私をぎゅっと抱きしめていたので、母がシャツを脱いだときには胸に私の顔の跡がついていた。

「一九七七年十一月にメルグノフ少佐はポメランツェフに正式な警告を与えた。供述調書には、中傷的な作り話の回覧、敵国放送の定期的聴取、外国人との接触が挙げられている。同月、KGBのA・

L・イゾルギン少佐はポメランツェフに移住を勧告した」

多くの点でイーゴリは幸運だった。彼には選択の余地があるという体裁が整えられていた。イゾルギン少佐は、もしウクライナに留まるなら七年の懲役と五年の流刑が待ち構えていると明言した。ウクライナにおける弾圧で重視されたのは、ウクライナ文化を消し去ることだった。その一方、「ソ連が認めたウクライナらしさ」なら文化的に保護された。イーゴリがウクライナ語の詩人だったならば、ただちに監獄行きだっただろう。だがイーゴリはロシア語で、宗主国の言葉で詩を書いた。彼の詩はモスクワ拠点の文化雑誌『スメナ』［「カメラ」の意］に載り、その雑誌の読者は百万人以上いた。もし彼が刑務所に送られたらモスクワの誰かが大騒ぎをし、やがて西側メディアに伝わり、国際会議で問題になるだろう。一方イーゴリにかけられた嫌疑のためにモスクワの誰かが逮捕されるということはなかった。モスクワでは、反体制派からスターや聖人を作り出せる（少なくとも反体制派についてコラムが書ける）西側ジャーナリストの存在によって、規則が多少ゆるくなっていた。

ソ連は外見だけはいまだにユートピアのふりをしていたので、二流の詩人たちを禁書を読んだ罪で「良心の囚人」に格上げするのは体裁が悪かった。たとえば、「良心の囚人」の代表格であり、もっとも名の知れた反体制派の人物、物理学者のアンドレイ・サハロフ博士は、一九七七年に政治犯への支援を訴える手紙を当時のアメリカ大統領ジミー・カーターに送り、それはニューヨーク・タイムズに掲載された。

「親愛なるカーター大統領閣下　寛容さ、正義、失われた権利を求めて非暴力闘争をしたためにつらい目にあっている人たちを守ることはきわめて重要です……われわれとあなた方の義務は、彼らのために闘うことです。多くのことがこの闘いにかかっています——人と人とが信頼しあい、約束を取り交わしたなら最後まで信用すること。そうすることで国際的な安全保障は達成されます」[1]
サハロフ博士はカーター大統領に名簿を提供した。そこにはカーター大統領がソ連の最高指導者相手に話題にしてほしい政治犯の名前が載っていた。それは意味のない訴えなどではなかった。ソ連が人権と基本的自由の尊重を約束するヘルシンキ宣言に調印した一九七五年以降、アメリカの指導者は首脳会談で政治犯の問題を取り上げている。アメリカは政治犯の解放に尽力した。これはアメリカの株を上げたが、ソ連にとってはおもしろくないことだった。

一九七〇年代半ばからソ連共産党政治局（ポリトビューロ）は、やっかいな反体制派を逮捕するよりも移住させるほうが彼らを処分できる手っ取り早い方法だと判断した。それはソ連にとっても利益になる話だった。

イーゴリとリーナは自分たちが自由、家族、文学について決断に迫られていることを知った。けれども別の見方をすれば、私たちの運命は弾道ミサイル制限交渉とアメリカの小麦の不作によって救われたとも言える。法律的なことを言えば、私たちは「ユダヤ人ビザ」で出国を許された。ビザの数は、ソ連がアメリカに輸出できる穀物の総量によって変化した。一九七六年には一万四千人のユダヤ人にビザが発行された。一九七八年にはソ連とアメリカは互いの核兵器の数を制限するＳＡＬＴⅡの交渉中で、それには穀物輸出もからんでいたのでビザの発行数は二万九千人分に急増した。私たち家族はその二万九千人のうちの三人である。[2]

ビザのおかげでウィーンまで旅することができるが、そこで最終目的地をアメリカ合衆国にするかイスラエルにするかを決めなければならない。私の両親はどちらの国も望んでいなかった。ふたりはヨーロッパに残りたかったのだ。

親愛なるマルク

きみは僕たちを見送りに空港に来て、税関のところでさよならと言ったね。僕はあれからなにが起こったのかをきみに伝えようと思う。税関で僕たちは裸にされて調べられた。僕は大きなキャンバス地の袋を持ち、リーナはペートカを抱いていた。調べが終わると汗をかいたせいで僕は飲み物がほしくなった。空港の二階には自動販売機があり炭酸入りのミネラルウォーターが売っていたけれど、投入口に入れるソ連の硬貨を僕は一カペイカも持っていなかった。マルク、きみが移住するときはソ連の硬貨を持っていったほうがいい。ソ連のお金を持っていくのは違法だけど、使ってしまえば罪に問われることはない。

僕たちが飛行機までバスで移動するとき、バスの窓からきみに向かって僕が手を振っているのは見えただろうけど、泣いているのは見えなかったと思う。僕たちは飛行機の後方の座席に座った。すぐ前の座席は静かに微笑んでいるふたりの日本人だった。飛行機が離陸すると、客室乗務員が朝食を配りはじめた。僕たちは外国人のように扱われ、ワインまで振る舞われた。だが三十分もしないうちに飛行機は枯れ葉のように揺れはじめた。飛行機は雷雨の中を飛んでいた。英語のアナウンスがあり、飛行機は白ロシア・ソヴィエト社会主義共和国の首都ミンスクに緊急着陸するという。僕はなにか言わないといけないと思って、リーナに座席のベルトを締めるように言った。「不安だわ」とリーナは言った。ピョートルは彼女の膝の上で寝ていた。あらゆる方向から雹《ひょう》が機体に当たった。僕は片方の手で自分の頭を守り、もう片方の手で息子の顔を守った。飛行機の車輪はミンスク飛行場の滑走路に激突し、ガリガリという大きな音とともに数百メートル近く胴体で滑り、客室と両翼は破損した。

ミンスク空港で僕たちは「乳幼児」待合室に案内された。リーナは泣いて行くのを嫌がった。僕が彼女を肘で押すと、それが乱暴だったのか彼女はさらに泣いた。僕たちはほかの乗客から引き離された。「無駄な心配はしないこと」と僕は自分に言い聞かせた。「僕たちには外国のビザがある。僕たちはソ連の市民権をはく奪された。僕たちは今は外国人だ——以上」。僕たちが待合室に入っていくと、スーツ姿の男が背を向けて立っていた。なぜか僕は英語で「今日は《グッド・デイ》！」と彼に向かって叫んだ。男は気にも留めず、電話をしはじめた。彼がキエフのKGBの取調官、ヴィーレン・パーヴロヴィチとヴァレーリー・ニコラエヴィチ［V・P・メンシニコフ大佐とV・N・メルグノフ少佐のこと］の名前を言うのが聞こえた。それから彼はバブルイスクというベラルーシの町の名を言った。夕方になると彼らは僕たちを連行した。僕たちはワゴン車に向かって歩いた。僕は汗で濡れたシャツを着たまま、リーナは涙で濡れた腫れた顔のまま歩き、眠っている赤ん坊は彼女の腕の中だった。「少なくともあの重いバッグを運ぶ必要はない」と僕は自分をなぐさめた。あのふたりの取調官が僕たちをバブルイスクに連れてくるように命じ、そこで待っているのだろう。ヴィーレンはおそらくどこかの女性と一緒にやってくる。ヴァレーリーはチェスの戦術的パズルを研究し、四手でチェックメイトするのだろう。ニコチンで黄色くなった下の歯でペンを叩きながら、目を細めて……。

ワゴン車は舗装されていない道路をガタガタ走った。僕たちは後部座席で押しつぶされ、汗と涙のしょっぱい塊となった。

僕たちの車は夜バブルイスクに着いた。バブルイスクで僕たちは銃殺隊に処刑された。

イーゴリ

ウィーンに到着してから数週間後に、イーゴリはこの悪夢の話を書いた——飛行機の中で感じた恐怖を何らかの形で伝えたかったのだ。西側での暮らしがはじまって数か月間経っても、イーゴリは本能的に耳を澄まして、電話を盗聴しているKGBのカチッという音やドアをノックする音を聞き取ろうとしていた。

初めてウィーンに降り立ったとき、リーナが驚いたのは色だった。スーパーに並ぶバナナの鮮やかな黄色に目がくらみそうになった。ウィーンの姿がはっきり見えるようになると、リーナは落ち着きを取り戻した。優美な曲線のアール・ヌーヴォーの建物を眺めていると、チェルノヴィッツやキエフが思い出されて慰められた。やがてリーナは町でたくさんの障害のある人たちを見かけ、衝撃を受けた。車椅子の老人たち、ダウン症の子供のグループ。彼女はその理由を一生懸命考えてみた。「これは、彼らが戦争で犯した罪への罰のようなものなのかしら?」とイーゴリに口走ってしまったが、この考えがいかに馬鹿げているかは自分でもよくわかっていた。やがて、ソ連というユートピアでは、障害のある人たちは人目から遠ざけられ、町から遠く離れたおそろしい施設に隠されるか、アパートに閉じこめられているのだとわかった——まるで人間の検閲だ。

私たち家族はウィーン音楽院の寮の一室で暮らした。弦楽器、トランペット、ピアノの音が流れるなかで、バナナ、ダウン症の子供、アール・ヌーヴォーの化粧漆喰の優美な曲線といったばらばらだった最初の印象はひとつにまとまった。楽器の調律や音階の練習による騒々しい不協和音が、いきなりハーモニーを奏でることがあるが、このいつもの不協和音が流れるなか、鮮やかな青の大型メルセデスベンツが音楽院の寮の前で停まり、中から長身の女性が出てきた——懐かしいアンネリーゼだ。彼女は私たちを新しい世界に導くために来たのだ(彼女は音楽院の寮の家賃も払ってくれていた)。

アンネリーゼは一九七〇年代半ばにキエフを訪れ、イーゴリとリーナを知るようになった。彼女は好奇心旺盛な観光客としてソ連の都市を訪れたのだが、そこで親しくなった反体制派の友人を助けたいと決心して帰国した。彼女は終身雇用の上級教師で、ドイツの小さな町の公立高校で教えていた。彼女は私たちをオーストリアからドイツへ連れ出そうと計画していた。アンネリーゼと昨年の教え子のハーロルトは、オーストリアとドイツの国境にある深い森を数日かけて歩きまわり、徒歩で国境を越えられる最短ルートを地図に記した。ふたりは国境越えを三十分の爽快な散歩にまで短縮させた。

青いベンツに乗って国境まで行った。アンネリーゼは国境を越えるために私たちを森に連れていき、ハーロルトはそのままベンツを運転してドイツ側の国境で私たちを出迎えることになった。リーナは赤ん坊の私に向かって「しっ」と言った。私はいつもと違って静かにしていた。すでに道はない。茂みを歩く足がびしょ濡れになる。三十分で行けるはずの道のりが一時間以上もかかりそうだった。小枝がぽきっと折れるたびに、みんなは恐怖におののいた。アンネリーゼは道に迷ったように見えたが、彼女はルートを知っているのだとイーゴリもリーナも信じることにした。この危険極まりない冒険をはじめたのは彼女だ――私たちではない。アンネリーゼは公務員だ。もし私たちを手引きして国境越えさせようとしているのが見つかったら、少なくとも失職することになるだろう。しかし彼女は、イーゴリがどうしてもヨーロッパに、キエフに、オデッサに、チェルノヴィッツに留まっていたいと考えているのを知っていた。彼にとってそれらの土地は偉大なるヨーロッパの一部だった。

みんなの疲労の色が濃くなりはじめたちょうどそのとき、高速道路《アウトバーン》が走るドイツ側の国境にいきなり出た。やがてハーロルトが運転する青いベンツは私たちを乗せて西ドイツに入っていった。村を過ぎ、暗い森を抜け、幅広の曲がりくねったライン川沿いの城を横目に通りすぎ、とうとうアンネリーゼの住むラーンシュタイン村に着いた。彼女はイーゴリを警察署に連れていき、そこで彼は政治亡命を申請した。警察官がどうやって西ドイツに入国したのかと尋ねたら、アンネリーゼは逮捕されていたかもしれない。警察官はイーゴリをじろじろ見てからアンネリーゼを見たが、その質問はしなかった。一九七八年、西ドイツは東側諸国からの政治難民をよろこんで受け入れていた。自分たちの政治制度が東ドイツの共産主義よりもすぐれていることの証《あかし》になるからだ。亡命申請が認められるには一年かかるが、それまでのあいだ私たちはアドルフ街のアパートに住めることになった。

亡命申請の一環としてイーゴリは州都に「招かれ」、ドイツとフランスの治安当局の調べを受けることになった。彼がスパイかどうかをチェックするためだ。若くて礼儀正しいにこやかな職員がふたり、彼の職業はなにか、出身大学はどこか、どんな作品を書いたのかと質問した。もっと徹底した身元調査をされるものとばかり思っていたが、聞かれたのはそれだけだった。質問されないと逆に不安になってくる。あのふたりのヨーロッパ人はだまされやすいから、KGBなら彼らのことを手玉に取るだろう。どうしてふたりは彼のことをきちんと調べなかったのだろう?

やがてアメリカ人がイーゴリとちょっと話をしたいと言ってきた。私たちに興味があるようだった。イーゴリは表札のない、どこにでもありそうなオフィスに行った。そこにはクルーカットの男がふたり、彼を待っていた。アメリカ人はイーゴリに鎌をかけようとした。職場には吹き抜けの階段はいくつあったか? 職場は何階建てだったか? 窓からなにが見えたか? イーゴリはほっとした。少なくとも誰かが自分のことをきちんと調べている。彼らには彼が話した内容を確認できるような人間がキエフにいるようだ。そういうことなら西側諸国に期待していいのかもしれない。彼らは彼の兵役について、彼の所属部隊の規模と配置についても質問した。だが彼は、そうした秘密を漏らさないという軍の名誉ある誓いをしたので答えられない、と返事した。アメリカ人は自分たち自身が秘密厳守の諜報機関出身なので、こうした心情に敬意を表してうなずいた。

ラーンシュタインでイーゴリは詩が書けないことに気づいた――大人になって初めてのことだ。国に残してきた友人たちのことを考えずにはいられなかった。友人のなかにはモルドヴィア共和国やペルミ地方にあるソ連の政治犯収容所にいる者もいた。彼はボンにあるソ連大使館の外で彼らの解放を要求するプラカードを掲げてピケを張った。彼が後にしてきた世界を想起させるようなエッセーを書き、西側諸国の読者――彼らが知っているのはモスクワとサンクトペテルブルクだけだ――にしばしば無視されたウクライナの戯曲を書いた。「私には母国がある。それは私のなかに永遠に留まっている。私と母国は目と涙のように分かちがたい」と彼は書いた。

イーゴリは、登場人物全員が一九六八年のソ連率いるワルシャワ条約軍のプラハ侵攻にどれほど嫌悪感を抱いたか、各人がその日いた場所をどんなふうに覚えているかを描いた。登場人物のひとりである文芸批評家は七年間投獄された。その七年間に妻が面会に来たのはちょうど七回だけだが、妻を恨む気配もなく、妻に手紙を書いてロシアの哲学者・文芸批評家ミハイル・バフチンの新刊本を送ってほしいと頼む。ほかにもイーゴリは濡れ衣を着せられた友人たちのことも書いた。彼らは朝刊の記事を読んで、自分たちがあるおそろしい罪を犯したことになっているのを知った。ある作曲家は自分が「キエフの町の真ん中、大勢の人が見ている目の前で建設作業員を殴って負傷させた」ことを知った。そんな建設作業員は現実には存在しなかったが、彼は逮捕され、有罪となった。あるユダヤ人の活動家は、自分が女性保育士をひどく殴った、と聞かされた。足の骨が折れるほど殴ったらしい。嘘だった。彼の友人たちがキエフ中の保育園を調べてまわったが、足を骨折した女性保育士はひとりもいなかったという。

イーゴリの怒りの作品は、彼が西側で出会ったシニシズムに備えてのことだった。たとえば、「真実は『収容所群島』とソ連の公式声明のあいだのどこかにあるにちがいない」と彼に言ったドイツ人ジャーナリスト。もしくは、強制収容所の中にいるのに新たな嫌疑をかけられた彼の友人ピョートル・ビンツェについて記事にしてほしいと新聞社にイーゴリが頼み込んだときの編集者の反応——「このテーマは古いし、退屈だな。このロシア人はお金がほしいのかね？」。この編集者は新聞の記事ひとつで判決を変えられることに気づいていないのだろうか？　真実と虚偽のあいだに中間点などないことをドイツ人ジャーナリストはわからないのだろうか？

「ここではきみのような反体制派を誰も必要としない」とある年配のロシア人亡命者がイーゴリに言った。それは、西側諸国の人間は誰も人権に関わるようなことにじつは関心がないという意味だ。だがそれではなぜ彼はこんなことをわざわざ口にしたのだろうか？「故郷で体制に順応だった彼は、ここでも体制に順応だ」とイーゴリは書いた。「この話を私にした男は、モルドヴィア共和国やペルミ地方にある政治犯収容所に投獄された何千人もの人について知らないか、気にならないふりをしてソ連で暮らしていたに違いない。彼の言葉はたんなる言い訳、嘘なのだ。だがここには人権に関心のある人たちがいる」。一九八〇年、イーゴリは『時事クロニクル』で、彼のエッセーを所持した罪で誰かがソ連で逮捕されたことを知った。今や彼の作品はKGBの逮捕の根拠となる「禁書」そのものなのだ。

冷戦時代には文化の最先端を行く動きがあり、すぐにイーゴリはそれにひかれた。彼のエッセーは発行部数がわずかな小さな文芸雑誌に載ったが、どれも文化的エリートを読者対象にしていたので影響力があった。たとえば、『パルチザン・レビュー』という雑誌にイーゴリのエッセー「読む権利」がイスラエルの作家アモス・オズとアメリカの作家ジョイス・キャロル・オーツの作品にはさまれて掲載された。数十年後に判明することだが、『パルチザン・レビュー』が売上不振に陥ったとき、CIAが雑誌を買い占めて存続に貢献した。また『エンカウンター』という文芸雑誌はCIAからひそかに資金提供を受けていたが、それは一九六七年にまでさかのぼるスキャンダルだった。[3]

一方、イーゴリのエッセーはささやかな注目を浴びるようになった。一九八〇年、彼はBBCロシア語放送の面接のためにロンドンに呼ばれた。イーゴリは面接でMI5［国内治安維持のための情報機関］によって身元調査がされるだろう。そうした海外向けラジオ放送に携わる人たちにMI5のほうから身元調査を要求することはないものの、BBCのほうがMI5にそれを依頼するのである。そうしておけば、イギリス政府からBBCは国家に対する忠実さに多少欠けると不満を言われたときに、従業員はすべて雇用前にMI5が身元調査をしたと反論することができる。身元調査は外国人だけでなく、BBCの多くのスタッフも経験した。[4]

さらに安全上の配慮もあった。一九七八年、BBCブルガリア放送の職員ゲオルギ・マルコフはウォータールー橋を渡ってオフィスまで歩いていた。そのとき膝の後ろに刺されたような急激な痛みを感じた。あたりを見まわすと、傘を持った男が通りすぎるのが見えた。翌日リシン中毒で死にかけていたとき、この猛毒は傘の先端から注入されたことに彼は気づいただろう。この暗殺事件はブルガリアKGBの仕業であり、リシンはモスクワにあるKGBの毒物工場から提供されたことが後日判明した。[5]

イーゴリは筆記テストと身元調査に合格し、私たち家族はロンドンに引っ越した。私たちはわずかな定員のソ連難民枠に入れたのだ。イギリス政府がかつての帝国臣民以外に移民用の入国ビザを発行することはまずなかった。こうしてイーゴリは、冷戦のおかげでBBCに採用された。

＊

今日では冷戦の話は語られなくなった。興味の対象は情報戦についてである。私のオフィスには「クレムリンの偽ファイアホース」「デジタル上のマジノ線」についてのレポートと論文が平積みにされている。私は「情報の兵器化」と「情報戦に勝つ方法」について書き、ロシアの周辺諸国でのクレムリンのメディア利用を分析してきた。

こうした研究の最中に、私は『情報心理戦作戦：百科事典簡略版とレファレンスガイド *Information-Psychological War Operations: A Short Encyclopedia and Reference Guide*』（二〇一一年版はホットライン・テレコムによりモスクワで出版された。三百四十八ルーブルでオンラインで購入できる）と呼ばれるロシア語のマニュアルに出くわした。この本は、「学生、政治工学の専門家、国の治安機関の職員、公務員」向けに書かれたものだ。これは下級情報戦士向けの一種の取扱説明書である。情報という武器の配備は「目に見えない放射能のように」標的に作用するとマニュアルは示唆している。だから「国民はそれが自分たちに作用していることを感じてさえいない。その結果、国は自己防衛機制を働かせない」。

このマニュアルは情報戦をたんなるサイバー攻撃やメディアによる情報操作を越えるものと考えているようだ。だが情報戦に関するロシア語文献を調べれば調べるほど、それは外交政策の道具以上のものであり、疑似イデオロギー、世界観とほぼ同義であるように思えてきた。それでは情報戦と冷戦はどのように違うのだろうか？　そして人は情報戦をどう戦えばいいのだろうか？

●ペレストロイカ作戦

一九九〇年代後半から二〇〇〇年代にかけて「情報戦」という考え方が、治安機関につながるロシア人地政学分析者の頭から離れなくなった。彼は歴史的変化、とくにソヴィエト連邦の崩壊の説明をしようとしていた。ロシアの治安機関は、ソヴィエト帝国[6]はそのお粗末な経済政策、人権侵害、虚偽のせいではなく、西側諸国の情報機関によって感染させられた「情報ウィルス」のせいで消滅したと学者たちに主張させた。その情報ウィルスとは、「言論の自由（グラスノスチ作戦）と経済改革（ペレストロイカ作戦）」のことだ。ソヴィエト体制下で情報機関にいたと思われる人たちはいわゆる近代化推進論者のふりをして、反体制派でアメリカと内通しているスパイと手を組み、そうした「ウィルス」の蔓延を監視したというのだ。

長いこと、そうした仮説は注目されなかった。しかし周辺諸国での独裁者への反乱や国内での不満の増大（二〇一一年と二〇一二年にはプーチン政権に対する何十万人ものデモがあった）を説明する方法をクレムリンが探していたときに、情報ウィルスや情報戦争という考え方が政府系テレビの広報担当者やスピンドクター（メディア対策アドバイザー）によって広まった。今日では、西側諸国がBBC、NGOの人権団体、事実検証《ファクトチェック》活動組織、反腐敗調査団体を巧みに利用してロシアに情報戦を仕掛けたという議論が進んでいる。

もっとも歯に衣着せぬ発言をして情報戦という考えを広めたのは、イーゴリ・アシマノフ[7]だ。彼はロシアテレビのトーク番組やラジオによくゲスト出演するが、たんなる怒りっぽい変人ではない。彼はロシアのコンピュータ通信ネットワークの創設者のひとりで、ロシア第二の検索エンジン会社の元社長だ。モスクワにある彼のハイテクなオフィス——テーブルには新鮮なフルーツ、デーツ、ナッツがたくさんあった——を訪ねたとき、私はパロアルトやベルリンに瞬間移動したかと思った。スポーツウエアに細いメタルフレームのメガネをかけたアシマノフは、ハイテクだらけのオフィスによくなじんでいた。

「ソ連とユーゴスラビアとイラクの崩壊——私たちは多くの情報戦を生き抜いてきました」[8]。イーゴリ・アシマノフはたくさんのインタビューのひとつでこう語った。またロシアの国会議員に、グーグル、フェイスブック、ツイッターはロシアを標的にしたイデオロギーという武器であり、彼らにとって利益は二の次にすぎないとも語った。アメリカの情報機関の作戦は、グーグルのように経済的に自足していなければならないのだとも説明した[9]。

アシマノフの壮大な考えは、国民に届く情報を政府がコントロールする「情報主権」とでも言うべきものだった。中国はその目標をかなり達成しつつあるが、西側諸国は「言論の自由」をかくれみのにしてその真意を隠そうとしていると主張した。そしてある情報は流し、ある情報は流さない理論的根拠を擁護するイデオロギーが存在しなければ、情報主権は達成できないと論じた[10]。

「イデオロギーが自由主義のように輸入されるものだとしたら、あなたは外国のルールでいつもプレイすることになる。そしてそのルールは誰かほかの人によってつねに変えられてしまう。各種運用システム、ロケット、インシュリン、穀物と同じように、イデオロギーも国内で作られ、情報主権に支援され、擁護されるべきだ[11]」

こうした世界観では情報がイデオロギーに優先する。最初に情報戦の目的があり、次にそれに合ったイデオロギーを作る。イデオロギーが正しいか正しくないかはどうでもよく、情報戦において戦術的機能を果たすだけでいい。また、冷戦に導いた考え方と対立しないようなイデオロギーを作る必要がある。この考え方を推し進めれば、アメリカは他国を弱体化するために民主主義というイデオロギーを情報戦の武器として利用し、その一方で同盟国の素行不良には目をつぶってきたということになる。

実際、アメリカが偽善者ぶった行動——これでも控えめな表現だが——を取った例はいくらでもある。自由と人権の支援という名のもとに、敵国側の反政府側の煽動を支援し、同盟国側の違反行為には目をつぶる。外交官の狡猾な言葉に「価値と利益は必ずしも一致しない」というのがあるが、外国で自分たちのイメージを高めるためになにかのイデオロギーを信じているふりをし続けるためには、少なくともたまにはそれに基づいた行動をなにかしなければならない。

オックスフォード大学のローズマリー・フット教授は、アメリカの自由の談話はフランクリン・デラノ・ルーズヴェルト大統領の一九四一年の「四つの自由」にまでそのルーツをさかのぼることができると述べている。[12] 四つの自由とは、民主主義世界の基礎となる言論と宗教の自由、恐怖と貧困からの自由である。早くも一九四九年にはモスクワのアメリカ大使館で「ソ連のプロパガンダの主要なテーマ」になる危険性があると、アメリカの「黒人問題」が取り上げられた。それは、アメリカの外交政策を遂行するために自国で取り組まなければならない課題だった。その結果、アメリカ司法省は自由の砦としてのアメリカの国際的なイメージを高めるために、公民権運動のあいだ、人種差別撤廃は重要であると主張した。

一九七〇年代はじめ、ベトナム戦争、チリのクーデターへのアメリカの支援、ドミニカ共和国へのアメリカの内政干渉の直後に、アメリカ議会は自国が関与した国々における反対勢力への弾圧などの人権侵害について公聴会を開いた。その報告書によってアメリカ国務省内に人権擁護局が作られ、名ばかりではあるが、自由と人権のための政策が少しずつ実行されるようになった。

というのは、当時はソ連のユートピア的な宣言ですら、それなりの影響力を持っていたのである。「己自身の法律に従え」は反体制運動から政府への高らかな呼びかけだった。

それは冷戦という未曾有の恐怖のなかの小さな勝利だった。だが情報戦という概念はこうした小さな勝利を打ち砕く。偽善は、多少とも善に近づけようとする試みとはならず、普遍的な価値観のない世界を作るための道具と化す。こうした考えでは、情報はすべて——軍事思想家にとってそうであるように——敵を弱体化するためのたんなる手段であり、敵を分裂させ、混乱させ、倒す道具となる。そこに価値観や思想が入りこむ余地はない。

しかしそれはやっかいな問題を提起する。アメリカの認知言語学者ジョージ・レイコフは自著『ゾウのことを考えるな! *Don't Think of an Elephant!*』で、駆け引きの勝敗は自分の目的にかなうように問題をフレーム化できるかどうかにかかっていると定義した〔「フレーム理論」とは、人間の記憶のなかでは特定の概念に対応するフレーム(枠組み)が形づくられ、物事の理解を助けているとする理論〕。つまり、議論を明確にすることが議論に勝つということである。ゾウのことは考えるなと人に言えば、言われた人は結局ゾウのことを考えてしまう。「われわれがあるフレームを否定すれば、逆にわれわれはそのフレームを想起してしまう……相手に反論しようとするときは彼らの言葉を使うな。彼らの言葉はフレームを選び出す——だがそれはあなたが望むフレームではないだろう」

私はフィリピンですでにこうしたことを目撃してきた。ドゥテルテの「麻薬撲滅戦争」のレトリックにラプラーは最初すっかり共感して夢中になり、彼が現実に殺害をはじめるのを容易にしてしまった。同じように、ロシアの政府系国際放送RTとスプートニクの重役たちは情報戦という言葉をやたらと使いたがる。そのおかげだろう、彼らは政府への貢献があったとして軍事功労勲章を授与された。[13]やがて私自身を含めた西側諸国のジャーナリストとアナリストは、彼らのことを「情報戦機関」と呼ぶようになった。しかしそんなふうに彼らを呼ぶこと自体が、「彼らはあらゆることを情報戦という色眼鏡で見ようとする政府と一心同体なのだ」というふうに彼らを単純なフレームにおしこめることであり、つまり彼らの術中にはまってしまうことにつながる。

「情報戦」を言い続けているうちに、それは人々の意識の奥深くまで入りこむ。そしてあらゆる情報は戦争に関与していると考えるようになると、思想が自由に生まれ、熟議型民主主義を支えるような世界的な情報空間が存在するという夢は消えてしまう。それどころか人が望める最高の未来は、双方が相手の情報主権を認める「情報平和」ということにさえなる。それは北京とモスクワ双方に有利な概念であり、検閲の隠れ蓑になることは明らかだ。

だが情報戦ばかりに目を奪われ、クレムリンの世論操作を無視するのは賢明ではない。二〇〇七年にクレムリンは情報操作とハッキングの混合によりエストニアを機能不全にしたが、これによってクレムリンの世論操作がどんなものであるかがある程度わかった。

ワシントン、ロンドン、ブリュッセルのシンクタンクで行なわれた果てしない討議で、軍事分析家、ジャーナリスト、官僚は戦争や国際紛争へのロシアの取り組み方を理解しようと努めた。それを「全方位戦争」と呼ぶ者もいれば、「非線形戦争」と呼ぶ者、「あいまいなグレーゾーン戦争」と呼ぶ者もいた。[14]東ヨーロッパでは「ハイブリッド戦争国家研究センター」があちこちに誕生したが、「ロシア」という言葉を使わずにすむように外交的配慮をした結果「ハイブリッド」になったようだ。

少なくとも数名の専門家はいくつかの点で意見の一致を見た。まずロシアのやり方は戦争と平和の境をあいまいにする。その結果、紛争状態であるともないとも言えない状態が永遠に続くことになる。そしてこうした紛争では情報操作が重要な役割を果たす。ラトビア陸軍士官学校のヤニスス・ベールジンシュはロシアの目的を「次世代戦争」とひと言で表し、敵の直接的壊滅からその内部崩壊への転換、伝統的な軍事力による戦争から変則的な集団による戦争への転換、直接的衝突から遠隔操作の戦争への転換、物理的環境から人間の意識への転換、期間限定の戦争から戦争が日常生活の一部になったような永久戦争の状態への転換と述べている。[15]

となると、私たちはこうした逆説的な状況に取り残されることになる。私たちはクレムリンが人々を混乱させ、落胆させ、分裂させ、事態を引き延ばすために、軍事的発想で情報をどのように利用しているのかを理解し、明らかにしなければならない。しかしながら、私たちがそれに対応することでクレムリンの世界観を強化する危険性もある。

このパラドックスがもっとも強烈な形で起こったのがウクライナである。ここはクレムリンの「次世代戦争」の実験場であり、同時に情報戦争という全方位的世界観を拡散しようとしている場所でもある。

情報戦争という考え方をすることがもっとも危険であるような場所で、私たちはいったいどうやって情報戦争と戦えばいいのだろうか？

◉史上最大の電撃情報作戦

タチアーナが兵士になるとは、彼女は知っている者は想像もできなかったはずだ。しかし二〇一四年前半、親ロシア派の大統領に対するウクライナの革命がピークに達したとき、タチアーナは人の生死を掌中に握っているのだとふいに気づいた。父親のマンションの部屋でパジャマ姿で座っていた彼女は、パソコンのキーボードの上に手を置いていた。もしあるキーを押せば現実に生きている大勢の人たちを紛れもない死に追いやることになる。そして別のキーを押せば、彼女や友人、何千人もの人たちが闘ってきた革命に失敗してしまうだろう。

タチアーナは「フロマッケ・セクトル（市民セクター）」のフェイスブックページを運用しているメンバーのひとりだ。それはヤヌコーヴィチ大統領と彼のクレムリンの後援者に反旗を翻したウクライナ革命における主要な反政府グループのひとつだった。彼女はスルジャの非暴力活動の理念を表している写真やビデオをページに載せた。武装警官を前にして通りでピアノを弾くデモ参加者のビデオ。治安部隊に鏡を向けるデモ参加者の写真。デモ参加者と決闘をする警察官の絵では、警官は銃を構え、デモ参加者は指鉄砲でかまえている。デジタル活動家は医療救助から法的支援までなにもかも組織化することができ、総勢百万人のデモを調整し、外国で暮らすウクライナ人から食糧とシェルター確保のための資金を集めた。

彼女は何か月ものデモのあいだずっとパソコンをクリックし続けた。市民セクターは自分たちが組織したデモに四万五千人のフォロワーと十五万人のビジターに参加してもらった——政治家は信用していないがタチアーナのようなボランティアの人たちのことは信じている人たちだ。

彼女が市民セクターに加わったのは、自分も歴史的瞬間に立ち会いたかったからだ。将来、自分の子供たちに伝えるべきものがほしかったからだ。この反政府運動には「尊厳革命」という愛称があった。そのはじまりは、ヤヌコーヴィチ大統領がクレムリンからの百六十億ドルの融資の見返りにEU

との政治・自由貿易協定の調印という長年にわたる公約をいきなり破ったことだった。ヤヌコーヴィチの治安部隊がデモの学生たちを殴打したことで、反政府運動は多くの人にとって、腐敗のない政府、「ヨーロッパ」という言葉で結びついた、今とは異なる社会への要求を象徴するようになった。「ユーロマイダン」はこの革命運動のもうひとつの愛称だ。

タチアーナは本職の金融ジャーナリストとして記事を書くかたわら、市民セクターのサイトに文章や映像を投稿している。争いからは離れていようと自分に言い聞かせながら。たしかに民主主義や人権擁護を望んでいるが、偽情報に引きずりこまれたくはなかった。

その日、タチアーナは深夜のシフトに入っていた。彼女はたいていキエフを拠点にしていたが、その日はたまたま故郷のルハーンシクにいた。ルハーンシクは、ウクライナ最東部にあるドンバス地方の州都のひとつであり、住民の大半は政府系テレビかロシアのテレビを観ていた。テレビではデモ（デモ参加者が集まった広場の名前を取って「マイダン」と呼ばれた）は、アメリカに操られたネオファシストの陰謀として報道された。ルハーンシクではタチアーナは市民セクターのために働いていることは黙っていた。

未明にベッドに入って九時に起き、パソコンのスイッチを入れてキエフからのライブ映像を観た。最初はうっかりアクション映画をクリックしてしまったのかと思った——狙撃手が人々を次々と撃ち倒し、通りは血だらけだった。すると彼女の携帯電話が鳴った。それはライブ映像の現場にいる活動家からだった。電話からは銃が発射される音が聞こえ、しばらく鳴りやんだかと思ったら、今度はライブ映像から発砲音が聞こえた。

「マイダン広場に人々を集結させてくれ。みんなの力が必要なんだ」

しかしタチアーナは、広場にいる人々からの「逃げて、自分の命を守れ」と警告する投稿がフェイスブックのフィードに現れるのを見た。一方、マイダン広場に集結するように伝えてくれという電話は鳴り続けた。

「でも人が殺されているわ」とタチアーナは言い返した。

「もっと人が集まれば、狙撃手だって撃つのをやめるだろう」

「やめなかったらどうなるの?」

「わかった。きみの判断にまかせる」

ジャーナリストとしての直感が働いたのは今回が初めてではなかった。革命への自分の忠誠心と相反するこの騒乱から距離を置くようにと直感が告げている。数週間前に異端の民族主義者で目出し帽《バラクラバ》をかぶった「プラーヴィ・セクトル(右派セクター)」が吹雪のなか、暴動鎮圧の警察官に向けて火炎瓶を投げはじめた。それまで右派セクターの名前を聞いたことがある者はほとんどいなかった。数百名からなる組織だが、その暴力的な活動が知れ渡り、大いに注目を集めていた。やや過激な暴力を求める若者が彼らの組織に加わるために登録しはじめた。

タチアーナは右派セクターの暴力やイデオロギーに賛同できなかった。そもそもマイダンはさまざまなセクターの寄り集まりだった。ネオコサックからネオアナーキスト、ネオファシストまですべて揃っていて、インターネットのおかげで組織化することができた。KGBにひどい目にあわされた私の両親の友人たちもその場にいた。一九七八年には夢見ることができなかった大衆デモのレベルまで今では発展している——彼らはマイダンのなかにはるか昔の自分たちの闘いの痕跡を見ることができた。

市民セクターは右派セクターを無視することに決めたが、タチアーナはその朝のマイダン広場での虐殺を無視することはできなかった。彼女の役割はなんなのだろうか？　伝道者なのだろうか？　ジャーナリストなのだろうか？　彼女は戦争のレポートをしているのだろうか、それとも従軍兵士なのだろうか？　あなたが投稿やツイートしたり、再投稿や再ツイートしたりするたびに、あなたはちょっとしたプロパガンダ・マシンとなる。この新しい情報の流れのなかでは、誰もが自分の境界線を設けなければならない。タチアーナはその境界線に達したのだ。彼女は民衆をマイダン広場に来るように呼びかけるのを止めた。ただそこでなにが起こっているのかを報告し、自分で決断してもらうことにした。

数日間で百三名のデモ参加者が死亡したが、民衆はマイダン広場に来ることを止めなかった。彼らは大統領府に押しかけ襲撃した。地方では自治体の庁舎が次から次へとデモ参加者――その多くは今や武装していた――に襲撃された。ヤヌコーヴィチ大統領はロシアに逃れた。

やがてクレムリンは復讐をはじめた。ロシアの政府系テレビは、右派セクターがクリミアのロシア系住民を虐殺しに行こうとしていると、話を捏造して放送し続けた。クリミアは住民のほとんどがロシア系だった。クリミアの首都であるセヴァストポリ市では、コサック・グループ、クリミア分離独立派の政党、正教会の聖職者（どれもクレムリンから資金援助を受けていた）が民衆を率いて、自分たちを救出してくれとプーチンに懇願した。プーチンは彼らの願いを聞き入れ、クリミア半島を併合した。

ロシアの政府系テレビは右派セクターが東部ウクライナのロシア系住民も殺害しに来るという恐怖心を煽るような話を放送した。ユーロマイダンのときには人に力を与えたインターネットやソーシャルメディアが、今やサンクトペテルブルク郊外のトロール工場から大量に送られるクレムリンのコンテンツでいっぱいになった。リュドミラ・サヴチュクのかつての同僚である若者たちは写真、コメント、ビデオを投稿して、混乱や敵意やパニックを東部ウクライナで広めた。[16]

クレムリンの情報操作は軍事行動への前奏曲だった。ウクライナでのクレムリンの代理人ともいうべき非正規軍がウクライナ東部の町——ドネツク市、ルハーンシク市（タチアーナの故郷）を占領した。非正規軍は、旗を振る民衆（ときには国境を越えてバスでやってきた）と山積みの燃えているタイヤ（キエフの革命の象徴となった）といったマイダン広場でのデモのときに行なわれたことを再現した。クレムリンはマイダンを皮肉って、取るに足らないことに見せようとしたのだ。と同時にマイダンをアメリカの秘密部隊に操られたウクライナ人の物語に変えようと必死になっていた。この秘密部隊はイラクとリビアに惨劇をもたらし、政権交代に関与したというのだ。イーゴリ・アシマノフとロシアの政府系メディアの責任者は、ウクライナ騒乱は言うまでもなく情報戦の産物だと断言した。

クレムリンが打ち出した物語のテーマはこうだ。自由への渇望は平和と繁栄ではなく、戦争と荒廃をもたらした（メッセージは第一にロシア国民に向けられたものだったが、彼らがこの考えに熱狂することはなかった）。このテーマを現実のものにするには、ウクライナはけっして平和になってはいけないということだ。ウクライナは血を流さなければならない。

ウクライナ軍がクリミア分離独立派の要塞を攻撃したときに、クレムリンは戦車を送りこみ、ウクライナ軍を撃退してから撤退した。そしてそもそもそんなところに戦車を派遣していないと主張した。翌年には——実際に本書を執筆していた期間にあたる——戦闘はあちこちであったが本格的な戦争ではないため、逆に平和は訪れそうもなかった。ドンバス地方の町は奪還されたり、ふたたび失ったりした。ロシア軍がウクライナとの国境で大規模演習をしたときは、ウクライナ中に大パニックが起こった。このウクライナ東部紛争は予期せぬ結果をもたらした。二〇一四年七月、ロシア製のハイテクな高射砲（地対空ミサイル）がオランダ人観光客を乗せた満席のマレーシア航空の旅客機を撃墜し、二百九十八名の死者を出した。そこはクレムリンの代理人である非正規軍が支配する地域で、情報操作が信じられないほど過熱していた。たとえば、プーチンのプライベートジェット機だと思いこんだウクライナ人によって飛行機は撃ち落とされた。死体が旅客機の中にあらかじめ置かれていて、なにもかもやらせだった。ウクライナの戦闘機が旅客機を撃墜したなどがそうだ。[17]

NATOの連合軍最高司令官は、クリミアを併合したロシアの軍事行動を史上「もっとも驚嘆すべき電撃情報作戦」と呼んだ。けれども、電撃情報作戦がクリミア以外のウクライナの地域まで広がったかどうかを確かめなければならないのは、でたらめな政府のもとで暮らしている普通のウクライナ人なのだ。[18]

「なによりも最悪なのは、また銃を持ち歩かないといけないってことだ」とバーバル・アリエフは私に言った。二〇一五年夏の炎天下の日、私たちはセヴェロドネツクのカフェに座っていた。大音量のテクノ音楽にロシア人女性歌手の高音の声がかぶさっている。「十年前、二度と銃は持たないと誓った。でも分離独立派が来たときは誓ったことを後悔したよ。次のときの準備はしてある」

二〇一四年前半、バーバルは目を覚ますたびに、新しいツィッターのトロールを五十も見つけた。セヴェロドネツク市はロシア国境に近いウクライナ東部にある町だ。ロシア側国境に集合しているロシア軍は侵攻のタイミングを見計らっているように見えた。一方、セヴェロドネツクのポータルサイトでは、右派セクターがレーニン像（親ロシア派のシンボル）を引き倒しに向かっているという噂が広まっていた。地元のグループ（ロシア・コサック、ロシア・レスリング、レーザータグ［光線銃を使用したサバイバルゲーム］、ロシア文学などの同好会）はレーニン像を守るために集合したが、噂はデマだった。誰かが親ロシア派を怒らせようとしたのだ。歴史的に見て、セヴェロドネツクはウクライナ国家に強い忠誠心を持つような町ではなかった。町は一九五〇年代に建設され、十六の理系大学と四つの化学工場の周辺に白い長方形の家（ソ連時代のモダニズム建築）がきれいな格子状に並んでいる。ウクライナ東部の多くの町がそうであるように、多くの住民はソ連からやってきた。

第二次世界大戦後は、その町は許可証がなくても行くことができる数少ない場所だった。これは、犯罪者や放浪者が町の工場で働けるようにするための、いかにも役所が考えそうな抜け道だった。ソ連が消滅すると、町は荒廃した。化学工場は骨組みがはぎとられ、こぎれいなモダニズム建築の長方形の家は押し入られてめぼしいものが奪われ、道路にできた穴のせいで、車を運転していると妙な方向に曲がってしまう。イギリスの作家・ジャーナリストのオーウェン・マシューズは旧ソ連構成国の地域を「科学者に見捨てられた実験」とたとえた。「実験用ラット」は放置され、やせ衰え、共食いをする。整然と並んだ建物の美しさと荒廃が入り混じったセヴェロドネツクは、見捨てられた「実験」のたとえがとくに当てはまった。この町の多くの人にとって、隣接するロシアは「住みよい場所」を意味した。

三十代のウェブデザイナーのバーバル（親のいずれかが旧ソ連出身者）は、町の親ロシア派同好会が急増しはじめたのは、ウラジーミル・プーチン大統領の三期目就任に反対する大規模なデモがモスクワであった二〇一二年以降であることに気づいた。マイダンがはじまると親ロシア派同好会はさらに増えた。バーバルはそのときはなんとも思わなかった――ウクライナは民主主義国家だ。だが今は、誰かがなにかを企んでいたのではないかと怪しんでいる。親ロシア派は中央広場で集会を毎日開き、モスクワ総主教庁系の正教会の聖職者と共産党の指導者はロシアへの併合を要求した。マイダンはファシストに率いられ、デモ参加者は薬物を与えられていたと主張したのである。

「もし彼らの思うようにさせたら、この国は逆戻りしてしまう」とバーバルはひそかに考えた。マイダン広場でのデモのあいだキエフにいた彼は、この革命は歴史の扉を開くものだと思った。暴動鎮圧の警察官がキエフの学生たちを殴打するのを見て無性に腹が立った。ここ数年、ヤヌコーヴィチ大統領の地域党がビジネス界を牛耳り、国から富を略奪しているのを見てきた。プーチンに支援された政府は、いわゆる「みかじめ料」を取り立てている。政府に見捨てられたセヴェロドネツクのような町ならば、決断さえすれば独力でも情報戦と戦えると彼は考え、ほかの人たちに刺激を与えたいと思った。今起こっていることは、戻りたくない自分自身の過去を彷彿させる――その思いに突き動かされたのかもしれない。

一九九〇年代半ば「ソ連崩壊後の混乱した時代」のティーンエイジャーにありがちなことだが、バーバル・アリエフは不良グループのリーダーだった。彼の特技は複雑な押し入り強盗を計画して実行することだった（彼はたんなるみかじめ料の取り立てをいつも低く見ていた。なんの技術も工夫もいらないからだ）。やがて彼の盗みは地元の化学工場から金《きん》やプラチナといった高価な金属を奪うことに変わっていった（彼は元素周期表を頭にたたきこんでいた）。とうとう捕まってしまったが、出所後は足を洗った（彼は法律を勉強していたので、賄賂を使って刑務所から出る方法を知っていた）。けれども長いことウェブデザイナーとして働き、広報担当の仕事をそこそこなしてきた今でさえ、彼はおしゃれなトラックスーツを着ているし、抜け目のない暴力団のように目が鋭い（と同時に幼児のようなあどけない笑みをふいに浮かべる）。セヴェロドネックの多くの人がいまだに信じられないのは、アリエフが「人々を分断《スライス》することに嫌悪感を募らせている」ことだった。

キエフでマイダンが盛んだったとき、バーバルはセヴェロドネックの親ウクライナ派のあいだでフェイスブックのフォロワーを増やしていった。そして今やオンラインの分離独立派と闘うためにフェイスブックを利用して、ロシアの警句にあるように彼らに「悪夢を見させた」。分離独立派がゲイの活動家を殴打したので、その復讐にオランダからゲイの大部隊がやってくるという話をでっちあげた。その話は馬鹿げているが、分離独立派のなかにはだまされた者もいて、警戒しはじめた――その姿は滑稽だった。さらにバーバルは「右派セクターの二百人の工作員がセヴェロドネックのアパートに身を潜めている」「工作員は市電に乗って人々の会話に耳を澄ませている」「工作員は分離独立派を支持するような会話を聞いたときは市電からその人たちを降ろし、それ以降は彼らの姿を見た者はいない」「工作員はセヴェロドネックが併合されることを望んだタクシー運転手の名前を記録した」とかいった作り話を載せた。分離独立派のポータルサイトはパニック状態になり、バーバルはこの偽情報戦に勝利しつつあると思った。バーバルは分離独立派の連中がなにもかも疑うようになって判断ができなくなり、クレムリンがウクライナにしようとしていることも疑うようになってほしいと願った。

今や彼は街頭でデモをするためには協力体制を築かなければならなかった。だがデモに参加させる動機をどうやって町の人たちに与えればいいのだろうか？ 彼らが身近に感じるようなウクライナ全体にかかわるテーマがないときに、そして町の各集団はそれぞれの小さなＩＴバブルのなかで満足しているときに。

バーバルは犯罪組織のボスたちのところに行った。彼らは刑務所内の厳しいルールに従い、「ヴォール・ヴ・ザコーネ（規律ある泥棒）」と尊称されていた。そのなかにはバーバルが足を洗う前の仲間もいた。「どういうわけでおまわりの側にいるんですか？」とバーバルは「ヴォール・ヴ・ザコーネ」なら通じる隠語を使って尋ねた。「おまわり」は「分離独立派」を指す（ならば「親ウクライナ派」は「泥棒」ということになるのだろうか？）。「あんたは正直な囚人だった（刑務所内のルールで生きてきた）。だが今はヤギで、そのうえ悪魔のように頭に角が生えてる」（刑務所の隠語で「ヤギ」は「裏切り者」「クズのなかのクズ」）。

ヴォール・ヴ・ザコーネとバーバルはロシア軍が町に侵攻してきた場合のビジネス上の損害を試算した。彼らはバーバルに人手と銃を提供すると約束した。

バーバルはみかじめ料を取り立てている暴力団のところにも行った。ロシア人暴力団を本当にここに来させていいのか？　そうなったら、縄張りを奪われてしまうだろう。さらに町の暴力団はウクライナ人警官と持ちつ持たれつの関係だが、ロシア人警官もそうなるとはかぎらない。暴力団たちはバーバルを支援すると約束した。

次にバーバルは実業家のところへ行った。「あなた方はヨーロッパに行ったことがあるでしょう」とバーバルは切り出した。「ヨーロッパでビジネスをするのがどんなに楽かご存知のはずだ。賄賂を要求する役人から面倒なことを言われずにすむし、みかじめ料を要求する暴力団もいない。さて、マイダンがしようとしていることは、ヨーロッパのルールをウクライナに持ちこむことなんですよ」。実業家たちも参加した。

協力体制が出来上がったので、バーバルは新政府［二〇一四年五月の大統領選でペトロ・ポロシェンコが勝利」から支援をうけるために、新政府とコネのあるキエフ・マイダンの活動家たちを頼った。特殊部隊が二、三個来てくれれば十分だろうとバーバルは考えた。二〇一四年春は、ウクライナ東部の町はロシア特殊部隊に支援された分離独立派に次から次へと占領され、「ドネツク人民共和国」と「ルガンスク人民共和国」の旗が掲げられた。バーバルはキエフからのゴーサインを待ち続けたが、なしのつぶてだった。ドンバス地方はモスクワとなんらかの協定を交わしたのではないかと彼は疑いはじめた。バーバルはキエフの活動家たちに電話し続け、前段階の準備、つまり偽情報操作やさまざまなグループとの協力体制はできあがったと説明した。

やがて分離独立派はセヴェロドネツク市を占領し、権力を掌握した。市の幹部たちは彼らを歓迎し、ウクライナ国旗を降ろしてルガンスク人民共和国の三色の国旗を掲げた。バーバルが一番傷ついたのは、分離独立派が彼を逮捕しにやってきたとき、たった三人の男しか来なかったことだ。一九九〇年代に逮捕されたときは大掛かりで、防弾チョッキを着たスワット隊員（ＳＷＡＴ）が三台のトラックに分乗してやってきた。ところが今回、彼をキエフ行きの列車に乗せたのは、拳銃を持った三人の男だけだ。こうして彼流のやり方で情報戦にひとりで挑むという試みは失敗に終わった。彼はロシアの手法（まず偽情報を広めて敵を混乱させ、次に暴力団や傭兵といった非正規軍を使って町を占拠する）を逆手に取ろうとしたのだが、この町の人間はあまりにも鈍く、彼の考えを理解できなかった。

数か月後、ウクライナ軍はついに到着した。今や増強され、右派セクターを初めとする愛国的な超国家主義者の有志連合の大部隊になっていた。ウクライナ軍はセヴェロドネツクを包囲し、重砲で町を攻撃した。分離独立派はロシア軍の介入を望んだが、誰も北のドネツク［「セヴェロ」はロシア語で「北」の意］を支配下に置くことはあまり考えなかったようだ。ロシア軍は新しい共和国の中心部、つまりドネツク市とルハーンシク市の町の周辺地区に撤退した。バーバルはキエフからセヴェロドネツクに戻った。けれどもロシア人ガールズバンドのドラムの音が鳴り響くレストランで彼に会ったとき、彼には勝利の達成感はほとんど見られなかった。占領されたときに分離独立派を支持した政治家や警察官がまだ町を牛耳っているからだ。またウクライナ人兵士や有志部隊の兵士のなかには地元民を軽んじる者がいた。酒場の乱闘騒ぎで撃ちあいもあった。さらに有志部隊のひとりが自分たちのほうが優位であることを地元暴力団に認めさせようとして、暴力団のひとりに川の向こう岸まで泳ぐように命じ、途中まで泳いだところでその男の頭を撃った。これは、バーバルの考えた協力体制ではなかった。

きみはこれからどうするつもりなのかと私は彼に尋ねた。この内戦で金融崩壊が起こったので、これまであったウェブ開発の注文はなくなる、と彼は答えた。町の人たちのためにメディア・リテラシーの講座を開きたいが、当面は生きていくためになんでも、荷物運びでもするつもりだと言う。私はメディア・リテラシーの講座の内容を尋ねた。講座では、オンラインのニュースが真実かどうかをチェックする方法、ニュースの情報源の信頼度をチェックする方法、映像に逆画像検索をかけて、彼らが主張する場所のものかを確かめる方法、情報と偽情報を見分ける方法を教えるつもりだと彼は説明した。

とはいえ、彼自身も分離独立派に悪夢を見せたときに、偽情報を使ったのではなかったか？ メディア・リテラシーを促進することで自分と折りあいをつけようとしたのだろうか？

「向こうには偽情報があるけど、こちらにはメディア・リテラシーがあると信じている」とバーバルは微笑みながら言った。

ウクライナは情報自警団であふれているが、彼らの運動で攻撃される側の人間について私は知りたくなった。

「分離独立派だってな。まだ生きているんだ。そろそろおだぶつかもね」というショートメッセージがアンドレイ・シュタルのフィーチャーフォンに送られてきた。「いつものことですが、送信者の番号がないから追跡できません」とアンドレイは言った。そうしたメッセージには慣れているようだが、彼が心配しているのは、市民グループの情報自警団に属する愛国的なウクライナ人活動家が彼を「裏切り者」リストに載せ、しかも昔の住所で載せたことだった。「彼らが昔の家のまわりをうろついて、今そこに住んでいる無関係な人を僕と勘違いして殴ったりすることが心配です」

アンドレイはセヴェロドネツク市の南にあるクラマトルスク市出身だ。セヴェロドネツク同様、最初はロシアの代理人である非正規軍に占領され、その後ウクライナ軍が奪還した。アンドレイはクラマトルスク市の広報誌の仕事をしていた。非正規軍がクラマトルスクを占領し、ドネツク人民共和国になったと宣言したとき、同僚の大半は逃げ出したが、アンドレイは編集者として残った。彼の広報誌は下水設備、道路工事、学校についての情報を載せているので政治とは無関係であり、彼は本来の目的から逸脱した情報を紛れこませたりしなかった。ウクライナ軍が町を奪還したときには、こうした態度が彼を救った。ところがドニプロ市の親ウクライナ派の有志部隊に逮捕されてしまった。彼は殴打され、三日間、頭に袋をかぶされたが、最後には釈放された。

彼が親ウクライナ派の活動家にひどい目にあわされたのは、彼のジャーナリストとしての姿勢ではなく、彼の詩のためだった。

「詩のなかでは、僕は僕でいられます。ドネツク人民共和国の指導者が僕の詩を気に入り、フェイスブックに軽い気持ちで数行載せたんです」

私たちはクラマトルスクの小さな町の公園を横切り、新古典主義様式の壮大なソ連式大通りを歩いて、彼の詩を見るためにＷｉＦｉが使えるカフェに向かった。はるか向こうのドンバス地方の丘に太陽が当たっていた。

クラマトルスクの詩のポータルサイトにアンドレイの抒情詩が数十ページにわたり載っていた。彼の直近の作品をクリックした。ソ連時代の子供の詩を装ってマイダンを諷刺することからはじまった。

彼らはここに地獄とおそろしい夜を作り、
それからあなたを、僕の英雄をソドムの仕人に変える

「僕はマイダンを支持していませんでした」とアンドレイは私に言った。「マイダンは僕たちを戦争へ導くと直感しました。僕は未来を予見することがあります」。彼はクラマトルスクの非正規軍（ロシアの代理人）に入隊した若者たちと一緒に育った。彼らが武器を手にしようと決意するときのでたらめで滅茶苦茶なようすを彼は詩のなかで伝えた。「あいつらは麻薬常用者、暴力団員、警察官や役人の子供でした。彼らを憎むなんてできませんよ。それに誰もドンバスの人間の話なんて聞かない」

「誰もドンバスの人間の話なんて聞かない」という言葉をウクライナ東部でよく耳にした。キエフの政治家は地方のニーズを理解していない、という気持ちを表すための決まり文句だ。東部で紛争が広がるにつれて、アンドレイの詩は過激になっていった。

僕はかつて音楽家で画家だった。
だが今は分離独立派として生きている……。
僕はロシアで暮らしている。ロシアはまだ死んでいない！
僕の願いは首相の頭に弾丸が当たること！[19]

アンドレイの詩のほとんどはソ連時代の主題と歌を想起させる。彼はティーンエイジャーの頃の思い出にとらわれていた。一九九一年にリトアニアを修学旅行で訪れたとき、民衆がレーニン像を引き倒そうとしているのを目撃した。ドネツク州までの帰り列車で彼は初めて詩を書いた。ソ連と内戦にもつれこむ国を老朽化した列車にたとえた。

「当時レーニンの権威は失墜しつつありましたが、今もふたたび失墜しようとしています。あの当時、僕はすでに未来について悪い予感がしていました」と彼はため息をついた。

クラマトルスクで彼にインタビューした頃、ウクライナ政府はソ連時代の通りの名前とシンボルを禁じる法律を可決した。中央広場のレーニン像は引き倒され、空になった土台にウクライナ国旗が留め金で留められていた。通りの名前の変更と銅像の解体は、クレムリンとの情報戦に不可欠なことなのかという論争があった。なにしろクレムリンはソ連時代の映画を延々と放映し、ソーシャルメディアで世論を操作して、現在をファシストとの戦いに終始した終わりなき第二次世界大戦としてふたたびフレーム化しようとしている。とはいえ、その法律の制定はクレムリンの術策にはまることにもなるだろう。クレムリンはマイダンの力をより良き未来の探求ではなく、過去をめぐる闘い——それは分裂しか生まない——に向けさせようとしている。

「ここでは共産党がなにもかも築きました。ひとかどの人物はみな共産党出身でした。どうしてそれを忘れないといけないんですか?」とアンドレイは不平を漏らした。「自分の考えを表に出せない人がここには大勢います。その代わりオンラインの世界で発信しています。彼らにとっては孤独でないってことが大事なんです。僕は彼らが感じていることを明確に説明することができます」

親ウクライナ派の情報戦士はクレムリンの言葉を機械的に繰り返すことによって、彼らの奸計に陥る危険を冒した。そして人は情報戦争のこちら側かあちら側にいて、愛国者か売国奴かのどちらかになる。この分断されているという感覚こそが、クレムリンが本物の戦争に発展させるのに必要なものなのだ。ならば社会はどうすればひとつにまとまることができるのだろうか?

私はオデッサでなにか因縁めいたものを感じた。オデッサは私の父が逮捕された場所であり、クレムリンの次世代戦争(全方位、非線形、ハイブリッドと形容される戦争)がそのもっとも致命的な打撃を受けた場所でもある。

父のイーゴリが一九七六年にオデッサで逮捕されたとき、町のメディアは厳しい検閲を受けた。今日オデッサはケーブルテレビだけでも十四チャンネルもあり、言うまでもないがウクライナの多数のテレビ局のほかに、ほとんどが無料の何百もの外国のテレビ局を視聴できる。オンラインなら数十の地元ニュースサイトがあり、ソーシャルメディア・グループは数知れない。

オデッサは昔も今も港町で、ユダヤ人、ギリシャ人、ルーマニア人、ロシア人、ウクライナ人、ブルガリア人が住んでいた。今日オデッサ港はヨーロッパに合法かつ違法に入ってくる商品のための大規模な主要国際通路になっている。多くの商品は広大な青空市場であるセブンス・キロメーターで売買される。ここでは何エーカーにもわたって輸送用コンテナが積み上げられ、立体的な迷路のようになっている。それぞれのコンテナは店に作り替えられ、ナイジェリア人はナイキやグッチの偽物、ステレオの偽物を売り、ベトナム人は両替し、インド人はシルクとモスリンを店に展示している。ここでは誰にどんなふうに頼めばいいのかを知っていれば、武器も買えるそうだ——拳銃だけでなく地対空ミサイルもだ。

クレムリンがオデッサを内戦に導こうとしたのは、オデッサの微妙な民族バランスのせいだった。クレムリンの代理人である非正規軍がドンバス地方の町を次々と占領していた二〇一四年五月、親ウクライナ派はオデッサの労働組合会館に立てこもっていた親ロシア派と戦った。火災が発生し建物が炎ですっぽり包まれようとしていたときに、死者の数がまだはっきりしていないときに、噂とデマがメディアのあいだで広まった。最初のユーチューブのビデオはぼんやりしていたがおそろしい内容だった。多数の親ロシア派活動家が建物に閉じこめられているのに、親ウクライナ派は火炎瓶を投げ、彼らに向かって発砲した。すると火災が発生した。中にいた人たちは逃げ出そうとして窓から転げ落ちた。どんどん転げ落ちるので押されたせいで死んだように見えた。親ウクライナ派のなかには拍手喝采をしている者もいた。[20]

建物内部を映した最初の写真には、体がねじれた遺体が多数映っていた。そのうちのひとりは妊婦だった。右派セクターの暗殺部隊が建物に潜んでいたと主張する目撃者がオンラインのインタビューに登場した。匿名の目撃者は、右派セクターは用意周到だったと証言した。ガスマスクをかぶった彼らは、その場で人々を処刑した。初めのうち死者は約四十名と言われていたが、実際は数百名だという噂が広まった。噂は外国にも広まり、ベルギーやイタリアにいる親ロシア派の活動家は「オデッサの殉教者」にちなんだ広場をヨーロッパに作ろうと運動をはじめた。

火災のあとの数日間、オデッサ――おしゃべり好きな市民とユーモアあふれる町で有名だった――の人々はお互いに話すのを止めてしまった。誰も人を信用しなくなった。労働組合会館の噂のせいで町の住民はお互いに反目するようになった。世論調査で判明したのは、オデッサがロシアに併合されることを望む人とウクライナに留まることを望む人がぴったり半分ずついるということだ。親ロシア派のブロガーはオデッサをカオスと侵略から救ってくれるようにプーチン大統領に懇願しはじめた。後日、ロシアの政治家がオデッサのギャングと携帯電話で話した内容が録音という形で出まわったが、ロシアの政治家は争いを激化すべきときが来たら指示を出すと彼らに語っていた。

オデッサの人たちは――親ロシア派も親ウクライナ派も――思い切って自分たちで調査をはじめることにした。オデッサがふたたびひとつになるつもりならば、労働組合会館の火災でいったいなにが起こったのかを知る必要があると彼らは考えた。当局による正式な調査が近々行なわれることはないだろうとわかっていた。結果しだいでは非常に多くの官僚がこの痛ましい事件の責任を取るはめになるだろう。

市民による調査によって、ビデオ、複数の目撃者の供述、解剖結果報告書、写真などからあの日の出来事の全貌がつかめた。火災はその日早くにはじまった。親ロシア派も親ウクライナ派も火炎瓶を投げ、発砲したことを調査員たちはつかんだ。また建物周辺のバリケードは偶然に燃え上がったこと、解剖結果報告書によって三十四名が全員窒息死で、撃たれた者はひとりもいなかったことが判明した。「妊婦」の年齢は五十歳を超えていて、煙を吸ったために死亡した。後ろに倒れたときの姿勢のせいでお腹が膨らんで見えたようだ。転落死の八名は意識を失って窓から転がり落ちたようだ。誰も押されてはいなかった。

この調査によって、労働組合会館の火災の真相が明らかになった。ところが調査結果が発表されても、その内容に興味を持つ人はほとんどいなかった。「ここはばらばらです」と調査員のひとり、タチアーナ・ゲラシモワは有名なオペラ座のそばのカフェで会ったときに言った。「誰もが自分自身の現実のなかで生き、自分自身の真実を大切にしているので、和解なんてありません。真実と虚偽のあいだにはこれほどの違いがあるということを示すために調査しました。でもその意味では失敗でした」

私が情報戦について講義をしているここの大学の学生から似たような意見をよく聞いた。労働組合会館の火災については、学生の友人や家族は自分たちの世界観に当てはまる内容だけを受け入れるそうだ。火災についてソーシャルメディアのグループで議論すると、親ウクライナ派と親ロシア派はまったく異なった見方をする。直面する現実が広範囲にわたって見解を異にするため、人々は自分たちの考えに合う現実のみを選び取るのである。

共有する現実がこのようにばらばらであるにもかかわらず、オデッサは内戦になだれこむことはなかった。私がオデッサを訪ねた週は、夏真っ盛りだった。バーやディスコは人でいっぱいだ。オペラのチケットも完売。「死とまともに向きあったあとだから、また生きているという実感が必要なんです」とタチアーナは言った。

しかし内戦は自然に回避されたわけではなかった。内戦の危機が頂点に達したとき、ゾーヤ・カザムズイは市役所で世論操作に取り組んでいた。彼女は、故郷の町についてプーチンが知らないことを自分は知っていると思った。たしかにオデッサはどこにでもあるグローバル化した町と同じように統一性に欠けるが、町の多種多様なコミュニティはなにかより深いところで通じあっていた。少数の狂信者を除けば、ほとんどの人がオデッサを裕福な自由貿易港、市場《いちば》と貿易商人の町とみなしていた。彼らは誰であろうが自分たちの安全を保障してくれる勢力と組む――ロシア人、ウクライナ人、EU、NATOを問わずだ。その結果、民族間の緊張につけこんだり、町を愛国者と売国奴で二分したりするようなことをせずに、あらゆる立場の人間に共通していることを目標にした。ゾーヤたちは分離独立派が破壊的な戦争へと導いた隣のドンバス地方の見るも無残な町の写真をポスターにしてオデッサ中に貼った。オデッサの人間は立場が違っていても、そのような未来を望んではいなかった。誰も物理的な破壊を望まなかった。情報戦におけるもっとも有効な戦略は、情報戦で使う言葉を捨て、現実の戦争がもたらす惨禍を示すことだった。

私はウクライナの戦闘地帯に向かうことにした。そして、たとえ発砲や砲撃が十分にリアルであったとしても、軍事行動を含むあらゆる行動は、情報戦にどれほど影響を与えるかで判断されることにすぐに気づくことになる。

◉存在していないかもしれない戦争の戦い方

ジェルジンスクは炭鉱の町で、ウクライナ軍の支配地域のまさに端に位置する。そこから遠からぬところに、対立する分離独立派の拠点が散在していた。私がそこに着いたのは夏の嵐が吹き荒れる日で、雷音なのか砲撃音なのか区別がつかなかった。私が来る何日か前には湖に炸裂弾が落ち、魚が吹き飛ばされてひび割れた湖岸の遊歩道に転がっていたり、死んで湖面に浮いていたりした。ジェルジンスクの人たちはその魚を食べる習慣があるが、死にかけた遊歩道の魚や、それをはるかに上まわる数の腹を上にして湖面に浮いている魚には誰も見向きもしなかった――悪臭がひどかった。

私はキエフのインターネットテレビ局のスタッフ数名と行動を共にしていた。そのテレビ局はオリガルヒの支配がおよんでいないウクライナでは数少ないメディアのひとつだ。車でジェルジンスクの町をまわると、通りには棺大の穴がいくつもあり、人気のない工場の壁は吹き飛ばされていた。路地では飲んだくれた母親の手を引く少年や、顔に傷跡のある男たちを見かけた。私は車を降りて、壁に大きな割れ目のあるコンクリート製の貯炭場の写真を撮った。その大きな割れ目は砲撃でできたものと思いこんでいたが、戦争がはじまるはるか前に鉄屑を集めていた地元の連中の仕業だと後日判明した。

ジェルジンスクという市名は、ソ連初の秘密警察である、あの悪名高き「チェカー」の初代長官であるフェリクス・ジェルジンスキーにちなんで付けられたものである。地元のティーンエイジャーの女の子に、ジェルジンスキーはなにをした人なのか知っているかと聞いてみると、「学校で教わったと思うけど、もう忘れた」という返事が返ってきた。じつは、こうしたことはけっしてめずらしいことではなかった。数週間前にあるテレビ局でジェルジンスク市の多くの若者は市名の由来を知らないと報道していた。その年のうちに市名はソ連時代の名前を禁止する法律に従って「トレツィク」に改名されたが、大きな反対運動は起こらなかったそうだ。

ジェルジンスク市の幹部たちは革命をなんとか生き抜いてきた。二〇一四年春に分離独立派に占領されたときは諸手を挙げて歓迎してみせた。地元の新聞もドネツク人民共和国を支持した。ところが数か月後にウクライナ軍が進軍してきて市庁舎に砲撃しはじめると、彼らはすぐさまウクライナ軍と手を結ぶことを決めた。市は正式にウクライナ領になったものの、ケーブルテレビと契約しないかぎりはウクライナのテレビをいまだに観られない。しかしロシアとドネツク人民共和国のテレビはどこにいても観ることができた。ジェルジンスク市はウクライナ領になったかもしれないが、いまだに情報主権はクレムリンの手にあるのだ。

親ウクライナ派の活動家たちは落ち着かない日々を送っていた。そのなかにオレグという白い口ひげをたくわえ、いつも帽子をかぶっている年配の男がいた。彼は一九八九年の大ストライキのときに、クレムリンが派遣した戦車の侵攻を食い止めるためにガラス片を撒いて道路を封鎖し、ソ連に打撃を与えた炭鉱夫のひとりだ。一方ヴォロージャはたくましい腕に、男性アイドルグループのように前髪を垂らした若者だ。彼もまた炭鉱夫をしていたがスウェーデンで数年間働いたことがあったので、ウクライナを変えなければならないと思っていた。

だが氏の幹部は、ヴォロージャとオレグのような反腐敗運動の集会をする活動家は町から出ていってほしいと思っている。彼らは今の地位に留まるために首都キエフの有力者に賄賂を贈っていたことがばれるのをおそれていた。もっとも、そのキエフの有力者は彼らのことを切り捨てるつもりでいたが。

「市の幹部の連中は、テレビで自分たちのことが報道されなければそれでいいのさ。町がふたたび分離独立派に奪い返されてもどうってことはないんだろう」とヴォロージャは言った。「俺たちは消し去られようとしている」。彼のワゴン車の助手席には大量のちらしが置かれていた。ちらしには次のようなことが書かれていた。


常習的な分離独立主義的行為には七年から十二年の刑を科すべし。もし根っからの分離独立主義者を見つけたら、この電話番号にご連絡ください。

根っからの分離独立主義者を見つける方法とは、彼らがいつも
・ロシアに侵攻を呼びかけている
・ウクライナ人の価値観を馬鹿にしている
・デマを広めている
・敗北主義的な考え方を吹きこんでいる

私はヴォロージャにいったいどこでこんなちらしを手に入れたのかと聞いてみた。すると彼は自分で作ったと平然と答えた。そこまでやる必要があるのかとさらに聞くと、「そこに載せた電話番号はでたらめだ。こんなことはするなと脅かすのが目的なんだ。誰も俺たちのことを助けてくれない。だからなにかをせずにはいられないんだ」と答えた。

私たちはソ連時代のアパートが建ち並ぶ地区に着いた。いくつかの棟は砲撃で吹き飛ばされていた。約五百メートル先にウクライナ軍の基地があるので、しょっちゅう砲弾が飛んできた。砲弾の破片で穴が空いたアパートの金属製の扉をオレグが見せてくれた。その前に置かれたベンチには数人の女性が座っていて、ウクライナ軍が近くに基地を作ったことに腹を立てていた。ジェルジンスク市がドネツク人民共和国に占領されていた頃には戦闘はなかった。ウクライナ軍が来て戦闘を持ちこんだと文句を言った。ひとりの女性は、砲弾がバルコニーから飛びこんできて爆発したときのようすを話しはじめた。

女性たちの言い分に腹を立てたオレグは、「ここの市長は分離独立主義者だ！　だからウクライナ軍がここにいるんだ。市長は監獄にでも入ってりゃいい！」と言い放った。

「私は安い給料でずっと働き詰めだった。で、なにを手にしたと思う?」。ヒマワリの絵柄の服を着たさっきの女性が言った。「爆弾よ!」

「爆弾はあっちから飛んできたのよ。ウクライナ軍の基地から! ドネツク人民共和国からじゃないわ!」と別の女性が叫んだ。彼女はその後、砲弾でできた窪みに案内してくれた。窪みには木が一本丸ごと倒れこんでいた。「見てごらんなさい。爆弾がウクライナ軍の基地から飛んできたって一目瞭然でしょ」と彼女は言い切った。

私にはいったいなにが一目瞭然なのかわからなかった。五百メートル先からウクライナ人がウクライナ人を狙って砲撃を加えるとはとても思えなかった。しかし、ここでは証拠を積み上げても無駄だった。要するにここの人たちにとってはロシアとドネツク人民共和国のテレビで観たことがすべてであり、証拠はその辻褄合わせに使うものなのだ――たとえどんなに理屈に合わなくても。

根拠のない主張はさらに続いた。

「ウクライナ人同士で砲撃しあっているのよ!」とほかの女性が大声で言った。「右派セクターがキエフで凱旋行進したいから、ウクライナ人相手に戦ってるのよ」

「問題はアメリカよ。ここの天然ガスを手に入れるのが目的なのよ。ここの病院にアメリカ軍の傷病兵が入院しているって噂よ」

オレグはとうとうがまんできなくなり、女性たちに向かって声を荒らげた。「おまえたちは裏切り者だ」。女性たちはオルグを追い払おうとしたので、彼はシャツを脱いで銃創を見せた。前線に食糧を届けたときにロシア人に撃たれたものだ。「プーチンはロシアがばらばらになるのが怖いから、ウクライナに居座っているんだ」と彼は続けた。すると女性たちは「プーチンに怖いものなんてないわ!」

と一斉に言った。

オレグは車に戻り、例のちらしを取ってきて女性たちに配りはじめた。

「ばかばかしい。私たちがこんなものでびくつくとでも思ってるの?」女性たちは笑いながらちらしをゴミ箱に放り投げた。

そしてカメラマンと私のほうを向いて、大声で怒鳴った。

「あんたたちは私たちが言ったことを編集するのよね。あんたたちなんか信用できないわ。誰もドンバスの人間の話なんか聞きたくないのよ!」

「誰もドンバスの人間の話なんか聞かない」——この言葉を聞くたびに、真言《マントラ》、祈り、失われた神への哀歌、消えた神に向かって叫ぶ「詩編」で繰り返されたテーマなのだろうかと思う。どうか人々の言うことをお聞きくださいと神に訴える贖罪の日《ヨム・キプル》[ユダヤ教の最大の祭日]の祈りなのだろうか。

「アブラハム、ヤコブ、イサクに答えられた神よ、シナイで私たちに答えられた神よ、ドンバスの人々の言うことをなにとぞ、なにとぞお聞きください!」

私は昨晩、ビリヤード部屋で寝た。目が覚めたとき外はまだ暗かったので、ソファに沈みこむように寝ている兵士たち——もちろん軍服は着たままだ——に危うくぶつかりそうになった。ひとりの兵士は上半身がソファからずれ落ちて床に頭をつけて寝ていたが、まるで太った胴体を頭で支えているように見えた。疲れはてて、半ば逆立ち状態で寝ているのに気づかないのだ。夜が明けはじめ、バラ園やテニスコートがぼんやりと見えてきた。バラは萎れていて、テニスコートにはネットがなかった。ふいに水がリズミカルに跳ねる音が聞こえた。兵士が屋外プールで平泳ぎをしていた。朝日が昇るにつれて、夏の山荘や車庫、頑丈なフェンス、遠くの丘、黒に近い深緑色のルハンスクの松林などが見えてきた。私たちはジェルジンスクの北東部にいた。そこはウクライナが支配する地域の端にあり、ルハンスク人民共和国と国境を接していた。

私たちが寝泊まりしているのは地位を追われた地元の有力者の別荘だ。彼は分離独立派が支配する地域の元首席判事で、今はキエフでひっそりと暮らし、どちらが勝つのか見きわめようとしている。ビリヤード部屋には彼の妻を描いたスーパーリアリズムの絵が飾られていた。ぽっちゃりしたブロンドの女性が微笑みながら夏の野原に横たわり、頭には赤いヒナゲシの花冠《かかん》を載せている。

プールのそばにある小屋では士官が朝食を作っていた。きざんだキャベツにコーンビーフを混ぜた肉団子だ。テレビは戦争のプロパガンダ一色で、戦闘服を着たウクライナの大統領が装備の行き届いた部隊を視察している映像が流れていた。手を振って兵士たちを見送る誇らしげな妻たちや、帰還した兵士たちを駅のホームで涙を流しながら出迎える誇らしげな妻たちの映像もスローモーションで流された。これは一種の戦争のプロパガンダで、二十世紀の世界のいたるところで国民の士気を高め、動員に拍車をかけるために使われた。

しかしなにかおかしい。戦争の映像をたくさん見せられているのに、実際に起こっていることを「戦争」とは呼ばないのである。テレビで大統領は「ATO」と省略される「対テロリスト作戦」のことを語る。朝食当番の士官が、キャベツをきざみながら「いったいATOってなんなんだよ!」と悪態をつく。クレムリンの狡猾な手口のひとつは、宣戦布告することなく戦争をはじめ、はっきりと特定された敵を相手に戦うという従来の戦争の姿を徐々に変質させることだ。

その後、兵士たちは私たちを前線に案内してくれた。そこで見た車両はどれも車種が異なっていた。

私がニッサンの小型四輪駆動車の後部座席に座ると、窓からよく外を見て分離独立派の狙撃手がいないか注意するようにと言われた。しかし窓ガラスは前の銃撃戦で撃ち砕かれ、セロハンテープでつなぎあわせてあったので、当然、外のものはなにも見えない。

私たちは断崖の端に車を停めた。そこからだと川の対岸にある分離独立派の拠点が見え、裸眼でも兵士の姿が見えた。「やつらが撃ちはじめたらすぐに車から飛び出して離れてください。車を狙って撃ってくるんです」と「コンブリック」と呼ばれている指揮官に言われた。

コンブリックは敵にこちらの勢力が見えるように断崖に沿って大砲を並べろと命じた。そして対岸の敵兵が配置に付くまでにどれくらい時間を要するのかを計算する。これは敵兵が対岸のどこに潜んでいるのかを知るための策略でもあった。最近、ロシア軍部隊が到着したという噂があった。

そこから私たちはロバチェヴォ村まで車で行った。傾斜地に平屋の木造家屋が密集していた。牛が一頭、道路に立ち止まり納屋をじっと見つめていた。納屋の外にある丸太には、土埃のついたランニングシャツを着て、汚れた足にサンダルをはいた三人の年配の男が腰かけ、酒を飲み、煙草をくゆらせていた。そのうちのひとりは「コーリャおじさん」と呼ばれ、歯がなかった。ルハンスク人民共和国の国歌を歌うことを拒んだら分離独立派の兵士に殴られて歯を失ったと言った。しかしウクライナ軍の兵士たちは、それは彼らに聞かせるための作り話で、兵士たちが去ったらすぐにウクライナの悪口を言いはじめるに違いないと思っていた。「われわれが連中の信頼を得るのに相当な時間がかかりました」とコンブリックが言った。「ロシアのプロパガンダのせいで、われわれがみな右派セクターの怪物だと最初は思っていたんです」

ここでも川の対岸では分離独立派の兵士がライフルを肩に担ぎ、古い船着き場のあたりを行ったり来たりしている。連絡船は戦闘中に爆破されてしまい、川の両岸でそれぞれ暮らしていた家族は行き来できなくなってしまった。学校は川の片側に、店はその反対側にしかなかった。そこで村の女性たちはボートに小さなモーターを付けて川を渡った。けれどもジャガイモを一袋以上積んでいると禁制品の密輸で捕まりそうだと不平をもらした。住民にとっては、ウクライナもロシアもルハンスク人民共和国もどうでもよかった。大切なのは自分たちの村であり、自分たちのジャガイモなのだ。

私たちの車はロバチェヴォ村を出発し、廃墟になった教会や、爆破されて川に崩れ落ちた橋の横を通りすぎ、山羊を追う女性たちの横をすり抜けた。利益を生み出せそうなものはこの土地のどこにもないことは明らかだ。独立して二十年になるが、ウクライナ政府はこの地域の開発はなにもやってこなかった。ロシア政府もまた開発の必要性を感じなかった。要するに、キエフもモスクワも共にルハンスクを手放す覚悟があるということだ。クレムリンにすれば、政治的影響力を残したままルハンスクをウクライナに返還したいのだ。一方ウクライナは統一、統一と騒ぎ立ててはみるものの、多くの人は――軍の幹部から学者に至るまで――クレムリンが資金と食糧を提供し続けなければならないように国境線はそのままにしておくのが最善の策だと考えている。

かつて戦争は領土を奪い、そこに旗を立てることだったが、ここではそれとは違ったことが進行中である。モスクワが必死に作り上げようとしているのは、マイダンのような民主化革命は混乱と内戦しかもたらさないという物語だ。一方、キエフが必死に見せようとしているのは、分離独立主義は悲惨な状況しかもたらさないという物語だ。けれども実際に現場で起こっているのは、そうした願いとはほぼ無関係なことだ。両政府はそれぞれの物語を十分に裏付けするような映像がほしいだけなのだ。プロパガンダは戦争に付き物で、実戦の補佐的な役割を担っていた。ところが情報化時代ではこの関係が逆転した。軍事作戦はより重要な情報効果の補佐的な役割を担っている。もし実際に死ぬようなことがなければ、それは台本に従って作られるテレビのリアリティ番組のようになるだろう。じつは私がロボチェヴォ村を訪れてから数か月後の二〇一五年十一月三日にウクライナ軍のハルキウ第九十二機械化歩兵旅団はロバチェヴォ村の近くで銃撃戦を展開することになる。この戦闘でコンブリックは負傷するが、一命は取りとめた。

さて私たちが乗った車は川の湾曲部のところで停まった。兵士たちは寄付で賄われた軍服を脱ぎ捨てて、土手の木から垂れ下がっているロープをつかんでターザンのように雄叫びを上げながら川に飛びこんだ。バック転してから飛びこむ者もいれば、腹から飛びこむ者もいた。これはいわば毎日の儀式で、偵察活動を終えたあとにリラックスするのに役立った。

コンブリックの携帯電話が鳴ったとき、彼も川の中だった。ノーマンズランド［いずれの勢力にも支配されていない領域］でふたたび砲撃がはじまったことを知らせる緊急電話だった。その前日、第九十二旅団は分離独立派と停戦協定を結んでいた。電気技師が戦闘地帯に入って電線の修復をするためだ。ところが分離独立派からの今回の砲撃は頭上を越えていたので、もし第九十二旅団が銃で反撃したら、民間人を狙っているように見えるだろう。コンブリックは濡れたボクサーパンツの上から急いで戦闘服を着ながら「いいか、反撃だけはするんじゃないぞ!」と命じた。「あれは撮影するための挑発だ」

その夜、私たちはプラスチックボトルに入った密造コニャックを飲みながら星空を眺めていた。星はまるでたっぷり実ったブドウのようだ。砲弾の音に耳を傾けながら、夜空に描かれたミサイルの軌跡を目で追った。中世の男たちが彗星になにかの意味を求めたように、私たちはウクライナ軍の運命の予兆を探し求めた。星が動いた。私たちを見張っているドローンだ。私は自分が現代的なアイコンの中にいるような気がした。情報戦争のために私の「大きさの感覚《センス・オブ・スケール》」が狂ってしまったようだ。ノートパソコンを操る活動家たちが大臣のような権力者に思えるし、ツイッターに出てくる神話の悪魔は戦車のようにリアルに見える。ロシアとウクライナの境、過去と現在の境、兵士と民間人の境、噂と証拠の境、役者と観客の境は消滅してしまった。合理的な判断力は魔法じみた神秘的な思考に取って代わられた。現実は不可知であり、神慮によって天上のどこかで決定されるように思えてきた。そして情報は、もはや行為の記録ではなく、記録それ自体が行為の目的になってしまった。

ドローンが私たちの上で静止した。

「にっこり笑って」とコンブリッグが言った。「今ドローンがあなたの写真を撮っています」

第4章

やわな事実

小学校にあがった最初の年、人生初の事実検証《ファクトチェック》を受けた。ロンドンにやってきたとき私は三歳だった。入学した当初はサッカーで遊ぶしかコミュニケーションの手立てがなく、家のテレビでサッカーを観ながら英語を覚えた。サッカーの解説は体の動きをいちいち言葉で説明するので語彙を学ぶのに役立った。子供向けのサッカー雑誌を眺めているうちに、英語が読めるようになった。

四歳から七歳まで、私の英語は片言で、まわりの人の言葉も半分しか理解できなかったため、意思の疎通がうまくいかなかった。そこで私は空想の世界で長い時間を過ごすようになった。頭のなかでサッカーの試合を組み立てて不自由な英語で実況中継した。チームをいくつも作って、選手たちの私生活や気分を詳細に解説した。選手たちは年を取り、それぞれ問題を抱えていた。チームを移籍したり、スランプを脱出したりした。リーグも作った。その想像の世界では私もひとりの選手だった。そして多くのチームをたらいまわしされたあげく、私は自分をイギリスチームに入れることにした。とはいえ、自分はめったに起用せず、たいてい控えにまわした。ほかの選手の解説をするほうが好きだったのだ。

あるとき学校で口を滑らせて、これからモンテビデオに行ってトーナメント戦に出場するのだなどと言ってしまった（ちょうど地図でウルグアイを見つけたところだった）。担任のスターン先生から家に電話がかかってきた。ウルグアイに行くのなら、学校を休ませなくてはいけませんか、と先生は両親に尋ねた。そんな予定はありません、と両親は返事をした。翌日、先生から授業のあと残るように言われた。居残りを命じられたのは初めてだったので、これは重大なことなのだとわかった。「それでは、ウルグアイに行くとか、サッカーの試合に出場するとか言っていたのはぜんぶ嘘《ライブ》だったのね」とスターン先生は言った。先生の口ぶりから、自分がなにか悪いことをしたのだとわかったが、困ったことに「嘘《ライブ》」の意味がわからない。家に帰って調べてみた。納得がいかなかった。自分の空想の世界が嘘だなんて、考えたこともなかった。それは並行して存在する現実で、ひとつの現実がもうひとつの現実にあふれ出ただけのことだった。

それは一九八四年の出来事で、私は七歳になっていた。英語がめきめき上達していた。自分が創造したサッカーの宇宙の言語のピッチで磨きをかけていたのだ。「嘘《ライブ》」のひと言によって、すべてがおさまるべきところにおさまったらしい。同じ物事を表すふたつの言葉（ｌｉｅとｆｉｂ）があることを知って、ある一線を越えて英語がわかってきたような気分になった。嘘をついていると人から思われているというのはショックで、想像の世界にどっぷりはまっていた日常とすっぱり縁を切った。

私たちはみなそれぞれのやり方で、新しい祖国になじんでいった。

リーナは、イギリスに到着してからロンドン大学でロシア語教師の職を得た。大学のほかの教師たちには「もちろん、きみたちはソ連の体制に反対するさ。反体制派なんだからな！　きみたちが体制に客観的になるなんて不可能だ」と言われた。

それは違う、とリーナは説明しようとした。体制の客観的な性質のために私たちは反体制派になったのだ。生まれたときから体制に反対する人間はいない。いくつかの選択が重なった結果、KGBに反体制派のレッテルを貼られるのだ、と。キエフでナボコフやソルジェニーツィンの本を持っていたら反体制派と見なされる、モスクワで同じ本を持っていたとしても問題ない、といった具合に。大学の同僚たちにはそんな話はぴんとこなかったようだ。彼らはいい人たちだったが、リーナに偏見がないとは確信していなかった。

リーナは自分自身の言葉を見つけようとしていた。概念もやっかいだった。ソ連では、政権が社会主義の言葉を握り、弾圧と結びつけていた。ロンドンの多くの友人は、自分たちは社会主義者だと言っていたが、ソ連の実態を知ると戦慄した。

イーゴリはBBCで働き出した。BBCは、イーゴリがソヴィエト・ウクライナ時代にひそかに聴いていた外国メディアのひとつだった。学校が休みになると、イーゴリは私を、ストランド街の中心にそびえる背高のっぽの島に連れていってくれた。BBCワールドサービスの本拠地だった。一九二九年に建設された当時は世界一金のかかった建物で、入口にコリント式の円柱が並び、その上に百八十センチを超す彫像が立っていた。大聖堂に似つかわしい巨大な鉄の扉の中に入ると、ポーチの上に円蓋が広がっていた。

子供にとって、それは驚異の島だった。父親が水槽のようなガラスケースに閉じこめられるが早いか、自由になった私は建物中をくまなく歩きまわった。広い階段を降りれば、そこには世界中のあらゆる肌色の人、あらゆる民族の人がいた。全員が英語を話し、英語でわめいていたが、アクセントはそれぞれ違った。最新のニュースを届けるために勢いよく閉じられる扉と扉のあいだで、誰も彼もがタイプライターを打ち、煙草を吸い、走りまわっていた。この巨大な建物のあらゆる部局が、異なる国か大陸でさえあった。あるフロアはギリシャで、隣に行けば中東だった。エレベーターで上がればそこはポーランドだった。中南米で迷子になったり、アフリカで立ち往生したりすることもあったが、窓の向こうに陰気なロンドンのあかりが見えるのはいつも同じだった。ほかのジャーナリストたちはみんな偉大な亡命詩人か未来の大臣だったようだ。父親が忙しすぎるときは、紫色の光に照らされた広い大理石の廊下でチェコサービスのエゴンとサッカーをしたものだ。エゴンはその後チェコの副首相になったが、八歳だった私はペナルティキックで彼を負かしてやった。

イーゴリのお気に入りは夜間警備のシフトだった。夜の九時をまわりオフィスが空っぽになると、階段を降りてBBCの職員行きつけのバーに行く。そこは夜十一時を過ぎてもアルコールを提供してくれるロンドンでは数少ない店だった。そしてブラックプリンスというボルドーワインを一本買って、コルクを抜き、ビニール袋に突っこむ。簡易食堂でローストビーフを少々仕入れ、階段を上ってオフィスに戻り、さっきより厚みを増しているニュース・テープの向かいのデスクに足をのせて、重大な危機が発生していないことを確かめてから、グラスにワインを注ぎ、新たな職場についてあれこれ考える。

「この建物には一種のガスが詰まっている」。イーゴリの上司でロシアサービスの編集局長、元軍事通訳のバリー・ホランドは好んでそう言った。「目には見えないが、そこいらじゅうに充満している。それは空気だ、言うなれば、バランスの取れた見方のエートスってやつさ」。イーゴリより政治色の強い同僚たちはそのガスにしょっちゅう憤慨していた。ワールドサービスは独裁国家の広報担当官に時間を与えすぎていると言って。「キリストにインタビューする機会があったら、きみは悪魔にも同じ時間をあげるんだろうな」。イーゴリの同僚のひとりはそう言ってホランドに噛みついた。「もちろんさ」とホランドは答えた。「ただし、最後の言葉はキリストに述べてもらうがね」

そのガスこそが信頼性を獲得するための手段だった。「信頼」。BBCの掲げる「正確、公平、公正」の三位一体は、イギリスは信頼に足る国であるというイメージを世界に発信するために存在した。ひるがえればそれは、BBCを設立したリース卿がイギリスの真価と呼んだ「合理性、民主主義、議論」を促進するためであり、「合理性、民主主義、議論」を促進することによってイギリスは世界中から尊敬される国になるはずだった。BBCワールドサービスは、BBCのほかの部署と違って外務省から補助金が下りていた。つまり「国益に資する」ために存在する部署だった（編集者たちはみな国家の利益と政府の利益は同じではないと主張していたが）。

BBCで働きはじめたばかりの頃、イーゴリに割り当てられていたのは、著名なイギリス人作家の講演を翻訳するという仕事だった。たとえば、イギリスではクリスマスがどう祝われているか、とか。ロシアの聴取者とのあいだに「架け橋を築く」という意味ではこれも国益になったのかもしれないが、ソ連でこれほど厳しく検閲が行なわれている時代に、学校に通う子供なら誰もが知っているようなことを放送してなにになる？　とイーゴリは考えた。そんな不満を抱いていたのは彼だけではなかった。一九八〇年代初頭、新たな世代の編集者たちが登場して、ロシアサービスでささやかな文化革命がはじまった。

イーゴリはソ連ではけっして放送されない作品を取り上げることにした。ソ連時代末期のラジオで放送されることなどありえない、性的描写が書き連ねられたジェイムズ・ジョイスのラブレター。サミュエル・ベケットの『クラップの最後のテープ』（自分の声を録音することに取り憑かれ、何度もテープを再生してはコメントする男の物語）。ヴァーツラフ・ハヴェルの『面接 *Audience*』（自分自身を密告しろと説得される反体制派の話。ハヴェルはチェコスロヴァキアで服役中に自分の作品がBBCのロシアサービスで放送されるのを聴いたという。一九七八年、ハヴェルは、「政府の言葉をオウム返しにするのは止めよう。信じてもいない言葉を繰り返す行為は人格を破壊する」と民衆に呼びかけ、その直後に政府転覆罪で投獄された）。

最初、イーゴリは高尚な文学と比較してラジオを低く見ていたが、その頃から少しずつラジオにひかれるようになっていった。

「ほとんどのリスナーはラジオを情報源として利用している」と、後日イーゴリは記している。「だが、どんな種類の情報を求めているのだろうか？　それは新聞やテレビから得られる情報とどう違うのだろうか？」

イーゴリのまわりでリールが回転する。磁気テープに声が録音されていく。テープを編集するのは職人の仕事だ。ガラス職人がガラスに息を吹きこむように、彼は音を成形していった。

「ラジオの意義は声の魔法にあるというのが僕の信念だ。音の魔法だ。そういう意味で、詩とラジオには共通の要素がある――空気だ。自由の要素だ」

ロシアとウクライナはほかの世界と物理的に遮断され、書物は検閲されていた。たまに実家に電話をかけても、通信指令係を通じて電話をつないでもらうまで何時間もかかり、会話は一語一句秘密警察に盗聴された。だが、BBCラジオのスタジオに入れば、壁は崩れ落ちホームシックは消え去った。スタジオにいるあいだ、イーゴリは検閲を突破していくパイロットの気分を味わえた。

「密閉され防音装置が施されたブース、コントロールパネル、外部に面した窓がないせいで、スタジオは宇宙船みたいだ。この閉じられた空間を開くことができるのはきみの声だけ。僕は確信している。ラジオの隣で耳を澄ませている大勢のリスナーは世界をめぐる旅に出ている。いや、宇宙に飛び出していると言ったほうが正しい。僕も旅は大好きさ。波から波へ飛び移るんだ」

当時ソ連から亡命したばかりで、イギリス人より自分たちのほうが祖国の聴取者のことはよくわかっている、そう感じている亡命者の世代と、彼らに同調する編集者の世代があった。ジノーヴィ・ジーニク［一九四五〜。ロシア出身、イギリス在住の小説家］は、ロンドンに関する情報がエドワード朝文学以来更新されていないソ連の聴取者に向けて、イーストロンドンのパンクロッカーを紹介する番組を作った。セヴァ・ノヴゴローツェフ［一九四〇〜。ロシア出身、イギリス在住のラジオ・パーソナリティ。ロシア人初のＤＪ］の音楽番組は、ソ連政府の言葉遣いの諷刺とヘヴィメタルの紹介を巧みにひっかけたもので、政府の機関紙からにじみ出るペーソスを再現してみせた。「われらがメタラジスト［冶金家とヘヴィメタ演奏者の二重の意味がある］は、優美な発泡性青銅からみごとな銑鉄まで、人民のためにさまざまな金属《メタル》を製造しています……」

これが大当たりした。いまだかつてない大量のファンレターがソ連国内からワールドサービスに届いた。手紙の量は、ＢＢＣが鉄のカーテンの向こう側の人気度を測る数少ない目安のひとつだった。リスナーたちはＫＧＢの検閲に引っかかる危険をあえて冒して、あるいは外国からの留学生にこっそり託して手紙を送ってきた。ソヴィエトの新聞各紙は、セヴァがソヴィエトの青少年を堕落させていると激しく非難する記事を載せた。ワールドサービスの首脳部がこれに目を留め、セヴァが「公平」かどうかを判断するために委員会が招集された。放送したテープを文字に書きおこし、さらに翻訳すると、遊び心あふれるユーモアはすっかり影を潜め、セヴァの番組は痛烈なソヴィエト批判と判定された。ワールドサービスの首脳陣はおかんむりだった。ロシアサービスの新局長もやはり改革派で、なんらかの手を講じますと返事をしたが、しばらくしてほとぼりが冷めると、セヴァのヘヴィメタ・ソ連諷刺をひそかに再開させた。こうしてソヴィエトのリスナーたちは、世界でいまなにが起きているかに耳を澄ませるようになっていった。

BBCが提供する「正確さ」、不条理劇、ヘヴィメタル、「バランス」を組みあわせた番組は、ソ連の国営放送と真っ向から対立した。それからまもなく、ソ連国営放送に最初の揺れが生じる。

BBCのニュース編集室の片隅にはテレファクスが一台置かれていて、数時間おきにガタガタキーキー音を立てながら、レディング近郊の田舎風邸宅から送られてくる最新のニュースを吐き出していた。その邸宅はBBCモニタリングの本部で、全員数か国語に堪能な八十人のモニターたちが、ソ連のメディアがBBCに負けず劣らず熱心に四十二か国語で発信するすべてのニュースに二十四時間耳を傾けていた。モスクワ放送のスタイルはつねに四角四面で、BBCがくだけすぎに思えるほどだった。アナウンサーたちが、共産党大会が発表した「ソヴィエト経済の成功」を裏付ける統計データを、全世界における「社会主義の前進」を、必然としての「歴史の客観的・科学的進歩」をよどみなく読み上げていた。たとえばアメリカがエイズを兵器として開発したなどの、KGBが「積極的対策」と呼んだ虚偽情報の宣伝活動を行なう場合も、モスクワ放送はいつもどおりまじめくさった真剣な調子で、インチキ科学者のインタビューを放送したり、偽造した証拠を挙げたりして、事実らしさを取り繕おうとしていた。

一九八三年、モニターたちはきわめて異常なある事態に気づいた。[1] モスクワ放送の英語サービスの司会者が、アフガニスタンに侵攻中のソヴィエト軍の兵士たちを、政府が決めた「アフガニスタンの同胞を支援する国際共産主義の闘士たちによる期限付き派遣団」と呼ぶ代わりに、「占領軍人」と呼びはじめたのだ。

根はおとなしいウラジーミル・ダンチェフというその司会者がやっていたことは前代未聞だった。ダンチェフはすぐに停職処分となり、ウズベキスタンの精神科病棟に送られた。のちに本人は、最初はうっかり「占領軍人」と言ったが、いったんその言葉を口にしたら、考えていることが、堰が切れたようにあふれてしまったのだと語った。

いまになって思えば、ダンチェフのエピソードは、ソヴィエトという巨大な蒼空に生じた最初の亀裂だったのだ。嘘が限界に近付いていた。それからまもなく、ソ連全土のリスナーがラジオのチューニングをBBC放送に合わせる事件が起きる。

ラジオのトランジスタ同様、ガイガーカウンターも空気中を振動する目に見えない信号をキャッチする機械だ。ガイガーカウンターが計測するのは、ガンマ線やガンマ粒子といった放射性排出物で、放射性排出物が増加するとカリカリという耳障りな音を立てはじめる。

一九八六年四月二十六日、科学者もそうでない人も、放射線レベルを観測していた人々はみなガイガーカウンターが異常に高い数値を示しているのに気づき出した。観測史上例のない巨大な放射性雲が、ソヴィエト・ウクライナからヨーロッパに向かって移動しているのが見えた。BBCはじめ海外メディアはこれを報じはじめた。ソ連の国営放送は、チェルノブイリの原子炉で取るに足りない事故があったことを一度だけ手短に報告したが、ニュースはそれきりだった。モスクワとキエフで例年どおりメーデーのパレードが行なわれ、ソ連の力の象徴である兵士と弾頭の巨大な列が街を行進した。ソ連のメディアは沈黙していたが、BBCはじめ西側メディアは放射線レベルの報道を続けた。キエフは、共産党幹部が自分の子供たちを街から避難させているという噂でもちきりだった。あるパイロットは、特権階級《ノーメンクラツーラ》の子女をいっぱい乗せた飛行機を操縦するように命じられたが、不正に嫌気がさして離陸を取りやめたとか。放射能中毒には甘口のワインが効く、そんな噂もあった。みんながワインを飲み出した。すると今度は、赤ワインは中毒を悪化させるだけだという噂が流れた。いったいどうすればいいのか、誰もが途方に暮れた。

BBCが科学者と医療専門家を招いて放射能中毒に関する番組を放送した。正気を保ち、生き延びるにはBBC放送にチューニングを合わせるしかなかった。その二週間後、ついにソ連の指導者たちが重大発表を行なったが、その頃には彼らに寄せられていた最後の信頼も跡形もなく消えていた。

一九八七年、ソ連の書記長に就任してまもないミハイル・ゴルバチョフが、チェルノブイリをめぐる真実の欠如こそが厄災だったと認めた。[2] この事故によって、ソヴィエト社会主義共和国連邦が変わらなくてはならないことが証明された、とゴルバチョフは主張した。自己批判、自己表現なくして進歩はありえない、と。彼は、ソヴィエトのメディアに新たな自由を与えると約束し、外国の書籍、映画、ビデオテープへの規制を緩和した。ゴルバチョフはこの政策をグラスノスチ（ロシア語で「声を与える」という意味）と名づけた。グラスノスチは一九八六年に開始されていたが、チェルノブイリ原発事故のあと、ようやく本腰が入れられるようになった。

一九八八年、ソヴィエト連邦がBBCの電波妨害をやめた。ワールドサービスは歓喜に沸いた。イーゴリにとってそれは、彼のなかの芸術家と活動家とジャーナリストがひとつに合体した瞬間に等しかった。情報にアクセスする自由、創造の自由、個人の権利、ひたすら個人主義的である権利、それらがひとつになったのだ。一九八〇年代以降のイーゴリの小説と詩を見ると、政治問題と時事問題は通常描かれていないことによってかえって目をひくが、それらは束縛からの解放を讃えるあらゆるもののなかに潜んでいる。イーゴリは、印象主義の意識の流れの渦のなかで書き、リアリズムとファンタジー、詩と散文の境界を行ったり来たりしている。彼の作品のなかでブッシュハウスは動物たちの住処だ。住人はハリネズミにキツネ、そして名もなき動物めいたものたち。建物の窓が青くべたべたした霧に吹き飛ばされるたびに彼らはパニックに襲われる。イーゴリ自身は少年として登場する。目を覚ました少年は熱があることに気づいて、体温計を脇にはさむ。すると脇が深い穴になっていて、その中に落っこちてしまう。少年はティチーノを訪れる。イタリアとスイスの国境を越える。そうやってあらゆる壁を超える自由を満喫する。

ある詩のなかでイーゴリはこんなことを書いている。「僕がインディアンだったら、あだ名は『壁を越える者《バリアクロッサー》』だろう」。今やあらゆる壁が崩れ落ちようとしていた。永久不滅で不動に思えた政権が現実に変わるなんてことがありえるのか？　まして終わるなどということが？　ロシアが、そしてウクライナがなにか別のものになるなどということがあるのだろうか？

その年、マーガレット・サッチャー首相がチェックのジャケットに真珠のネックレスといういでたちで、ソ連にいるBBCロシアサービスのリスナーたちと電話で対談するという生番組に出演した。それは前代未聞の試みだった。[3]ソ連の市民が自国の指導者と直接言葉を交わす機会は非常にまれで、まして外国の、それも女性の首脳と会話するなんて考えられないことだった。リトアニアのカウナスの住民からはこんな質問が寄せられた。ソ連で現在行なわれている改革（グラスノスチおよびペレストロイカと呼ばれる政治経済上の改革）は、ゴルバチョフ以外の人間が政権を取ったら元通りになってしまうのでしょうか？　サッチャーは次のように答えた。

「あなた方が拡大する言論の自由や、たったいま行なわれているような活発な議論の味を知ってしまった以上、元に戻すのは非常に難しいと思います」

「ただし、ゴルバチョフ氏がいなければ、改革がいまのような速度で進んだとは思いません。私には、未来へのビジョンを持っている人がわかります。私自身、イギリスの首相になったとき、自分はビジョンを持っていると感じていました」[4]番組の最後で、サッチャーがこう言っているのが聞こえた。「あら、もう終わり？　オンエアの時間をもっと取れなかったの？」

＊

グラスノスチが進行しているあいだは、真実は万人を自由にする、そんなふうに思えていた。真実には力がある。だから独裁者たちは真実をあれほどおそれ隠ぺいしていたのだ、と。だが、なにかがひどくおかしくなってしまった。私たちは、かつてないほど大量の情報や証拠にアクセスできるようになった。だが、事実はその力を失ってしまったらしい。政治家が嘘をつくのはいまにはじまった話ではないが、自分の発言が真実か嘘かそんなことはどうでもいい、そんな態度を取るようになったのは、これまでになかったことだろう。

ウラジーミル・プーチンは、彼の軍隊がクリミアを併合するあいだ、暇さえあれば国際的なテレビ番組に出演して、薄ら笑いを浮かべながら、クリミア半島にロシア軍の兵士はいませんと断言していた。だが、彼らがそこにいることは世界中の誰もが知っていた。そして後日、さもなんでもないことのように、ロシア軍がクリミア半島に展開していたことを認め、以前はいないと言っていた兵士たちに堂々と勲章を授けた。プーチンは、ある現実を別のなにかにすり替えようとしたという意味では、嘘はついてない。事実は重要ではないと言ったのだ。ドナルド・トランプも、真実とはなにか、事実に基づくとはどういうことかについて定見のないことで知られるが、それは彼がアメリカ大統領選に勝利するうえでまったく問題にならなかった。ポリティファクトという事実検証機関《ファクトチェック》によれば、二〇一六年のアメリカ大統領選挙において彼らがチェックしたトランプの発言のうち、七十六パーセントが「ほぼ嘘」か「真っ赤な嘘」だった。一方、対立候補ではそれらの割合は二十七パーセントだった。にもかかわらず、勝利したのはトランプだった。[5]

なぜこんなことが起きているのか？ テクノロジーが悪いのか？ マスコミの責任か？ そして、権力者が事実をもはやおそれない世界はこれからどうなるのか？ 衆人環視のなかで罪を犯し、たいしたことじゃないと肩をすくめて済ませられるということか？

◉客観性という押しつけられた神話

あれから四十年。私のオフィスは旧ブッシュハウスの向かいにある。BBCワールドサービスがこの建物を明け渡してもうだいぶ経つ。当初は日本の不動産開発業者に売却されて、高級アパートメントに改装されるという話だったが、二〇〇八年の金融破綻のあとイギリスの不動産市場が冷えこんだことから計画は頓挫した。本書の執筆時点では、この建物には大学のキャンパスが入っている。

BBCは現在ワールドサービスも国内向け放送も、報道部門も娯楽部門も、テレビもラジオも「マルチメディア」も、すべてがリージェント・ストリートに立つ、アコーディオンを圧縮したような曲線型の建物に詰めこまれている。設計者が図面を引くときにデスクスペースの適切な広さを計算に入れるのを忘れたせいで、職員たちは肩と肩を触れあわんばかりにして仕事をしている。

BBCの編集者や上層部と話をしていると、この設計上の不均衡はメディアの不均衡の反映ではないか、そんなふうに思えてくる。世界は変わってしまった。そして、「正確、公平、公正こそが、民主主義と合理性と議論を導く」という、かつてBBCが大切にしていた価値観はくつがえされてしまった。

冷戦中、BBCにとって「公平」とは、左翼と右翼のあいだでバランスを取ることを意味した。なにが左でなにが右かは、政党や新聞が代表する政治的立場によって明確にされていた。

一九九〇年代から二〇〇〇年代にかけて、事情はもっと複雑になった。明確な左翼または右翼といったものは存在しなくなり、経済的利害関係と支持政党が必ずしも一致しなくなった。二〇一〇年代後半に入ると、視聴者は分裂し、アイデンティティと価値観の細分化が進んだ。

「政党との結びつきは弱まっても、宗教、君主制、少数派の権利といった、人がみずからのアイデンティティとみなす価値観の重要性は強まっている」BBCニュースの元ディレクター、ジェームズ・ハーディングは私にそう語った。「それに伴い、偏見の受け止め方や、公平の理解の仕方が変わり、伝統的な左翼や右翼という考え方におさまりきらなくなった」、と。

かつてBBCは、政党と（それよりはるかに程度は劣るが）新聞が定める綱領に従って、公平とはどうあるべきかを決定してきた。政党や新聞は自分たちより大きな利害関係の代弁者であるはずだった。だが、新聞がもはや読まれなくなり、政党がこれほど細分化して、もはや首尾一貫性のあるなにものも代表していないとしたら、なにが起きるだろう？　私が子供だった頃のイギリスでは、人々の暮らしは昇華作用の連続のなかで営まれていた。私たちの自意識は圧縮されてメディアという容器に押しこまれた。私たちの代表であると同時に、私たちが、贔屓のサッカーチームのように自分と一体化していた政治家たちはテレビのブラウン管に吸いこまれ、そこで合体してより大きな全体になった。良くも悪くも、これらの器が破裂したのだ。その結果、BBCが現実と交渉するときに利用していた概念も粉々になった。最高にうまくいっているときでも、BBCはバランスを保つのに苦労していた。[6]だが、こんなふうにばらばらになった世界で公平であるとは、どういった状態を意味するのだろう？

だが、もっと根本的なことも変わってしまった。「公平性」や「公正」は、つねにとらえどころのない言葉だった。一九八〇年代当時、マーガレット・サッチャー政権はBBC国内放送局を目の敵にしていた。保守党の政治家を攻撃するのは偏見であり、アイルランドのテロリストについて報道するのは政府に対する背信行為だというのがその理由だった。BBCを閉鎖するという脅しまであった。サッチャーが市場の自由を信じているなら、国営放送に存在意義などあるだろうか？　と。

だが今や攻撃の矛先はBBCの公平性だけでなく、公平性といったものが存在するという考えそのものに向けられている。

ロシア政府の報道官は、BBCのような放送局には例外なく隠された狙いがあるのだから信用できないと主張する。[7]「客観性は、彼らが勝手に提案し、私たちに押しつけている神話なのだ」、と。[8]マルクス主義にのっとった科学的真実をひたすら擁護してきたモスクワ放送とはなんたる違いだろう。実際、やることも変わってきている。一九八〇年代、モスクワ放送は、CIAがアフリカに対する兵器として工イズを開発したと主張する「積極的対策」を放送するにあたり、その嘘を何年もかけて慎重に仕込み、証拠を発見したと称する東ドイツの科学者たちまで登場させた。巧妙な嘘をもっともらしく見せるための努力が払われていたのである。今日も、ロシアの政府やマスコミはよく似た話を押し売りする。ウクライナ東部でアメリカ系の工場がジカウィルスをまき散らしてロシア系住民を殺害しようとしているとか、アメリカがロシア人のDNAを採取して遺伝子兵器を作っているとか[9]、アメリカは秘密の生物兵器研究所でロシアを包囲しつつあるなどと主張する。だが、これらの馬鹿げた主張をネットに投稿したり、テレビ番組でまき散らしたりするのは、人々に信じこませるためというより人々を混乱させるためであり、視聴者の恐怖を煽って、アメリカの陰謀が周囲に張りめぐらされているような気分にさせるためなのだ。

アメリカでも公平性と客観性は攻撃にさらされている。テッド・コッペルは冷戦中アメリカでもっとも高名な報道アナウンサーのひとりで、「客観性」の権化とされてきた。一九八〇年代にメインキャスターをつとめていた「ナイトライン」では、世界各国の首脳にインタビューを行ない、「ビューポイント」では偏見と見なされるものについて視聴者が全国ネットで苦情を訴えることができた。

二〇一七年三月、コッペルはCBSの朝の番組で、右もしくは左に極度に偏っているケーブルニュース局は「アメリカにとって有害」であり、合理性、議論、民主主義を蝕んでいると非難した。コッペルは論戦から離れた立場にみずからを置き、バランスと客観性を保つことはいまでも可能であると暗に主張した。なにはともあれ、司会者に必要なのは自分を客観視できる立場に置くことだ、と。

コッペルの念頭にあったのは、FOXニュースのゴールデンタイムで司会をつとめているショーン・ハニティだった。ハニティは、ドナルド・トランプの熱烈な擁護者で、ロシア国営放送でプーチンをもちあげる司会者とおなじくらい質の悪い人物だ。

ハニティの典型的なスタイルは、答えを必要としない質問を次々と投げかけ、しだいに感情を高ぶらせ、最高潮に達したところで質問を打ち切るというものだ。たとえば、二〇一七年三月二十七日には、二分間にわたる一連の質問のなかでライバルのCBSを痛烈に批判した（CBSは報道の公平性を自負している点で、アメリカでもっともBBCに近い立場のネット局と言える)。ハニティは、CBSが主張している客観性に次々と疑問を投げかけた。CBSのニュースキャスターは、ジョージ・W・ブッシュに対する自分たちの批判的態度を一度でも疑問視したことはあったか? オバマの印象を悪くするエピソードを握りつぶしたことはなかったか? オバマと元テロリストのつながりを調査したことはあったか? 反米主義的とされる黒人解放運動理論にオバマが傾倒しているという噂は? オバマの経済政策の失敗を報道したか(ここで統計データの表が映し出されたが、一瞬で画面から消えたためすべてに目を通すことはできなかった)? 質問は続いた。CBSは、ヒラリー・クリントンが国務長官時代に私的メールサーバーを利用するにあたり犯した法律違反をもれなく発表したか? ベンガジで殺害されたアメリカ人外交官たちに関するヒラリーの嘘はすべて暴露したか? 大統領選挙に際してマスコミとクリントン陣営が結託していたことは調査したか? トランプ陣営がロシアと共謀したという「陰謀論」にはいったいどれだけ時間を浪費したか?

これだけ延々と質問を浴びせられれば、視聴者は疲れて混乱する(ハニティの告発にはまじめなものもあればいい加減なものもあり、多くに疑問の余地があった。そしてなにひとつ検証されなかった)。だが、修辞疑問をひたすら繰り返すこのパターンによって、ハニティが本当に言いたかったことは伝わった。それは「われわれは認識論的になにひとつ確かなもののない世界に生きている」というメッセージだ。

コッペルの批判に対してハニティは、コッペルはオピニオン・ショーを攻撃することで、実際には「自分の意見を述べている」にすぎないと主張した。一方自分は、みずからの主義主張を積極的に訴えるアドボカシー・ジャーナリストであることを自認しているのだから誠実である。自分は公平だというコッペルの建前こそじつは欺瞞だ、客観性の仮面はすべて主観性にすぎない、と。

バランス、公平、正確の前提が崩れたなら、あとは相手以上に「純粋」になるしかない。つまり相手よりもっと感情的で、主観的で、英雄的になるのだ。ハニティのスタジオには、キャプテン・アメリカの盾を彷彿させる、いかにもスーパーヒーローが身につけそうな星条旗模様の盾が飾られている。盾にはハニティの名前もくっきり記されている。ハニティの世界観のなかでは、FOXのヒーローは、「アメリカ国民に宣戦布告」した「オルタナ左翼－破壊－トランプ－メディア」という怪物どもをやっつけなくてはならない。ハニティの世界では敵をやっつけることのほうが事実よりはるかに重要だ。それによって、彼らの事実など眼中にないことを示せるなら、なおさら好都合だ。

ハニティがほかのメディアの失策を非難するとき、たとえば複数のテレビ局が、トランプとロシア政府の直接かつ秘密の、犯罪的な「共謀関係」を暴こうとして厖大な放送時間を浪費していると批判するとき、彼は公平であろうとか、公平性の回復に努めようとかしているわけではない。公平であること自体が不可能だと言っているのだ。

皮肉にも、ロシア政府とFOXニュースが推し進める客観性の否定は、もともとは「リベラル」の大義を擁護するもので、世間のハニティとプーナンたちは表向きはこれに反対している。「客観性は男性の主観性にほかならない」とは、女性解放運動のスローガンだった。一九六八年に起きた学生たちの抗議活動は、企業や官僚の合理性への対抗手段として感情を称揚した。

だが現在はその同じ考えをFOXとロシア政府が不当に利用している。現実が曲げたり延ばしたりできるのなら、自分たち流の現実を世に広めてなにが悪い？　感情が解放のためにあるのなら、自分たちの感情に訴えてなにがまずい？　客観性という考えが信用を失えば、これらの意見に合理的に反論する土台も消滅する。[10]

BBCやCBSが謳ってきた公平性の評判が地に落ちたいま、この論争に参入しているのがネットのファクトチェック（事実検証）機関だ。だが、彼らの前にも問題が立ちはだかっている。彼らが活動するソーシャルメディアという環境そのものが、事実より嘘のほうが早く広まる媒体なのだ。そのためハイテク企業の責任者を召喚して、嘘を常態化させていると叱責するのが儀式化してしまっている。

二〇一八年の夏、私がローマで参加したファクトチェッカーの世界年次大会がいい例だ。「この組織が、情報混乱の問題を多少なりとも改善できないなら、われわれが巻きこまれているこの無法状態を一掃できないなら、いったい誰にできるだろうか？　われわれはインターネットの未来をかけた容赦なき戦いの老いぼれ審判だ」、とアレクシオス・マンツァルリスが宣言する。彼は透明性と方法論の五原則を定めるファクトチェッカー綱領を考案した人物だ。この原則は、実際にファクトチェックを行なう資格があるのは誰で、誰に資格がないかを定めている。アレクシオスが定めた規範はローマで何度も引用された。ファクトチェッカーの候補者は一年間監視されて、五原則に従って活動しているという お墨付きをもらう。活動にとってもっとも危険なのは、原則に従わずにファクトチェックの資格があると主張する不正なメンバーだ。ローマという土地柄のせいかもしれないが、ファクトチェッカーたちにはどこか宗教がかったところがあるように思えてきた。事実が汚された世界で、彼らは事実をふたたび神聖なものにしようとしていた。

修道院の回廊を思わせる聖ステパノ学園の中庭で、私はあらゆる人たちから話を聞いた。そのなかには、有名人のゴシップの精度を監視するロサンゼルスの男性もいれば、事実が生死にかかわる人たちもいた。たとえばインドのファクトチェッカーたちは、牛を守ろうとする自警団による連続殺人を阻止する取り組みについて語った。ヒンドゥー教徒の国粋主義者たちが、閉鎖的なソーシャルメディアのグループに、イスラム教徒の肉屋がヒンドゥー教の聖なる動物を殺しているという嘘の噂を流し、それを読んだ狂信者たちが無実の食肉処理者に襲い掛かって虐殺する事件が起きていた。

フェイスブックが民族浄化を煽るために利用されているミャンマーとスリランカでは、状況はさらに深刻だった。

回廊を見まわすと、ラプラーの編集者、ウクライナ、メキシコ、西バルカン［マケドニアやモンテネグロなど、バルカン諸国のうち欧州統合過程から取り残された国々］のファクトチェッカーたちの姿が見えた。フェイスブックの代表が意見を述べようとすると、見え透いた虚偽のニュース記事がプラットフォーム上に拡散する事態を容認し、ファクトチェッカーたちに対する脅威のパイプ役を果たしているとして吊しあげられた。

お手上げなのは、この問題についてハイテク企業が懸念を表明するにせよ、ソーシャルメディアにおけるプラットフォームの設計のあり方と収益を上げるシステムが、正確、公平、公正がせいぜい二の次にしかならない環境を作り出しているという事実だった。

二〇一一年、グーグルのエンジニアで人工知能の博士号を持つギヨーム・シャスローが、ユーチューブはひたすら同じコンテンツを配信し続け、それによってひとつの見方を作り出し、強化するように設計されていること、しかもその内容が真実に基づいているとはかぎらないことを発見した。とすれば、不正確な内容の動画を一度見たら（動画はまったくでたらめな内容であることも多い）、アルゴリズムからひたすらその動画が送られてくるようになる。ユーチューブは、なにが真実かを判断したいわけではなかった。自分たちのアルゴリズムが、なにが上位に来るかを判断することを望んでいた。その結果、事実に反するコンテンツが大幅に増える可能性がある。

シャスローはこの問題を解決する方法を上司に提案した。人々にもっと多様なコンテンツを提供してはどうでしょうか？　と。すると上司に、それはこちらのねらいではないと言われた。ユーチューブの主要な関心事は、ユーチューブの視聴時間を増やすことなのだ、と。画面を見つめている時間だけで人間の欲望を測るなんて、なんてひどいやり方だろう、とシャスローは思ったという。BBCを貫いていた貴族的な公共サービスの精神《エートス》とは大違いだ。シャスローによれば、それは簡単に操作することもできるのだそうだ。大量の人を雇って特定の動画を視聴させたり、独自のテーマに関する厖大なコンテンツを制作したりする資金があれば、これらの動画を上位に上げることができる。互いにリンクするユーチューブのチャンネルを多数持つことも、コンテンツをお勧めしてもらういい方法だ。RT（ロシア連邦政府が運営する国営メディア、旧称ロシア・トゥデイ）が、あれほど多くのユーチューブチャンネルを所有しているのにはわけがある、とシャスローは主張した。

ヴェネツィア大学のウォルター・クアトロチョッキは、「偽情報時代の感情力学」[11]と名づけた研究で、フェイスブックのさまざまなグループに四年間に寄せられた五千四百万件のコメントを分析した。そして、フェイスブックのグループ内で議論が長引けば長引くほど、コメントが過激になることを発見した。「エコーチャンバーの認知パターンは両極化に向かう傾向がある」と結論にはある。これは、ソーシャルメディアの感情的構造を反映しているとクアトロチョッキは主張する。私たちは「いいね！」やリツイートによってもたらされる感情の高揚を求めてネットにアクセスする。ソーシャルメディアは、けっして満たされることのない一種の小型自己陶酔機関《ナルシシズムエンジン》だ。そのため、人はより多くの注目を集めようとして、より過激な立場を取るようになる。その際、記事が正確かどうか、ましてや公平かどうかなどはまったく問題にならない。あなたは中立な聴衆がいる公共の空間で議論に勝利しようとしているわけではない。似たような考え方の人たちからできるだけ注目を集めたいだけなのだ。「インターネットの力学はゆがみを招く」とクアトロチョッキは結論する。これは嘆かわしいループだ。ソーシャルメディアはより過激な行動を促す、その結果、人はより煽情的なコンテンツを、あるいは真っ赤な嘘を求めるようになる。「フェイクニュース」は、ソーシャルメディアの設計方法の現れなのだ。

水面下ではさらに悪質なことが進行している。冷戦中のエッセーのなかで、イーゴリは、弾圧に抵抗する方法としてできるだけ個人主義的であることを称賛した。一九七二年にソ連から国外追放されてアメリカに移住したノーベル文学賞詩人、ヨシフ・ブロツキーも、一九八四年にウィリアムズ大学の卒業記念講演でこのことをじつにうまく述べている。「悪に対するもっとも確実な防御は極端な個人主義です。思考の独自性、気まぐれ、さらに可能であれば風変わりであること。それは、偽ったり、捏造したり、模倣したりできないものなのです」と。

冷戦中、「極端な個人主義」は正確な情報を受発信するための戦い、および芸術的自己表現の自由に関連した言論の自由に結びつけられており、そのどちらも事実と「気まぐれ」を検閲する体制から弾圧されていた。そしていまソーシャルメディアは、極端な個人主義という形式に無限のフィールドを提供している。心ゆくまで自分を表現せよ！　と。だが、まさにそうしたソーシャルメディアの性質が事実の価値を蝕んでいる。

さらにもうひとつのねじれがある。この自己表現はその後データに変換される。特定の言葉が登場する頻度、投稿の回数、私たちについて語るなにかに。私たちの言動はすべて複数の勢力に送られ、私たちは自覚もないまま彼らの活動や広告の影響を受けている。ところが、真実の自分を映し出すものを探そうと期待して、複数のデータ業者の元に残された痕跡を漁ろうとすれば失望するだろう。そこには粉々になった情報の切れ端（健康に関するなにか、買い物に関するなにか）、すなわち短期的な種々の目的に応じてパターンを変え、足したり積んだりできるギザギザの線しかない。この小さなギザギザの線が私たちの衝動や習慣を表しているのであり、これを数秒間強制的に振動させれば、私たちになにかを買わせたり誰かに投票させたりできる。ソーシャルメディアというこの小型自己陶酔機関は、人類史上もっとも安直な虚栄の台座であり、もっとも効率的に人間を寸断するメカニズムでもある。

極端な個人主義は、イーゴリの初期の物語に登場したときからすでに危険を秘めていた。初期の作品を読み返しみると、印象主義的な、自分のことに取り憑かれた語り手が知らず知らずのうちに心を病んでしまうパターンがじつに多いことに気づかされる。物語の結末で、語り手たちは自分の世界から抜け出せなくなり、周囲でなにが起きているかにも気づかず、現実との接点を完全に失っていく。

◉現代がポスト・ファクトである理由

ソーシャルメディアというテクノロジーは、すべての情報は戦争と不可分であり、公平であることは不可能であるという世界観とあいまって、事実の神聖性を蝕んでいる。だが、この問題について考えれば考えるほど、そもそも、疑問の立て方が間違っていたのではないかという気がしてきた。なぜ事実は無意味になってしまったのか？　と問うのではなく、そもそもなぜ事実に意味があったのか？

と問うべきではないのか。そして、冷戦時代の二大国でこれほどよく似た現象が起きているのはなぜなのか？　結局のところ、事実はつねになにより愉快なものとはかぎらない。スターン先生のおかげで私の目が覚めたように、事実は、自分たちが置かれた状況、限界、失敗、そして、究極的には人が死すべき存在であることを思い出させるものだ。一方、それらの重みを放り投げて、辛気臭い現実にざまあみろと言ってやることにはある種の子供じみたよろこびがある。プーチンやトランプが与えるよろこびとは、現実が突きつける束縛からの解放にほかならない。

だが、事実は不愉快だとしても役に立つ。人間には事実が必要だ。とくに現実の世界でなにかを構築しようというときには。たとえば、橋を建設しようというとき、ポスト真実《トゥルース》の時間は存在しない。自分がなにを建設しようとしているのか、それがどう役に立つか、なぜ崩れないのかを示すには事実が必要だ。政治においては、進歩というなんらかの合理的な考えを自分が追及していることを証明するときに事実が必要になる。これがわれわれの目標です。われわれが目標を達成しつつあることをこのように証明します、これはあなた方の生活をこのように改善します、と。つまり、証拠に基づいた未来という考え方があればこそ、事実が必要になる。

冷戦中、ふたつの陣営は互いにどちらのシステムが——民主主義的資本主義か、はたまた共産主義か——より薔薇色の未来を全人類に届けるかという議論に端を発するものに取り組んでいた。そのときは証拠の提出が、薔薇色の未来に近づきつつあることを証明する唯一の手段だった。共産主義には邪悪で残酷な面が多々あったとはいえ、それは究極の科学的啓蒙事業であるはずだった。共産主義国で暮らす人たちはそんなものはインチキだと知っていたが、その事業は、マルクス・レーニン主義理論に基づくソ連の経済成長計画と結びつけられ、歴史的発展の客観的法則は、理論が主張するとおりに展開していると言われていた。であるなら、ソ連の言うことがいかにでたらめかを暴露し、正確な情報を放送し、ソ連の指導者たちに事実を突きつければ、彼らにぼろを出させることもできた。

冷戦が終結して、ひとつの政治理念、ひとつの未来の展望だけが残された。自由市場、移動の自由、言論の自由、政治的自由、すなわち「自由」の勝利によって勢いを得たグローバル化の展望だ。民主主義国では依然として各政党が、自分たちのほうがライバルよりグローバル化のプロセスをうまく管理できることを証明しなければならなかったが、それは新たな思想どうしの戦いというより技術的課題に近かった。

その未来の展望が幾度となく崩壊したことを私たちは知っている。

「不朽の自由作戦」と名づけられたイラク侵攻は、政治的自由が歴史的必然であるという考えを台無しにした。バグダードでサダム・フセインの銅像が解体される光景は、東欧諸国でレーニンの銅像が倒されたときのことを彷彿させた。テレビや写真の映像は、このふたつの出来事が歴史的等価物であり、これらの映像をつなぎあわせるとひとつの偉大な物語になることを示唆しているかに思えた。ヴァーツラフ・ハヴェルをはじめ大冷戦時代の反体制派たちは、独裁体制に対する自分たちの戦いを再現するものだと言って[12]この戦争を支持した。戦争を遂行した人々はソ連に対する戦いを引きあいに出して、これは歴史的プロセスの一段階だと断言した。

二〇〇三年、当時大統領だったジョージ・W・ブッシュは、「ソ連の独裁体制が消滅したその日に、自由は止めようのない勢いを手に入れたとレーガン大統領は語った」と述べ、「イラクの民主主義は成功するだろう。その成功は、自由はすべての国の未来になりえるという知らせをダマスカスからテヘランへ伝えるだろう[13]」と宣言した。

だが、イラク侵攻がもたらしたのは、自由と繁栄ではなく内戦と数十万の死者だった。東ベルリンで力強い意味に満ちていた言葉と映像は、バグダードで意味を失った。

だが、私たちはその時点ではまだ未来という考えが存在する世界に生きていた。人類史上未曽有の規模と深さで進行するグローバル化のなかで、少なくとも経済には未来があると考えられていた。そしてリーマン・ショックに端を発する二〇〇八年の世界金融危機が起きた。自由市場が貧困からの自由をもたらすという考えが突然滑稽に思えた。手厚く管理されているヨーロッパの市場は、大規模な経済ショックから守られているという夢は打ち砕かれた。こうして多くの人が、冷戦時代に作られた古い概念のなかで最後まで残っていた人類共通の未来という考えを捨てた。メキシコシティやマニラなど、ヨーロッパ以外の場所では、こんな考えはとっくの昔に消滅していたのだろう。古くなった石鹸が粉々になって、水に溶けて消えてしまうように。

それでは未来が存在しないなら、あなたが未来に近づきつつあることを証明するために事実は存在するのだから、そんな事実になんの価値があるだろう? 子供たちは自分たちより貧しくなる、どんなものであれ未来に希望はない、そんなことを告げる事実を人は欲するだろうか? マスコミ、学者、シンクタンク、政治家といった事実の提供者の言葉を信用しなければならない理由があるだろうか?

こうして、事実を派手に否定してみせたり、意味のない言葉を吐き出すよろこびを正当化したりする政治家、論理的一貫性や辛気臭い現実に背を向けて無秩序な解放感に思いのまま浸る政治家が魅力的になる。かなりの数にのぼるアメリカ人が、論理的整合性を軽視し、矛盾する発言をいくらかき集めたところで筋の通った意見にはならないドナルド・トランプのような人物に票を投じたのは、多くの有権者が、この先さらに大きな証拠に基づく未来が待っているわけではないと感じたからということともあるだろう。それどころか、トランプに一貫性がないことこそよろこばしいのだ。自分がどんなにいかれたことを感じていようと、今や吐き出してかまわなくなった。馬鹿げたことを吐き出すよろこびを正当化してくれる——それこそがトランプが与えるよろこびであり、まったく意味のない純粋な感情（怒りであることが多い）のよろこびだ。そして現在非常に多くの為政者が懐古主義者《ノスタルジスト》でもあるのは偶然ではない。プーチンのネット・トロール軍団は、ロシア帝国とソヴィエト連邦復興の夢を売り物にする。トランプは「アメリカをふたたび偉大な国に」とツイートする。ポーランドとハンガリーのメディアは、失われた自分たちの帝国を嘆いてみせる。

「二十世紀はユートピアで幕を開け、郷愁《ノスタルジー》で幕を閉じた。二十一世紀は新しさの追求ではなく郷愁の拡散の時代と言えよう」と記したのは、ソ連からアメリカに亡命した比較文学者の故スヴェトラーナ・ボイムである。ボイムは郷愁を、合理的に並べられた時間という制約からの逃避の手段と見なしてふたつのタイプを対比する。ひとつはボイムが「反省の郷愁」と呼ぶ健全なもの。これが注目するのは、個人的な、えてして皮肉な物語で、過去、現在、未来の違いを語ることを試みる。もうひとつは、ボイムが「復興の郷愁」と呼ぶ有害なもので、こちらは、失われた母国を「偏執的決意」で再建することをもくろみ、「真実と伝統」を装い、壮大なシンボルに執着して「感情的な絆に対する批判的な考えを放棄する……反省のない郷愁は怪物を育みかねない[14]」としている。

現在、「復興の郷愁」が、モスクワ、ブダペスト、ワシントンDCを席巻している。これらの幻想に、すなわち捏造された過去にしがみつく人たちがなにより遠ざけておきたいものが事実だ。だが、欧米でこの傾向が風変わりな政治のなかに表れているとするなら、ほかの場所ではさらに悲惨なことになっている。

◉アレッポで

アサド政権が放ったロケット弾が、砲弾が、爆弾が東アレッポに降り注ぐ。ハリド・ハティーブはカメラをつかむと、自分の街が破壊されるようすを記録しに行く。人々が振り向いて抗議の声をあげる。「私たちを撮影するなんて恥ずかしくないのか？　私たちの涙を見たいのか？　私たちはなにもかも失ったんだぞ」、と。

ハリドは、自分はみんなを助けるためにここに来たのだと説明しようとする。罪のない人々が標的にされていることを世界中の人が知れば、手をこまねいているわけにはいくまい。なんといったって規則が、法律があるのだ。こんなふうに民間人を、子供や老人を爆撃して許されるわけがない。

数十人の若者たちが、男女を問わず昼夜街中を駆けまわって被害のようすを動画に撮影し、彼らがアレッポ・メディアセンターと呼ぶ場所でアップロードする。そのなかにはベイルートに行って人道組織による撮影訓練を受けてきた者たちもいる。犯罪を記録するんだ、そうすれば残虐行為を阻止するのに役立つ、彼らはそう言われてきた。若者たちは今や「市民ジャーナリスト」であり「メディア活動家」だ。アサド政権のヘリコプターが街の上空を旋回し、ホバリングしながら石油ドラム缶を、燃料タンクを、爆発物と金属片が詰まったガスボンベを投下する。地上にいる動画撮影者たちには手も足も出ない。だが、この街でなにが起きているかを記録することならできる。そうすれば、自分たちはヘリコプターよりもっと強大で強力ななにかとつながれる。彼らはそう感じ、期待していた。

二〇一一年、シリアの複数の都市が四十年間続いたアサド家の独裁体制に反旗を翻した。アラブの春がシリアまで波及したのだ。抗議活動のきっかけは、高校の壁に「アサド反対」のスローガンを落書きした十代の若者たちを政府が拷問したことだった。[15] 若者たちの行為は、政府の馬鹿げたスローガンを、信じるか否かにかかわらず国民に公共の場で復唱させることを権力の基盤としてきたシステムの下では政府転覆活動だった。「この服従が国民に共犯関係を結ばせ、独裁政権下で彼らは互いに協力して自主的に反政府活動を行なうようになった」[16]と、政治学者のリサ・ウェディーンは、シリア政権に関する研究論文のなかで述べている。その言葉は私に、末期共産主義に関するハヴェルの解釈を思い出させた。二〇一一年に起きた最初のデモ活動に参加したシリア人に話を聞くと、多くの者が、アサドに対する本音をようやく公の場で話したり、叫んだり、歌ったりできたときの高揚感について語った。

アサドの返答は、爆弾、ロケット弾、狙撃兵、化学兵器、これまで以上に多くの処刑と拷問だった。二〇一二年に反体制派が東アレッポを占拠すると、政府による爆撃がはじまった。百万の住民が避難した。[17] 十六歳だったハリドは有意義なことがしたい、アレッポでなにが起きているかを世界に知らせたいと思った。

攻撃のあと、真っ先に現場に駆けつけた救助隊が、瓦礫の下から犠牲者を引っ張り出した。元教師のアマール・アル＝セルモ率いる救助隊の隊員たちは、現場に到着するとまわりにいる全員に静かにしているように頼み、石の下から聞こえてくるすすり泣きの音を頼りに掘りはじめる。隊員たちは、タクシーの運転手、パン屋、小学校の教員など、救助活動の経験のない者が多かった。イギリス、オランダ、アメリカ政府から資金やブルドーザーが送られてきたり、訓練が受けられたりするようになったのは二〇一三年以降だ。彼らはそのトレードマークにちなんでホワイトヘルメットと呼ばれるようになった。ハリドは彼らの任務を記録しはじめた。

樽爆弾の攻撃で数軒の家がいっぺんに倒壊したあとの最初の救助活動を、ハリドは連日撮影した。撮影するときはすべての細部にピントを合わせなくてはいけない。そして長時間細部に集中し続けるために、対象が脳裏に焼きつき、世界はクローブアップの連続として記憶される。ちぎれた手、悲鳴、吹き飛ばされた腕や脚、涙、一面の土埃、さらに多くの埃、さらに多くの手、瓦礫。最初の救助活動のあいだ、ハリドはばらばらになった人の体の夢ばかり見るようになった。メディアセンターで動画をアップロードして、もう二度と動画の撮影はしないと心に誓った。それからソーシャルメディアをチェックすると、投稿がまたたく間に拡散されていた。自分の努力にはそれだけの価値があったのだ、とハリドは気づいた。

最初、動画を撮影していることは両親には内緒だった。危ないと止められるに決まっていると思ったのだ。だが、あるとき爆撃に巻きこまれかけて、埃まみれになって帰宅したときはもう隠しきれなかった。父親は最初は激怒した。だがしばらくしてハリドが、瓦礫の下からどうやって人々を救助するかとか、自分の動画が国際的なテレビ局で取り上げられて、アレッポと世界中の人々を結んでいるのだと説明すると、父親の怒りは和らいだ。破壊された家屋から子供たちが奇跡的に救出される動画はとくに人気だった（救出できない子供のほうが多かったが、こちらはそれほど拡散するとはかぎらなかった）。

アレッポでのハリドの生活は音に導かれていた。ひゅーっと空を切る音がして、一瞬音が止んでから、なにかがゴロゴロ転がりながら爆発音が大きくなっていったら樽爆弾。パリパリというエンジン音が聞こえたらロケット弾だ。二〇一四年のＦＩＦＡワールドカップ決勝戦をテレビで観戦しているときも、それらの音が背後で聞こえていた。ハリドはドイツを応援していた。メスト・エジルというお気に入りの選手がペナルティエリアにそっと入ったとき、ひゅーっという音とパリパリという音が同時に聞こえてきて、ハリドは被害状況を撮影するために飛び出した。「二重トラップ」にはつねに用心が必要だ。ヘリコプターは爆弾をひとつ落とすと、市民が集まってくるのを見計らってさらにもう一発投下する。

ハリドがカメラを取り出すが早いか、生き残った市民たちが次々と駆け寄り、カメラのレンズに顔を近づけて叫び出す。「なぜやつらは俺たちを爆撃する？　ここには兵士はいないんだぞ」と訴える者、正義を要求する者、反体制派に与した隣人が悪いと言う者。「俺じゃなくて、やつのために作った爆弾だろう！」、と。

ハリドは大量殺戮の光景に慣れた。動画の撮影は周囲のすべてに秩序をもたらすひとつの手段だった。最初の頃、撮影した動画はほとんどがピンボケだった。まわりの動きを追いかけようとして、カメラを振りまわしすぎてしまった。必要なのは、周囲の状況を頭に入れてから撮影する対象を選ぶことなのだ。はじめに現実を個々のショットに分解して、それらをつなぎあわせるとひとつの物語が浮かび上がる。瓦礫に埋もれた遺体、地面にぽっかり開いた爆弾の痕、おもちゃや衣服の残骸、崩れ落ちた壁にかかる写真――すべての細部が、市民たちが爆撃された証《あかし》になるだろう。破壊された建物から舞いあがる土埃のせいでレンズが曇り、カメラの調子が悪くなるのでいつも難儀した。

二〇一五年、ロシアがバッシャール・アル＝アサドに味方して軍事介入した。かつてソ連はハーフィズ・アル＝アサドを支援していた。今度はロシアが、彼の息子に救いの手を差し伸べようというわけだった。冷戦の終結以来、ロシアが国際政治の大舞台に復帰するのはこれが初めてだった。ロシアでは、プーチンはとてつもない男で彼の統治以外の選択肢はありえないというイメージを統治の土台としていた。今やプーチンは、ロシア国内だけでなく中東でも自分が最高権力者であることを示そうとしていた。ロシアが軍事介入したとき、アサドの支配地域はシリアの二十パーセントにすぎなかった。ロシアは公式には、軍事介入の目的はイスラム教徒のテロリスト打倒の支援だと言っていたが、ロシア空軍は方針を一転して、反政府勢力の打倒、そのなかでもとくにアレッポを粉砕することを決めた。

二〇一六年四月、包囲攻撃が激しさを増した。[10] 東アレッポに供給物資が届かなくなり、パン屋も市場も学校も樽爆弾に破壊された。二〇一六年の一年間に投下された樽爆弾の数は四千を超える。[19] ホワイトヘルメットの活動もいよいよ過酷になった。ある朝、彼らは瓦礫と化した家屋からひとりの男を救出してアル＝バヤン病院に入院させた。その後、病院の近くに爆弾が落とされたので、患者たちは避難した。男は郊外に連れていかれたが、夕方にはそこも爆撃された。その日の朝、男を救出した救助隊員たちが、ふたたび彼を救うためにやってきた。男は救助者たちに向かって、失せろ、おまえたちは災厄しか運んでこないと荒々しい声を上げた。男は朝の爆撃で妻と子供を亡くしていた。

二〇一六年の夏、欧州サッカー選手権大会が開催される頃には、ハリドはあまりに忙しくて、エジルがなにをしているのかさえ気にならなかった。反体制派の意志をくじくために病院が標的にされ、医師たちは薄暗い地下室で手術しなければならなかった。五万人の市民がアレッポを見捨てた。

人々はしだいにハリドに罵声を浴びせなくなった。彼らはただため息をついて、動画なんか撮影していったいなにになる？　と尋ねた。

メアリ・アナ・マクグラッソンはスターバックスにいた。メアリ・アナはアメリカ人の看護師で、ガズィアンテプというトルコ国境付近の町を拠点に、シリアに人道的医療援助を行なっていた。人口百万人ほどのガズィアンテプに五十万人のシリア人が難民としてやってきていた。これまで五年間、最初はレリーフ・インターナショナルに、その後は国境なき医師団に所属して、メアリ・アナは病院の建設に尽力してきた（それらの病院は後日また破壊された）。半年分の医療用品をアレッポに運びこむことに成功したばかりだったが、それだけでは足りなくなることがすでにわかっていた。スターバックスにいるあいだ、アレッポにいる医師たちからリアルタイムのメールやワッツアップのメッセージが続々と届いた。

「爆撃が再開された……われわれは地下室で手術している……発電機がだめになった。携帯電話の光を頼りに手術している」

人道的支援組織の職員として、メアリ・アナは中立であることを求められた。病院を建設し、物資を届け、死者数と戦争犯罪を報告する。メアリ・アナは、システムを備えた制度や理想、説明責任の存在をあてにしていた。必要な証拠を自分が提出すればなんらかの行動が取られるものと信じていた。

二〇一五年にロシアが爆撃を開始すると、メアリ・アナとそのほかの人道組織に所属する数十人は、攻撃の標的はロシアの主張と異なり、過激派組織「イスラム国」（ＩＳＩＳ）の支配地域ではなく、ほかでもないアレッポであることを示す大量の報告書をまとめた。そのときもまだメアリ・アナは、証拠の重さにはなんらかの意味があると信じていた。アメリカ連邦議会の議員や国連の代表に宛てて手紙も書いた。軍事介入はおろか安全地帯の設置さえ、とっくの昔にあきらめてはいたが。ロシアは爆撃を開始してしまったが、少なくともさらなる制裁が科され、激しい非難の声があがり、土壇場で交渉が行なわれた……あるいはそれ以上に重要なことだが、数百万人が街頭で抗議の声をあげた。だがそれはごく一部の声だった。国中の人々が憤慨しないかぎり政治家は腰を上げないことをメアリ・

アナは知っていた。一国の政府が自国民に毒ガスを浴びせることは問題でないのか？　さっと肩をすくめて、おしまいなのだろうか？

アレッポからワッツアップのメッセージがひっきりなしに届いた。「ガーゼと包帯が切れた。爆撃が近づいている」

シリア人たちの思いに応えようとメアリ・アナは必死だった。彼らは何度となくメアリ・アナの元に足を運び、彼女になんらかの影響力があると信じて、証拠をおさめたハード・ドライブをその手に託し続けた。私たちは樽爆弾で、サリンガスで、ロシアのスホイ戦闘機のロケット弾で殺されました。けれども、たったいま私たちを死に追いやっているのは沈黙です。そして、二〇一六年五月に希望の光が見えた。ロシア連邦の代表を含む国連安全保障理事会によって、医療従事者および医療施設への攻撃を強く非難する国連安保理決議第二千二百八十六号が採択された。自分たちが報告書を書き続けてきたことはまったくの無駄ではなかったのかもしれない、ふいにそんな気がしてきた。

決議は五月三日に採択された[20]。だがその翌月から、シリアの医療施設への攻撃は八十九パーセント増加した。七月から十二月にかけて攻撃は百七十二回に達した。二十九時間ごとに一か所の医療施設が破壊された計算になる[21]。

アレッポにいる医療関係者のメッセージが携帯電話の画面に映し出された。「今日は小児病院が戦闘機の標的になった。死傷者多数」

アレッポの陥落が避けられなくなると、メアリ・アナはシリア人の従業員たちから月給の前払いを頼まれるようになった。それがなにを意味するか、メアリ・アナにはわかった。シリア人たちは故郷に帰るいっさいの望みを捨て、あらゆる危険を承知で船で地中海を横断してギリシャへ、さらにそこからバルカン半島を踏破して西ヨーロッパへ行くつもりなのだ。旅の値段は千差万別で、一万ドルあれば密航業者に豪華なヨットでペロポネソス半島の快適なビーチに運んでもらえた。二、三百ドルならすし詰めのゴムボートに乗るよりほかなかった。

メアリ・アナがガズィアンテプで知りあったシリア人たちはこれまでずっと、自分たちはいずれ故郷に帰るのだと信じてきた。ある医師は、ガズィアンテプにいるにもかかわらず、アレッポのアパートメントの鍵をポケットに入れて持ち歩いていた——故郷を離れて数年になるが、そのときが来たらいつでもすぐに帰れるように。ほかの難民たちはガズィアンテプでみじめな生活を送っていた。中産階級の家族が、空っぽの輸送コンテナに身を潜め、地元の工場用に靴の革を切ってどうにか生計を立てていた。だが、国境の町から身動きできないにせよ、それでも彼らは故郷を離れているのは一時的なことなのだと希望を抱いていた。だが、今回の最後の爆撃で、故郷に対して抱いていたすべての望みを彼らはあきらめようとしていた。

二〇一五年から、テレビのニュースで、難民を乗せた船が転覆した、あるいはギリシャの島々の浜辺で日光浴を楽しむ観光客の隣に水で膨れあがった幼児の遺体が漂着したというニュースが続々と報道されるようになった。すると難民の家族は、家族のなかでもっとも屈強な息子を、あり金をすべてはたいてできるだけ最高の船に乗せ、移動のもっとも重要なナビゲーション・ツールである携帯電話で武装させて送り出すようになった。

メアリ・アナがアリゾナに住む両親にこの話をすると、両親は、なぜこの若者たちは戦わないのかと尋ねた。なんのための携帯電話か? 彼らは全員テロリストではないのか? メアリ・アナの両親は敬虔なキリスト教徒でＦＯＸニュースを観ていた。両親が娘の身を案じ、娘の仕事に共感を寄せる一方、テレビの報道を観て葛藤しているのがわかった。祖国を捨てた難民集団がヨーロッパを徒歩で横断する写真が、外国人に蹂躙されるという恐怖を煽るために利用されていた。イギリスのEU離脱を唱道するポスターには「限界点」という文字が大書されていた。

九月二十三日、ロシアとシリアの空軍は地上戦に備えて東アレッポを四十回空爆した。[22] 翌月は連日昼夜を問わず、平均一時間に一回の空爆があった。[23] 市内全域が炎に包まれた。シリアに派遣された国連特使は、焼夷弾が「作り出す火の玉がぎらぎらと輝き、漆黒の闇に包まれたアレッポを真昼のように明るく照らし出している」と記した。[24] 反体制派も包囲を破ろうとして、政府に掌握された西アレッポを無差別に砲撃した。十月には七十四人の市民が犠牲になった、とシリア人権監視団は記録している。[25]

メアリ・アナは人道に反する罪を列挙する報告書を書き続けた。だがこれらの事実にはもはやなんの力もないようだった。テレビでドナルド・トランプとヒラリー・クリントンが討論していた。トランプは、壁を建設したい、アメリカにやってくるイスラム教徒を阻止したい、イスラム教徒はテロリストだと言って、自分の話に都合がいいようにでたらめな数字を並べた。アメリカには現在不法移民が三千万人いる。クリントンはさらに六億五千万人受け入れようとしていると主張した。[26] トランプが大統領になるとは誰ひとりまじめに考えていなかったが、メアリ・アナの意見は違った。アリゾナでは多くの人がトランプに投票するだろう。事実がアレッポで意味がないなら、なぜアメリカで意味を持つ?

当時アメリカ大統領だったバラク・オバマは、歴史には「正しい側」と「悪い側」があるとよく言っていた（そして「悪い側」にいるとしてロシアを非難していた）。まるで冷戦時代の指導者のように、歴史は未来へと「弧」を描くという言葉を引用した。[27] だが、そんな高尚な言葉はアレッポでは無意味なようだった。樽爆弾に攻撃されて歴史は行き場を失った。十一月にかけて包囲攻撃はいよいよ激しさを増した。アメリカに新たな大統領が誕生する前に、ロシアはなんとしても決着をつけてしまいたいようだった。学校、孤児院、病院が地下に移された。本来軍事施設を破壊するために用いられるはずの地中貫通爆弾《バンカーバスター》が、地下に潜った民間人を狙って発射された。[28]

「死傷者二十七名」メアリ・アナの携帯電話にメッセージが表示された。「そのうち約半数は子供たちだ。ここに写真がある……どうかみんなに伝えて」

アメリカの大統領選挙が行なわれた十一月八日の夜、メアリ・アナはワシントンDCにいて、国会議事堂の近くのバーで開票結果を見ていた。誰もがクリントンが勝利するものと思っていた。最初の州をトランプが立て続けに獲得した瞬間、メアリ・アナにはトランプが勝利するとわかった。共和党の選挙運動部長のふたりはすでに喜色満面で、彼女のそばに来て、バーで一番取り乱しているように見えるぞと言った。メアリ・アナは店を出て、ホテルに戻るためにタクシーを拾った。後部座席でさめざめと泣いていると、タクシーの運転手が慰めようと声をかけてくれた。心配するな、きっと大丈夫だよ、と。彼の言葉には中東訛りがあった。どちらの出身ですかと尋ねると、アフガニスタンだという。入国審査書類は持っていますか？　という問いかけに、運転手は「いいや」と答えた。

私が泣いているのは自分のためじゃない、これはあなたのための涙なのだ、とメアリ・アナは言った。じきにイスラム教徒と彼らの入国を禁止する法令が制定されるだろう。それを転機に移民は望ましくないもの、移民という制度は邪悪なものと見なされるようになるだろう。

アレッポとアメリカ大統領選挙は、なにかが崩壊したことを異なる形で表現しているように思えた。

すでにここでは、メアリ・アナがこれまで取り組んできた証拠に基づく規則や人道主義的規範のすべてが空洞化してしまっていた。そして今後この世界で真っ先に犠牲になるのは、目の前にいるタクシーの運転手だろう。

二〇一六年十二月、アレッポは陥落した。メアリ・アナは街からの最終撤退の準備を手伝った。シリアの人権侵害証拠収集センターは、二〇一二年から一六年にかけてアレッポで三万人が殺害されたとしている。大多数は反体制派が支配する地域で殺された。[29] 七十パーセント以上が民間人だったという。シリア人権ネットワークは（同団体は、シリア政府が提出した報告書の死亡者数は少なすぎると主張している）、内戦における民間人の死亡者数は二十万七千人、そのうち九十四パーセントがシリア政府およびロシア軍によって殺されたとしている。[30] シリア内戦に百パーセント信頼できる数字は存在しない。二〇一四年、国連は死傷者数を数えるのを断念し、内戦全体の犠牲者数はおよそ四十万人と発表した。[31]

反体制派が街からの脱出路を確保することに成功した八月、ハリドはアレッポを脱出した。鞄に撮りためたビデオを詰めこんで（すでにその多くはトルコに持ち出されていた）。ハリドがアレッポで撮影した映像の一部は、ホワイトヘルメットの活動を紹介する短編ドキュメンタリー映画に採用され、映画は二〇一七年にアカデミー賞を受賞した。[32] ハリドはロサンゼルスの授賞式に参加したが、その話になるとやや口がかたくなった。自分の映像をこれほど多くの人に観てもらえたのは嬉しいが、死者や街が破壊されるようすを撮影したのは、ハリウッドのパーティに出席するためじゃないんだ、と。

私はイスタンブールとアムステルダムでハリドに会った。本書の内容はそのときのインタビューに基づいている。ハリドはそのとき二十一歳で、シリアにわずかながら残っている、アサド政権にもイスラム過激派にも支配されていない地域の映画を撮りたいと言っていた。事実はアレッポを救ってはくれなかった。そこでいまでは物語を語るほうが有効ではないかと考えている。絶え間ない爆撃に、あるいは偽情報の洪水にさらされて、現在残っているものまで消えてしまわないうちに故郷をカメラにおさめておきたいのだ、と。「彼らは、僕らが全員テロリストだと言おうとしているんだ。シリア人が本当はどういうものか、世界に伝える必要がある」

最初、メアリ・アナは偽情報をそれほど深刻に受け止めていなかった。しばらくして以前よりくわしく調べるようになると、世の中が偽情報であふれていることに気づいた。ユーチューブでホワイトヘルメットを検索すると、ホワイトヘルメットはじつはテロリストだったとか、隊員は役者ですべては演技だったとか、秘密情報部による心理作戦だったとか、じつはまったく存在していなかったなどと主張する記事が山のようにあることがわかる。メアリ・アナは、シリアで起きている出来事について、真実を構築しようと必死で取り組んできた。[33] ホワイトヘルメットに対する攻撃は、この国で起きたことに関する事実をきれいさっぱり消去しようとするもっと大きな取り組みの一部にすぎないのではないか、とメアリ・アナは危惧している。

だがここで彼女は、シリアの虐殺が内包する大きな矛盾に遭遇した。過去に行なわれた人道に反する罪の事例をくわしく調べるうち、どんな場合についても、そこでなにが行なわれていたか世間は気づいていなかったという言い訳が存在することにメアリ・アナは気づいた。ホロコーストは「第二次世界大戦中のナチスによるユダヤ人の大量虐殺」？　私たちは知りませんでした（あるいは知らないふりをした）。セルビア人によるスレブレニツァのボシュニャク人の虐殺は「一九九五年、ボスニア・ヘルツェゴビナ紛争中に発生したムスリム系ボスニア人の大量虐殺事件」？　あっという間の出来事で対処のしようがありませんでした。ルワンダ虐殺［一九九四年の出来事。フツ族の過激派がツチ族と穏健派のフツ族を虐殺した。三か月で八十〜百万人が虐殺されたと言われる］は？　政治家たちは、それがどの程度の規模だったか自分たちは知らなかったと主張した。そして現在はどうだろう？　今や最初から最後まで誰もがすべてを知っている。大量の動画と写真、目撃者の証言、科学的分析、ショートメッセージ、添付ファイルの画像、戦争犯罪が行なわれていることを示すテラバイト単位のデータが存在する。ネットを使ってリアルタイムで情報交換することもできる。すべてがソーシャルメディア上に流されみんなが見ることができる。それにもかかわらず、人々の反応は膨大な証拠の量に反比例している。だが、あらゆる人がすべてを知りそれでもなにもしないなら、現実の出来事に関する真実が、メアリ・アナが好んで言う「歴史の精神」と噛みあわないなら、いったいどうなるだろう？　誰もが大量殺人を犯すことができて、それでかまわないとされてしまうのだろうか？　既存の規範が適用されないブラックホールに地球は切り裂かれてしまったのだろうか？

規模の大小を問わず、あらゆる種類のブラックホールがそこかしこに口を開けているようだ。「たぶん世界が悪いんだろう、世界は危険な場所なのだから」。二〇一八年の終わり、同盟国サウジアラビアの皇太子が、トルコのサウジアラビア領事館内でジャーナリストを殺害するように命じたことを示す山のような証拠を突きつけられて、アメリカ大統領はこう言い返した。大統領の言葉は、どれほど大量の証拠も説明責任にはつながらないという態度を要約している。[34] そして中東で、あらゆる種類の軍事勢力によって（サウジ軍、アメリカが主導する有志連合、イラク軍、イスラエル軍、イラン軍）[35][36] 民間人が虐殺されるのを見るとき、ミャンマーやスリランカで、ソーシャルメディアが煽る民族浄化や集団暴行事件を見るとき[37]（ソーシャルメディアがけしかけるこれらの事件の一部始終はインターネットで見ることができる)、メアリ・アナがもっともおそれていたことが現実になりつつあると感じざるをえない。そして偽情報は、罪悪感を免れるために私たちが利用する言い訳にすぎないのではないだろうか?「私たちがなにもしなかったのは『ボットファームに混乱させられたからなのです』」、と。

一方、ホワイトヘルメットが記録した二十二テラバイトの動画は、ヨーロッパのいたる場所にひそかに保管されている。それ以外にもシリア・アーカイブに六十テラバイトの動画、ツイート、フェイスブックの投稿記事が保管されている。国際正義説明員会が収集した、シリア当局と犯罪を関連づける八十万枚の書類、三千を超す目撃者の供述もある[38]。

有史はじまって以来、人類が、拷問、大量殺人、戦争犯罪に関するこれほど大量の記録を手にしたことはない。そしてこれらの記録は事実に意味が与えられる日が来るのをじっとそこで待っている。

第5章

ポップアップ・ピープル

「失礼——あなた、イギリス人？」

「自分ではイギリス人だと思う？　それともロシア人？」

子供時代、そんな問いをたえず浴びせられた。質問の主は同級生の好奇心旺盛な親たち。週末が来るたび、私は彼らが運転する車に乗せてもらってロンドン郊外の田舎屋敷を訪問した。屋敷はいとこやはとこ、無限に登場するおじさん、大おばさんでいっぱいだった。彼らはどっしりとその土地に根を下ろしていて、根無し草のようなわれわれ家族とは大違いだった。他人の車の後部座席で長時間過ごすあいだ、私は畑と畑の境界をひたと見つめ続けた。生け垣の土地の区切り方は規則性がないようでいて、全体としてはどこか一貫性があった。畑さえ、とても複雑で紋切り型の、そのため口を挟むなんてとても無作法でできないように思える質問の一部であるかのように感じられた。当時イギリス人は、階級、訛り、出身校、現住所、出身地、支持政党、応援するスポーツ・チームで非常に厳格に定義されていたので、私のような移民がどこにあてはまるのかなどわかるはずもなかった。

私は移民の子として最初にいくつかのことを学んだが、そのひとつが、一足飛びに「イギリス人」

になれるものじゃないということだった。ひょっとするとアメリカ人にならなれるかもしれない。だが、性急にイギリス人になろうとすること自体、まったくイギリス人らしからぬ行為だろう。そして違いを尊重するのがイギリス人だった。

「あなたの英語は完璧だから、誰もあなたがロシア人とは思わないでしょうね」そう言われるたびに自分の英語は不自然なのかな、と思った。だが、どうすればいい？ ロシア人ふうに訛ってみせれば、より本物になれるのか？

さらにややこしいことに、「ロシア出身です」と単純に答えることもできなかった。両親がロシア語を話していたとはいえ、なにせ私はウクライナ生まれなのだ。それなら私はなにになる？ ソ連人か？ ロシアとウクライナは、家の台所の壁に貼ってある地図の中の巨大な染みだった。その染みは、ソヴィエト社会主義連邦共和国というさらに大きな染みの一部だった。地図のそこかしこにコーヒーやワインがはねた痕があった。自分が読んだ本のなかでしか住むことのできない領土。ならばそこが、本が私の故郷なのだろうか？

私がイギリスと一体感を感じられる唯一の場所がマスメディアだった。テレビやラジオを通じて、私は自分の意識と感情をこの国に同調させることができた。それはびっくりするくらい親密な関係だったかもしれない。一九八〇年代にイーゴリの物語が翻訳されて、BBCラジオで放送されるようになった。そのなかのひとつが「フォークナーを読む」で、イギリス人俳優による朗読だったため、チェルノヴィッツがサフォークの近くのどこかであるかのような気分になった。

「チェルニフツィをいまひとたび記述するために、もう一度試してみよう」

「僕の幼年時代はブドウと青葉とキャラウェイの匂いがした。おじいさんたちに用心深く見守られながら日々が過ぎていった（あとでわかったのだが、本当のおじいさんはひとりだけで、あとはみなおじいさんの兄弟だった）。幼年時代の冬はまったく記憶にない。それは永遠の七月。膨らみを増していくリンゴの果実から流れ出す大気が心地よく肌を刺激し、めまいを起こさせる……」

一九八八年にイーゴリはBBCワールドサービスから、共産圏向けに放送を行なうアメリカのラジオ局、ラジオ・フリー・ヨーロッパ（RFE）のロンドン支局に移籍した。ラジオ・フリー・ヨーロッパは、一九四九年にアメリカの冷戦戦略家たちによって、「心理戦の領域における市民の冒険」と称するものの一環として設立された。[1] それは、第二次世界大戦後ソ連に支配されるようになった国々の亡命者たちに、現政権と異なる政治的展望を発言する機会を与えることを目的としていた。一九五三年にはラジオ・リバティが加わり、ソ連本国に向けた放送をはじめた。BBCではイギリス人編集者が放送内容をすべて管理していたのに対し、こちらは亡命者により大きな権限が与えられていた。そのため最初の数年は混乱や惨事を招くことにもなった。ソ連の支配に対して市民が蜂起した一九五六年のハンガリー動乱の最中には、ハンガリー人口の約半数がラジオ・フリー・ハンガリーに耳を傾けた。するとハンガリー人の司会者が自由の闘士たちに戦術上の助言をはじめて、西側の軍事支援が向かっているなどとほのめかした。支援が到着しなかったとき、ハンガリーの反体制派はこっぴどく裏切られたと感じた。

イーゴリが移籍するだいぶ前にこうした向こう見ずな冒険は慎まれるようになり、ラジオ・フリー・ヨーロッパは、「正確で客観的で包括的な」ニュースを制作しなくてはいけなくなっていた。ほかにも変化はあった。設立当初、RFEは「自由を求める十字軍」と称する活動への個人的寄付という体裁でCIAから資金を提供されていた。一九六七年にCIAとのつながりを暴露されると、放送の独立性を守るために、学者、マスコミ、政界の大物らによって構成された委員会を通じて、連邦議会から資金が送られてくるようになった。だが、その使命は依然として、イギリスの意見を世界に発信するために存在するBBCワールドサービスのような放送局とは違っていた。RFE並びにその系列のラジオ・リバティの目的とは、共産主義に支配された国々の異なる展望を伝える代理放送局になることだった。RFEは自分たちの聴取者をよりよく理解するために独創的な世論調査を考案した（調査結果はBBCと共有された）。一九五〇年代から、社会学者たちが、ソ連の水夫や代表団が出入りを許されている西側のにぎやかな港のバーや国際博覧会を訪れて彼らに話しかけ、どんな種類のラジオ番組を好んで聴いているのか、そしてそれはなぜかをさりげなく、だが系統立てて質問するようになった。一九八〇年代の終わりには、彼らはすっかり大胆になって、ソ連の旅行者にもっと形式の整ったアンケートに回答してもらうようになっていた。ソ連は電波を妨害しようと最大限努力していたが、それにもかかわらず、一九七二年から八八年まで、ソ連の成人の五パーセントから十パーセントがラジオのアンテナを振ったり揺すったりしてラジオ・リバティを受信していた。高学歴の人、大都市に住む人ほど受信者の割合は高くなった。一九八八年に電波妨害が中止されると割合は十五パーセントに上昇した。イーゴリはその年に入局した。[2]

こうしてイーゴリは自分の世界を創造する権限を手に入れた。

「僕は文化を述べ伝えることには興味がない。ガラスを作るように文化を創造し、息を吹きこむことにワクワクするんだ」とのちに記している。

ロシアとウクライナをもっと大きなヨーロッパと綯《な》い交ぜにしてやろう、というのがイーゴリの目的だった。

「僕は国際主義者《コスモポリタン》じゃない。愛国者だ。だが、僕の祖国《パトリア》はいわゆる国じゃない。イスタンブールの墓地、ローマ、チェルニフツィ、ロンドン、ヤルギエフ・ポサードの中に僕の故郷はある」

イーゴリが番組で取り上げるのは、刑務所、ガラス、窓、色——それは異なる国と国とを結びつけるものであり、国と国とが出会い混じりあう連結点だった。番組に招かれるゲストたちは全員外国語訛りのあるロシア語を話し、それによってロシア語そのものに新たな息吹が吹きこまれた。

イーゴリが毎週司会をつとめていたのは「壁を越えて」という番組だった。そして一九八九年から、現実の壁が次々に崩れ出した。それはわが家のグルンディッヒ製テレビの奇跡の時代だった。テレビには四つのチャンネルがあった（そのうちふたつはBBCだった）。リモコンのボタンを押すと、刑務所から釈放されてチェコスロヴァキアの大統領になったヴァーツラフ・ハヴェルが、歓呼の声をあげるプラハの大群衆にバルコニーから手を振っていた。ふたたびボタンを押すと、東欧各地でスターリンの銅像が倒され、コンクリート製の空中ブランコ乗りのように宙ぶらりんになっていた。またボタンを押すと、ベルリンの壁に人々がよじ登り、縁に腰かけて足をぶらぶらさせていた。数週間前にそんなところにいたら撃ち殺されていただろう。小さなハンマーで壁を削っている人たちもいた。

イーゴリ自身の書くものは一人称の印象主義から遠ざかっていた。人を抑えつける上意下達の権威主義の重苦しい気配は完全に消え、自分のやりたいことにひたすら打ちこんでいるようだった。イーゴリは人類学と動物学の知識を頼りに、新たな領土の地図作りに励んでいた。ブドウ栽培とワイン作りのテーマが必ず登場するようになった。いくつもの大陸を旅しながら姿を変えていったひとつの伝統。一杯のワインには魔法の力があった。時間と空間の存在するどこへなりと人を運ぶことができた。一九九一年七月の物語からはほぼ完全に一人称が消えている。それは風の辞書をめぐる物語で、自由についての話であるのは明らかだが、「僕」に関する言及はほとんどない。強風、微風、突風、そよ風についての詳細で気象学的な記述があるばかりだ。

一九九一年八月二十一日、ソ連の市民たちが朝目を覚ますと、ふたつのチャンネルしかない自宅のテレビには無限に繰り返される「白鳥の湖」しか映らなくなっていた。と、バレエが中断され、政府の発表がはじまった。KGB議長、軍人、首相、副大統領が非常事態を宣言した。同志ゴルバチョフは重病で国務を執行できなくなった。現在クリミアの別荘で静養中である。われわれが彼に代わって国務を遂行しソヴィエト連邦を救う。彼らの言葉が終わると、テレビ画面にはふたたびバレエが映し出された。

いったいなにが起きているのだろう？　数百万の市民が国営放送しか映らないテレビを消して、外国メディアや「モスクワのこだま」というロシアの独立系ラジオ局に周波数を合わせた。ラジオ・リバティでは、ソ連最大の共和国であるロシアの大統領ボリス・エリツィンが、非常事態宣言はクーデターであると述べ、モスクワ中心部に集まって数十万人から成る人間の盾を作り、市内に入った戦車やKGBの軍隊から議会を守ろうと人々に呼びかけていた。

クリミアで、病気などではまったくなかったゴルバチョフは、クーデターの首謀者たちに軟禁され、すべての通信手段を断たれていた。手元にはソニーの小型電池式ラジオがあるばかり。ゴルバチョフと部下たちはラジオのまわりに集まり、外国のラジオを受信しようと必死にアンテナを振りまわした。ラジオ・リバティではマーガレット・サッチャーが、友人のミハイルに「持ちこたえて」と呼びかけていた。それはイーゴリの手柄だった。首相にインタビューさせてくれと首相官邸に何度も掛けあい、その都度、この手のインタビューには応じられませんと断られて、イーゴリは一か八かの賭けに出た。

「これはたんなる政治問題じゃありません」と彼は主張した。「首相の個人的な友人であるミハイルが危険な目に遭っているんですよ。いまこの瞬間に殺されるかもしれない。それなのに伝えたい言葉はないんですか?」作戦はあたった。

クーデターは失敗した。その年のうちにソヴィエト連邦そのものが消滅した。幼いころ私が耳にしていた「あちら」と「こちら」、「彼ら」と「われわれ」というアイデンティティをめぐる言葉はもはや無意味になった。台所の地図が変わりはじめた。一気に十五の国が誕生した。子供のころ見ていた地図では、地球はふたつの塊に色分けされていた。それが、色がぐちゃぐちゃ混じりあう絵の具のパレットのようになってきた。

わが家の個人的な地図にも変化が生じはじめていた。一九九二年にラジオ・フリー・ヨーロッパのロンドン支局が閉鎖され、イーゴリはミュンヘンの本部に転勤になった。ミュンヘンの本部が入っていたのは中世の要塞を思わせる建物で、高く厚い壁に囲まれ、セキュリティも厳重だった。一九八一年、シュタージ［旧東ドイツの秘密警察］が資金提供していたベネズエラ人のテロリスト、カルロス・ザ・ジャッカルによる爆破未遂事件の遺産である。その建物の廊下で、すっかり存在を忘れ去られていたキャビネットの中に、ラジオ・リバティで過去四十年のあいだに働いた偉大な亡命作家たちの声をおさめたリールがあるのを見つけて、イーゴリは大よろこびした。新たな世界を創造したり、過去と現在、あちらとこちらを融合して、見たことも聞いたこともないようななにかに作り変えたりできるラジオの力に、イーゴリはますます夢中になっていった。

「音と音が衝突するとき、誰かが鼻をこするとき、互いの頬をひっぱたくとき、ラジオではドラマが、ドラマチックな効果が生まれる。ラジオの言葉は、人の唇が発するどんな言葉よりも広く、豊かで、濃厚だ。ラジオは人が老いていく音、狂気が歩み寄る音、命が消えていく音を伝えることができる」

イーゴリとプロデューサーは録音機材を担いでどこにでも行った。そして番組で使うノイズを拾い集めた。リンゴにサクッと歯を立てる音は冬の雪を連想させた。動物園で遠吠えするディンゴは愛を渇望していた。

子供の頃、自分が政治の根幹を成す文化や考え方、言語における壮大な実験の一部であると自覚している人間なんているのだろうか。イーゴリが、一九八九年に当時アメリカ大統領だったジョージ・H・W・ブッシュが「統一と自由」と呼んだ、アメリカのヨーロッパ支援を象徴するラジオ局で働く一方、私は大陸の政治心理学を変えるためにEUの創設者が立ち上げた特殊な学校に通っていた（西側ご自慢の冷戦時代の価値観によれば「統一と自由」の国々は独立していると同時に統合されていた）。

ミュンヘンには、当時九校あった「ヨーロピアンスクール」の一校があった。ほかの学校と同様、ミュンヘン校の礎石には、EUの前身である欧州経済共同体（EEC）を設立したジャン・モネが目指した建学の精神がきざまれていた。

「自分たちの土地を愛と誇りをこめて見つめることを止めないかぎり、彼らはその精神において、父祖の仕事を完成させ強固にすべく教育を授けられた、気概あふれるヨーロッパ人となり、ヨーロッパに統合と繁栄をもたらすであろう」

ヨーロピアンスクールは、もともと国際機関の職員の子供たちのために設立されたが、ヨーロッパ大陸で将来的に実践される教育のモデル校になるという使命も帯びていた。「ヨーロピアンスクールで学んだヨーロッパ人が、戦没者墓地に眠るヨーロッパ人に必ずや取って代わる」欧州石炭鉄鋼共同体（ＥＣＳＣ）委員長だったルネ・マイエールは一九五七年にそう宣言している。一九九二年までこの学校には三種類の生徒がいた。ＥＥＣの職員の子、ＥＥＣに関係する企業の従業員の子、そして私のように、そのどちらでもなく抽選と試験をくぐり抜けた国外居住者だ。

毎朝、校長のハイヤム先生が（先生はグリーンランドで閣僚を経験したこともあるデンマーク人だった）、学校の正門で生徒たちを出迎えてくれた。学校は欧州旗に敬意を表して星の形をしていた。建築家が非常階段を忘れたため、あとから建物全体をおおうように金属の外階段と通路が取り付けられた。ぱっと見たところそれは工事現場の足場にそっくりで、まるで校舎の建設が永遠に続いているかのようだった。英語、フランス語、ドイツ語、イタリア語など言語ごとにクラスが分けられ、歴史と地理は外国語で、その国の観点から授業が行なわれた。たとえば英語クラスの歴史と地理の授業は、ドイツ語あるいはフランス語でそれぞれの観点から行なわれ、ドイツ語クラスはフランス語でフランスの観点から……といった具合に。学校が設立されたのは第二次世界大戦終戦から十年も経たない頃だったので、フランスの子供がドイツ語でドイツ人の観点から歴史を学ぶという発想もその逆も、衝撃的だったに違いない。

英語クラスの生徒たちはドイツ暮らしがかなり長く、イギリスとの結びつきが希薄だった。ロンドンからやってきたばかりの私は、ある意味、そこではもっともイギリス人らしい生徒だった。そんな経験は初めてだった。物心つくまえにソ連から亡命してきて、ロシア人のなんたるかなどまるでわかっていなかったにもかかわらず、ロンドンで私はいつも「ロシア人」だった。それが突然イギリス代表になったのだ。

合同で授業を受けるとき、ヨーロピアンスクールの生徒たちは祖国の戯画《カリカチュア》をことさら強調した。

フランス人はアンニュイなムードを漂わせ、男子はグラフィック・ノベルを読み、女子はシャネルを着ていた。イタリア人はドイツの食べ物にぞっとして見せ、ドイツ人はビールをがぶ飲みした。英語クラスの男子たちはとにかく奇人変人のふりをした。モンティパイソン［一九七〇年代に活動したイギリスを代表するコメディグループ］のコントを真似したり、わざとマーマイト［イギリス発祥の醱酵食品。独特の匂いと味がある］を食べてみせたり。休み時間にはイタリア人の同級生たちにクリケットを教えてやった。クリケットなんて好きじゃなかったが、「イギリス人」として、「イギリス人」らしく見せるためにはそうすべきと感じたのだ。

私たちのクラスの歴史と地理の授業はフランス語で行なわれた。それは私にとって、沈むか泳ぐかといった問題ではなく、ひたすら沈み続け、溺れないために水中で呼吸しなければならない状態に近かった。最初の数か月は完全に圧倒されていたが、しだいに言語学的鰓《えら》とでもいったものが生えてきて、水中で輝く王国のぼんやりとした輪郭が見えてきた。サン・バルテルミーの虐殺［一五七二年、ユグノー戦争の最中に新教徒がカトリック勢力に大量虐殺された事件］、ベルサイユ、ナポレオン。だが、こちらのナポレオンは私が知っていたナポレオンと違って、独裁者ではなく民主主義を推し進めた希望の星だった。こうして私の頭のなかにふたりのナポレオンが共存するようになった。ひとりのナポレオンは英語を話し、もうひとりは水中にいる。

私は両生類になった。講堂でほかのクラスの生徒たちと合流するとき、会話はドイツ語ではじまり、そのままよどみなくフランス語に、そして英語になった。あるいは、みんな自分の言語で話しているが、ほかの生徒たちの言うこともちゃんとわかっている。あるとき、講堂の反対側にイギリス人の同級生の姿を見かけて、一瞬誰だかわからなかったことがあった。というのも、そのとき彼はドイツ語で話していて、普段のしかめ面を脱ぎ捨て、バイエルン人のように鷹揚に、男らしく笑っていたからだ。このように、国民性というものは、校庭の儀式において自分たちが何者であるかを互いにはっきりさせたいときはことさら強調されるが、その一方、それほど固定されたものでもなく、さっと身に着けたり外したりできるものだった。こうした存在のありように、私はひそかに陶然としていた。幼い頃、移民のバイリンガルとして、さんざん肩身の狭い思いをしてきたあとで——自分が周囲の大多数のようなイギリス人でないとはわかっていたが、かといって自分が何者なのかまったく確信が持てなかった——ここにはひとつのアイデンティティからはみ出したり、超越したりすることを称賛するシステムがあった。それは私がきわめて得意とするところだった。これこそが「ヨーロッパ人」の意味するものだった。ヨーロッパ人とはなんらかの重層的なアイデンティティを指すのではない。アイデンティティをさっと身にまとう能力、あるアイデンティティからするりと脱け出して別のアイデンティティに潜りこむ能力のことを言うのである。

イーゴリと私が「ヨーロッパ人」であるとはなにかを理解しようと奮闘している頃、リーナはロシアに没頭していた。リーナは私たち家族のなかで最初にロシアに帰国して、一九八九年からはソ連領内で、その後は新たに独立した国々で、仲間たちとドキュメンタリー番組の撮影をしていた。

初めてロシアに入国したとき、リーナは、目に映るすべてと聞こえてくる音がずれているような不思議な感覚に陥った。聴覚が視覚に置いてきぼりをくらっているかのようだった。ぎゅっと肩を寄せ合って長蛇の列を作る人たちが見えた。タクシー運転手の口が動くのが見えた。だがそれらが発する音は数秒遅れて聞こえてくるのだった。

音と光景が同期したとき、リーナは自分が内臓をえぐり取られた国にいるのだと気づいた。ロシアの悲劇と精神的外傷《トラウマ》が、引きちぎられたはらわたのようにいたるところに散らばっていた。リーナの最初期の映像にサンクトペテルブルクのストリートチルドレンを取り上げたものがある。当時はこうした子供たちのコロニーが無数にあった。彼らは地下の温かいガス管の隣で眠り、網の目にようにつながっている、暗くじめじめした、むき出しの壁に囲まれた穴蔵で暮らしていた。そんな場所でも子供たちは普通のアパートメントの暮らしを再現しようとして、ごみ捨て場で見つけたソファや水彩画を運びこんでいた。彼らの多くは学校で習うロシア語を話したが、正常とか家族とか健全といった言葉の意味がすべて崩壊した世界で、酒に溺れ、頭がおかしくなってしまった親のいる家から逃げ出したのだった。あらゆる社会的役割が逆転した。共産主義時代はタブーだった売春は突然容認されたらしい。学生が親を養うために秘書の求人広告に応募した。「固定観念《ノーコンプレックス》なし」と書かれていたら、それは、上司と寝てもかまわないという婉曲表現だった。

政治の言葉も支離滅裂だった。一九九四年、リーナは、ウラジーミル・ジリノフスキーという、大衆に人気の新人政治家のドキュメンタリー番組を制作した。ジリノフスキーは上下白のけばけばしいスーツを着て、船でボルガ川を下り、両岸に詰めかけ熱狂する群衆に船上から演説した。ジリノフスキーが率いる政党は自由民主党といった。ロシアではこれまで自由主義《リベラル》と民主主義《デモクラシー》は、寛容で上品な親欧米派を指す言葉だったが、その意味では、ジリノフスキーは自由主義者でも民主主義者でもなかった。実際のところ、彼が何者かを突き止めるのは困難だった。彼の演説は頭に浮かんだことをそのまま言葉にしているだけに見えたが、どういうわけか、聴衆たちの欲望をじつに的確に掬い上げていた。どこまでが冗談で、どこからが本気なのかもわからなかった。自分が大統領になったら、数か月以内に貧困問題とホームレス問題に決着をつける、ドイツには第二次世界大戦の賠償金を支払わせてやると約束した。アメリカを罵り、「ペプシコーラのごときあぶく銭のドル」しか持たないような国に、ロシアの偉大な「黄金のルーブル」を安売りするような真似はさせない、とも言った。太平洋から地中海にまたがるすべての領土をロシアが統治する、アラスカを併合すると主張した。ところがその一方で群衆に、おまえたちが貧乏な生活を送っているのは、レーニンとやつの共産主義経済のせいだなどとも言い、俺が大統領になったら、成功した欧米人のような暮らしをさせてやる、みんなが自分の家を所有し、新車や大画面テレビも持てるようになるのだと言った。制服を着て岸に集まっていたコサックたちには、「南にいる敵」に攻め入る権限を与えよう、「おまえたちに武器をやろう。鞭と杖を取れ、混乱、分裂、反国家活動がのさばる地域に行って秩序を回復するのだ」とけしかけた。

ジリノフスキーが言っているのは分裂したチェチェン共和国のことだった。その一年後、ロシアはチェチェン共和国に対して、一般市民の犠牲をものともしない非道な戦争を開始し、イスラム教徒による新手のテロが拡大する。リーナはコーカサス山中で、チェチェン独立派の活動を撮影した。彼らは、自分たちの戦いは民族解放運動に連なるものだと言っていたが、リーナはこれまでロシアになかったあるものの存在にも気づいた。ペルシャ湾からやってきたイスラム教の説教師たちと、チャドル［イスラム圏の女性の服装の一種で、全身をおおうように着用する布］に身を包んだ女性たちである。

当時リーナは政治家から地方の軍司令官まで、あらゆる人々を簡単に撮影することができた。イギリスのテレビ局の者ですと言うだけで、「あちら側」からやってきたより良いなにかの象徴に、別世界の使者になることができた。その世界ではまだ、規範意識、正義、確固たる社会的アイデンティティが存在し、言葉が意味を持っていた。

撮影が休みになると、リーナは煙が充満する劇場に足を運んだ。そこでは一九九〇年代の芸術家や詩人たちが、社会全体に蔓延する不透明感の意味を見出そうと努力していた。レフ・ルビンシュテイン［一九四七年〜。モスクワ・コンセプチュアリズムの代表的詩人、エッセイスト、社会活動家］は朗読劇を行なった。ソ連の図書館が使っている蔵書カードの束（文化的秩序のささやかな象徴だ）を手に持ち、そこに書かれた不可解な詩を読み上げてはカードを投げ捨てる。それは古い時代の意味が瓦解していくことを象徴していた。ドミートリー・プリゴフ［一九四〇〜二〇〇七年。ロシアの詩人、前衛美術家］はソ連のプロパガンダをわめいたり、歌ったりして、しまいにはそれがまじない師の葬送歌のように聞こえてくるのだった。オレグ・クリーク［ウクライナ生まれのパフォーマンス・アーティスト］は言葉を完全に捨てて、唸り声をあげる犬に変身した。四つんばいになって、ギャラリーを訪れる客に唸ったり噛みついたりした。言葉に意味がないなら、あとは体で表現するしかないというわけだった。

「ソヴィエト時代は終わった」とジノーヴィ・ジーニクは記している。「その瞬間、ソヴィエトが統治していた宇宙が崩壊をはじめた」[3] 美術評論家のボリス・グロイスはソヴィエト崩壊の瞬間を、ユダヤ教の神秘的教義カバラから借用した大ツィムツムという言葉で表現している（ツィムツムは、神が最初に世界に存在をもたらし、そこから退却したとする天地創造の考え方）。「ソヴィエト政権の退却、すなわち共産主義のツィムツムは、意味を持たない記号が並ぶ無限の空間を作り出した。世界は意味を失った」[4]

二〇〇一年、大学を卒業した私はリーナの道をたどった。ロシアに移住して、最終的にテレビ局で働き出す。のちに私はこんなことを書いている。「モスクワという街では、人々の暮らしはビデオの早送りのように営まれている。変化のスピードが速すぎて、あらゆる現実感が打ち砕かれてしまう。

ロシアではあまりにもたくさんの世界が、パラパラ漫画のようなめまぐるしい速さで登場しては消えていった。共産主義、ペレストロイカ、ショック療法、貧困、オリガルヒ、マフィア国家、超富裕層《メガリッチ》――これらの世界の主人公たちは、人生はきらびやかな仮面舞踏会にすぎず、そこではどんな役割も地位も信念も一過性のものであるという感覚と共に置き去りにされた」

*

あれから三十年、記号が「意味を持たない」のは今やロシアだけではない。全世界が「意味を失っている」。冷戦に勝利した国々、プロの世論調査員たちがアイデンティティのモデルを見つけようと苦労している国々、かつて普通と考えられていたものが消えてしまった国々でも、大ツィムツムが実感されている。こうした流れのなかから新たなアイデンティティを形成しようとする集団が現れている。

◉他者化

私がヨーロピアンスクールで重層的アイデンティティをめぐる実験を経験している頃、同じく移民一世の子であるラシャド・アリは、イングランド北部ヨークシャー地方のシェフィールドという街でまったく違うプロセスをたどっていた。

一九九六年、ヒズブ・タフリールの男たちが初めて学校にやってきて、イスラム教について話をしたとき、ラシャドは即座に感銘を受けた。それはアメリカ同時多発テロ事件やＩＳＩＳが世間を騒がせる前の出来事で、学校の管理者たちは誰ひとりとして、身なりがよくて、博識で、工学や自然科学が専門の若い大学講師たちを学校に入れたところでなにかよからぬことが起きるなどとは思わなかった。青年たちはさわやかな口調で、「あなた方は神の存在を、進化を、アイデンティティを証明できますか？」といった壮大な考えを語った。

「きみたちはどんなタイプのイスラム教徒かな？」と、青年たちは生徒たちに質問した。「金曜日に礼拝所に通うだけ？　パートタイムの信者？　完璧なイスラム教徒になることはできないだろうか？」

「完璧な」という言葉がラシャドの興味をひいた。それはどういう意味だろう？　彼はヒズブの勉強会に出かけた。勉強会が行なわれていたのはありふれたテラスハウスで、似たような焦げ茶のれんが造りの家が並ぶ通りの中にあった。それはかつてシェフィールドで繁栄し、ヨークシャー南部の緑豊かな丘陵地帯に向かって広がる鉄鋼工場の労働者用住宅だった。

勧誘員は次のように説明した。ボスニアやロシアで、イスラム教徒たちは数百年の歳月をかけて地元の人々と融和した。彼らは世俗的なヨーロッパ人のように、酒を飲み、煙草を吸い、姦淫を犯した。そしてなにが起きた？　ボスニアでは、セルビア共和国のミロシェヴィッチ政権に支援され武器を与えられた、世俗化したキリスト教徒の隣人たちに虐殺された。チェチェンでは、ロシア政府の爆撃で粉々にされた。これらのイスラム教徒たちを助けるために欧米諸国はなにをしてくれた？　なにも。「ボスニアのイスラム教徒はきみたちの同胞だ」と勧誘員たちは言った。「きみたちのまわりにいる世俗的な連中やイギリス人じゃなくて、彼らこそがきみたちの同胞なのだ」

子供の頃からずっと、ラシャドは自分が違うことを知っていた。八歳のときに亡くなった父親は、一九六〇年代に鉄鋼工場で働くためにイギリスにやってきた。父親はお金を貯めて家を買い、レストランを開業した。四つ角の仕立屋で注文したスーツを着て、毎晩二回きちんとBBCのニュースを観ていた。だが、こうして見かけはイギリス人らしくふるまってはいたものの、ラシャドの両親の話す英語には強いバングラデシュ訛りがあった。家の中はイギリス人の家と違う匂いがした。肌の色も違った。

さらに神の問題があった。共同体のみんなと同じように、ラシャドも信仰心を持っていた。それは手足のように切り離すことのできないものであり、ほとんどのイギリス人にはまったくわかってもらえなかった。だがラシャドはそれまで一度も、自分をイスラム教徒というくくりでとらえたことはなかった。一九九〇年代初頭は、シーク教徒もヒンドゥー教徒もインド出身のイスラム教徒もパキスタンから来たシーア派もみんな十把一からげに「アジア系」もしくは「アジア系イギリス人」と呼ばれていた。だが、これらのアジア人にいったいどんな共通点があったというのか？ 祖国では彼らは敵対していた。ラシャドはバングラデシュを訪れたことがある。そして、両親がかつて暮らしていた故郷に自分の居場所がないことを知った。自分が純然たるイギリス人でないことにも気づいていた。そしていま新しい家を提供してもらえることになった。そこはラシャドにぴったりだろう。「だろう」というのは、それがまだ存在しない家だったからだ。それはイスラム国家だった。

毎週、ラシャドと勉強会の仲間たちはヒズブの基本テキストに没頭した。そこには、理想的なイスラム国家のあるべき姿がすべての面において驚くほど詳細に述べられていた。法律、政治、倫理の本、因果律的思考によって現実がどう形作られるかを記した本もあった。ヒズブは、一九五〇年代にパレスチナ人のイスラム教学者で、アラブ社会主義バース党の元幹部であるタキ・アッディーン・アル・ナブハーニーによって創設された。アル・ナブハーニーは、イスラエルの建国はイスラム教徒が弱体化した証《あかし》である。イスラム教徒は「国家」といった西欧の概念によって異なる国々に分裂させられ、堕落して、互いのために立ち上がることもできなくなってしまった、と主張した。人間は言語や概念を通じて世界を見る、であれば、言語や概念そのものを変えなくてはいけない、と。

ヒズブの方法論の土台になっていたのが「イスラム教的人格」[5]だ。この考え方によれば、人間には生まれながらにして満たされるべき本能がある。だが、これらの本能を「正しい」行動へ導くためには、正しい方法で考えられるようにみずからを訓練する必要がある。たとえば人間には、物質や財産を得ようとする行為に現れているように、安全を求める自然の本能がある。マルクス主義はこの本能を抑圧した。そのためマルクス主義が失敗に終わることは最初から決定されていた。とはいえ資本主義はその本能を放任するあまり、もうひとつの生殖という本能を蝕んでいる。生殖は、人間の共同体への帰属意識を満たすために必要な自己表現だ。政治的イスラム教はこのふたつの本能をどちらも満たしていた。個人が一定程度の私有財産を所有することを認めることによって安全への本能を、イスラム教徒によるより大きな共同体への義務を明確に定めることによって生殖への本能を。

ラシャドは勉強会の指導者に、イスラム国家を実現する方法論を尋ねた。男はドライブしようと言って、ラシャドを自分のゴールドのホンダ・シャトルに乗せた。

シェフィールドの街をドライブしながら、指導者はラシャドに、自分たちの計画では、ヨルダン、エジプト、イラク、シリアの軍事勢力を説得して軍事クーデターを起こし、実権を奪い、統一したひとつの超イスラム国家を作る予定であると説明した。ラシャドは一瞬絶句した。彼のような十六歳の少年から見てもその計画は無謀に思えた。勉強会の指導者は彼の反応を見て、こう続けた。

「預言者がメッカやメディナで行なったことを思い出すのだ。あのお方には自分の手勢はなかったが、部族の長たちを説いて後ろ盾となり、軍隊となってもらったではないか。われわれも同じだ」

過去や現在、聖典や現代の歴史の話と一緒にその説明を聞くうちに、ラシャドは最初の疑念を乗り越えた。そしてまもなく、その話のすべてがそれほど荒唐無稽でもないように思えてきた。彼らの活動は日に日に強大になっていった。一九九六年にラシャドが加入したとき、イギリスの活動家は三十人だったが、二〇〇三年には三千人になっていた。世界中には何十万人もいた。ヒズブの幹部たちが発表した声明には、中東全域の将官たちが自分たちの支持にまわりつつあるとあった。幹部たちはレバノンやヨルダンで潜伏生活を送っていた。そこで、全世界のヒズブの集会に向けた「談話」でも声しか中継されなかった。数千人の支持者が集まった会堂に彼らの声が響き渡ったが、顔は隠されていた。

一九九〇年代末には、ラシャドはイギリスで活動するヒズブの指導者のひとりになっていた。大学でたびたび討論会を組織して、イスラム教徒であると同時にイギリス人であることは可能かといった議題を取り上げ、ふたつを両立させることは不可能であると主張した。二〇〇〇年、二十歳になったラシャドは、ヒズブの文献の中核を成す研究書を著した（この本のコピーがのちにビン・ラーディンが潜伏していたアボタバードの邸宅の書斎で見つかっている）。[6]『カリフ制再建のための方法 *The Method to Re-establish the Khilafah*（*Caliphcte*）』は三百ページを超す大著で、イスラム国家を正しく再建する方法について、コーランの論理のあらましを述べたものである。それは「培養」からはじまり（衝動、本能、思考を統合して「イスラム教的人格」を形成する）、「相互作用」に進む。「相互作用」の段階では活動範囲を社会に広げ、欧米植民地主義の傀儡にほかならない腐敗した現政権を軍事クーデターによって打倒することこそが最高の益になると中東の人々を説得する。

「この段階を経て、軍事力によってイスラム教の権威を確立することが可能となり……残りの世界に対してジハードを行なうことができる」とある。

ラシャドには数多くの任務が課せられていたが、そのひとつに、組織の構成員からメールで寄せられる、教義の細かい点に関する疑問に答え、声はすれども姿は見えない幹部たちに、これについて聖典にはどう書かれているか問いあわせるというものがあった。当時すでにラシャドはかなりの数の注釈書を読んでいたので、指導者たちの回答のなかに明らかな間違いがあることに気づいていた。あるときひとりの構成員が、預言者は信者たちに自分の命令にすべて従うように強制していないが、それはなぜかと質問した。すると指導者は、その点についてはどの学者も預言者に従えとは言っていないと回答した。ラシャドには、指導者自身も自分の言葉は嘘だと自覚していることがわかった。命令にすべて従わなくてかまわないと主張する学者は大勢いた。組織の指導者たちは、人々の無知につけこんで管理システムを作ろうとしていた。すでに指導者以上にイスラム教の思想や歴史に精通していたラシャドは、ヒズブの教えの多くが事実に反するものであることに気づきはじめた。ただひとりの統治者によるカリフ制の黄金時代は存在しなかった。イスラム教の歴史を通じて断片的な多数の盟約が結ばれてきた。パッチワークのようにつぎはぎされた領土はあった。だが、再建すべきおおもとのカリフ制国家は存在しなかった。

ついに目からうろこが落ちた、そんな瞬間は訪れなかったが、何年もかかって少しずつ目が開かれていった。二〇〇四年には、ラシャドは、ヒズブがとうてい約束を実現できそうにないことに気づきはじめていた。クーデター計画はあと一歩で実現する、そんな回状が指導者から送られてきたが、そういったことはいっさい起きそうにないことが明白になりつつあった。さらに暴力の問題があった。ヒズブは表向きは暴力行為に反対していた。しかし、しかるべき条件の下でほかの組織が暴力を冒すことには反対しなかった。アメリカ同時多発テロ事件の飛行機乗っ取り犯は間違っていた、とヒズブの指導者たちは主張した。なぜなら民間企業の飛行機をハイジャックしたからだ。イスラエルの飛行機だったらよかったのに、と。矛盾しているし馬鹿げている、とラシャドは思った。

イスラム教徒であることとイギリス人であることは両立しないという考えにしだいに共感できなくなっていった。イスラム国家にしか自分の居場所はないという信念も色褪せて見えた。イスラム教徒であると同時にヨークシャー出身者で、イギリス人でアジア人でもあることは可能じゃないか、と気づいた。それらをひとつに結びつけ、ラシャドを内側から支えていたのが人権に対する信念だった。ラシャドは人権問題に打ちこむようになった。ガザ地区のパレスチナ人の権利を熱烈に擁護し、同時にイギリスの政党内にある反ユダヤ主義を批判した。

二〇一八年の夏、私はラシャドと、彼が幼少期を過ごし、伝道活動を行なっていたイギリス北部と中部の街々を列車でめぐった。途中、私の子供時代の記憶そのままに複雑に区分けされた畑を通過するあいだ、ラシャドが列車で出会った見ず知らずの他人を勧誘する手口を教えてくれた。若い忠実なヒズブの弟子たちにも同じように教えていたのだろう。たとえば、と、ダラムに向かう列車で新聞を読んでいる女性を見かけたときの例を挙げた。その新聞には、十歳の少年が赤ちゃんの弟を殺害したという痛ましい記事が載っていた。少年はおもしろいからという理由で弟を洗濯機に入れてスイッチを押したのだ。

ラシャドは女性に近づいて、この記事をどう思いますか？　と尋ねた。憤りを感じます、と女性は答えた。なんてひどい親なのかしら、と。両親はその晩、子供たちをふたりだけで家に残してパブに出かけていた。看護師だというその女性は、自己中心主義、無責任、怠慢が他人にどれほど害悪をおよぼすかを日々目にしていた。

ラシャドはそこにつけこむのだった。彼は女性に、個人的利益や快楽ばかりを考えるように奨励する、自由主義的《リベラル》で世俗的な社会においてはこういった行動が起きるのは避けられないと思いませんか？と尋ねた。私たちに必要なのは、経済や社会に関わるすべての法律が互いへの思いやりを奨励し、良い行ないが大いに報われることが常識である社会なのです。

女性はうなずいた。

なじみのない話かもしれませんね。しかし、まさにこのような社会を確立するひとつの手段としてイスラム国家のことをお考えになったことはありませんか？　とラシャドは語った。

ラシャドと彼の弟子たちはそのあとすぐに列車を降りたので、彼の提案を聞いた看護師がその後どうなったかはわからない。だが、ヒズブの勧誘の論旨は明確だった。組織に興味を持ちそうな人物を見かけたら、その人の関心事がなんであれ、その問題とイスラム国家の必要性を結びつけるのだ。

バーミンガムで、ラシャドと私は赤い集合住宅が並んだ通りを歩いた。雲が低く垂れこめていたが、果物やサンダルを売る露天商たちで通りはにぎわっていた。マクハラール［イスラム教の戒律に従って食肉処理した肉（ハラール）を使うファストフード店］、色鮮やかなショールを吊したスーダン人のスーパーマーケット、「パレスチナに自由を」と大書した落書き、ニカーブ［イスラム教徒の女性が着用する、頭をすっぽりおおって目だけを出すベール］を売るソマリア人たち。だが、私の目をひいたのは書店だった。短い通りに少なくとも三軒の大きな書店があり、ハードカバーの聖典と注釈書、一夫多妻制から、「神の慈愛に満ちた御業」、「ジハード」、「イスラム教徒と業《カルマ》」、「同性愛の禁止」まで、ありとあらゆるテーマに関する派手な装丁のソフトカバーの本が書棚にずらりと並んでいた。どの本もそれぞれなんらかのイスラム勢力か、あるいは国家がスポンサーになっていた。そしてどの本もイギリスに住むイスラム教徒の精神と真っ向から対立していた。取材の途中で、ラシャドとひとりの友人が車で倉庫に連れていってくれた。倉庫で待っていたのは、あごひげを生やし、鍵を持った男性だった。工業用エレベーターで上階に行くと、そこにはうず高く積まれた本のタワーがいくつもできていた。私たちは金のアラビア文字が書かれた背表紙を見ながら、本と本の谷間を縫うように歩いた。するとラシャドが感激の声を発して本の山によじ登った。「見つけたぞ！　アブー＝バクル・イブン・アル＝アラビー、『神の九十九の美名に関する注釈 *Commentary on the 99 Names of God*』だ！」

現在ラシャドは、かつて自分も参加していた活動のたぐいから人々を奪回する仕事に就いている。イスラム法と組織の勧誘手口に精通していることが現在の仕事に大いに役立っている。ラシャドが所属しているのは「戦略的対話研究所（ＩＳＤ：Institute for Strategic Dialogue）」という無個性な名前の組織だ。彼らは、ネット上の過激派の活動を追跡して、「カウンター（対抗）スピーチ」と呼ばれるものを試みている。そうやって過激派組織の影響下にある人々に手を差し伸べているのだ。ＩＳＤは過激派を次のように定義する。「あるひとつの『内集団』の、ほかすべての『外集団』に対する優位性と支配権を認める信念体系。他者の人間性を否定する『他者化』の考え方を喧伝するが、これは人権の普遍的適用の精神と真っ向から対立する」。この信念体系は、たんに「他者化」と呼ばれる場合もある。

ＩＳＤのオフィスには数十人の職員がいる。現在複数のチームが、ケニアで、インターネットを使って憎悪が煽られるようすを注視している。ケニアでは、イスラム教勢力が宗教上のカテゴリーに沿って国を分割しようとする一方、政党は部族ごとに愛国心を立て直そうとしている。

オンラインフォーラムに出没するネオナチを追跡するチームもある。思春期の子供たちが第二次世界大戦ゲームに連日興じるオンラインフォーラムがいくつかあるのだが、ネオナチはそういったフォーラムで、激しい怒りを抱えていたり、恋愛がうまくいかなかったり、深い孤独を抱えていたりするようすの若者を別のチャットルームに誘導し、そこで、デジタル・マーケティング活動のやり方を教えて極右の大義を喧伝させる。具体的には、ユーチューブの動画の好悪を調査したり、大量の自動アカウントを生成してソーシャルメディア上で極右の運動を宣伝したりする方法を教えるのだ。新入りはコンピュータゲームの世界からデジタル政治活動の世界に移行する。これもゲームの一種ではないかと思いながら、自室に閉じこもったままひとつの仮想現実から別の仮想現実へするりと移動する。レディット（Reddit）［ウェブサイトへのリンクを収集・公開するソーシャルブックマークサイト］や4chan［英語圏を対象とした画像掲示板群］には、匿名管理者が、大衆説得のためのオンライン短期集中コースを提供しているコーナーがある。冷戦時代であれば、秘密情報部やその配下の民間心理作戦部門がこういったものを手掛けていただろう。

そこでは、敵を陥れるために相手の価値観をどう利用したらいいかというアドバイスが紹介されている。たとえば左翼の政治家を攻撃する場合、自由主義派《リベラル》の偽のペルソナをネット上に作り、政治家たちが年収上位一パーセントに属していることや、白人という特権のおかげで頂点に昇りつめることができたことを指摘させる。オンラインフォーラムの操り方についての教えもある。たとえば「コンセンサスを打ち砕く」には、偽のペルソナに、あなたが反対する意見をいかにも弱々しい、説得力を欠いた態度で表明させておいてから、別の偽ペルソナにその意見を論破させればいい。「上級ミーム戦争：成功するゲリラ広告活動」のサイトには、「われわれ匿名集団にはただひとつの目的しかありません。正々堂々と勝負する必要などないのです」というアドバイスが示されている。「われわれは自分が欲することをなんでも言い、広めることができます。それには世間に知られているように文字通りヘイト・マシンになる必要があります」、と。世界のどこからでも活動は行なえる。あるときISDは、ニジニ・ノヴゴロド在住のロシア人のボットハーダーを見つけた。彼は、ドイツの極右のミームを広め、同時にドバイの護衛団やロシアの地方都市の診療所用に別の活動を行ない、ロシアの野党勢力を繰り返し攻撃していた。

ISDには、極右やイスラム過激派の活動の見分け方を十代の若者に教える学校向けの教育ビデオを作っているチームもある。極右やイスラム過激派の活動を見破るのはますます困難になっている。たとえば、ジハードの勧誘員は、目星をつけたターゲットのソーシャルメディアのプロフィールをじっくり調べて、その人物がとくに関心を抱いている事柄や趣味を確認したのちに接触を試みる。ある若い女性が、宗教、恋愛、家族に関心があると思ったら、サラフィー主義［イスラム厳格派］の夫の美徳について会話をもちかけ、神を敬わない人間が妻を敬うはずがないと主張する。

インターネットの普及により、ラシャドが最初にヒズブに引きずりこまれた頃より、勧誘はずっと迅速かつ巧妙になっている。だが、囲いこみの基本的な手口は変わらない。今日、イスラム国家の必要性を喧伝していることでもっとも有名なのはISISだ。そしてヒズブは表立ってはその活動を非難しているが、感情、概念、言語、行動を一体化したISISの戦略がヒズブの模倣であることをラシャドは知っている。

「娘さんたちに、あなた方がどれほど心配しているか、家族と自分を引き離す行為はハラームである〔禁止されている〕ことを伝えてください」

ラシャドがダイレクトメッセージを送る相手は、十代のふたりの娘が中東のISISに加わった両親だ。親の家があるのはイギリスの市場町で、彼らはイラクのどこかにいる娘たちとも同時に会話している。娘たちは両親に、ジハードの戦士との結婚を許可してくれと頼んでいる。娘たちからの返信には、自分たちも両親が恋しい、申し訳ないと思っている、両親につらい思いをさせるのは忍びないが、結婚はカリフ制国家の戦士たちに対する義務なのだとあった。自分たちはそうやって大義に身を捧げるのだ、と。

両親は娘たちを保守的なイスラム教徒として育て、医学を修めさせるために自分たちの生まれ故郷であるハルツームに送った。そして、じつにぞっとすることに、娘たちがイスラム教のなかでもきわめて過激で政治的な、自分たちにはまったく理解できない一派に傾倒していたことを知った。

ラシャドにすれば、娘たちが両親に結婚の許可を求めるメッセージをわざわざ書いてくるという事実は良い兆候だ。それはふたりが、父親と母親にいまも絆を感じていることを意味している。そこが、過激派が娘たちの首にかけた鎖のもっとも脆い部分だろう。

娘たちは両親の祝福を乞い続けた。カリフ制国家でなければ、自分たちが信仰する宗教を純粋な形で実践することはできないと説明した。

ラシャドと両親は、イギリスでもイスラム教を完全な形で実践することは可能だ、この結婚に祝福を与えることはしない、おまえたちのカリフ制国家はイスラム教のすべての倫理に背いていると主張しようとする。

「イスラム教にとってのISISは、婚姻関係にとっての姦通に等しい」とラシャドはメッセージを送る。

娘たちからはなかなか返信がない。思案しているのだろうか？　しばらくして、中世アラビア語の引用を切り貼りしたメールが送られてくる。難解な学者たちの言葉を抜き書きしたものだが、見当はずれな内容で、娘たちの言葉でないのは明らかだ。ＩＳＩＳの担当者が介入して、メールにこう書くように指示したのだろう。こうなってしまっては会話を続けても意味がない。

ラシャドはコンピュータの別のウィンドウを開く。イングランド中部地方に住む青年のフェイスブックのタイムラインが表示される。青年は不動産業を営んでおり、賃貸に出している平屋の写真が並んでいる。ところがその隣には、ヨーロッパで繰り返されるテロ攻撃がじつはＣＩＡの仕業であることを証明するという陰謀論の動画が投稿されている。以前使っていたアイフォンよりサムスンの携帯電話のほうが気に入っているという投稿と、同性愛者を殺せと主張する説教師の動画がごちゃ混ぜになっている。青年は、中東で罪のない子供たちがイギリス軍のドローンに撃ち殺されているにもかかわらず、金曜日の夜に酔っ払っている連中を見るとむかつくと書いている。「カリフ制を支援するのは義務だ。カーフィル〔非イスラム教徒〕の土地が、信者の故郷になることはありえない！」と宣言する。

ラシャドは青年にダイレクトメッセージを送る。かつては自分もイスラム過激派組織の一員だったが脱退したと説明する。中部地方の青年は会話を望むだろうか？

いまこの瞬間も、ネット上で行なわれているこうした多数の会話にラシャドは巻きこまれているかもしれない（先に紹介したやり取りは、プライバシー、データ保護、安全上の理由により、個人情報の詳細は最小限にとどめ、他人の情報を足すなどしてぼやかしている）。ラシャドがメールを送って、五パーセントから返事が来ればそれだけでもう成功だ。ラシャドは次にその人物の動機を解明する。

その人を駆り立てているのは政治的情熱だろうか？　過激派がたまたまイスラム教徒だっただけなのか？　欧米の帝国主義の手先と言ってラシャドを非難するなら、それは動かぬ証拠だろう。それとも本当に宗教に興味があるのか？　個人的な鬱屈を抱えているのだろうか？　心を病んでいるのだろうか？　それとも今挙げた理由が組みあわさった結果だろうか？

さらに、新入りが従うべきとされる論理を分析して矛盾を見つける。統一国家を形成してシャリーア（イスラム法）を強制することは宗教上の義務である、と彼らが主張すれば、ラシャドは、預言者の時代からさまざまなイスラム帝国、さまざまな支配者は存在したが、たったひとつの手本とすべき国家は存在しないことを指摘する。欧米でムハンマドの戯画は禁止されるべきではないかと問われれば、それではコーランも禁止すべきか？　一方で言論の自由を認め、もう一方で禁止するのは片手落ちではないか？　と問い返す。

最後に、たとえばホロコーストの否定など、彼らの核心にある誤った信念にぴたりと照準を合わせて、反論の余地がないほど大量の証拠で相手をねじ伏せる。結局、預言者が存在したとどうして私たちにわかるだろう？　とラシャドは主張する。権威がこれを認めているからだ。私たちが手にしている歴史的証拠、それは伝統だ。陰謀論はイスラム教の前提をなし崩しにする、と。

自分との会話がきっかけになって、操られていることに相手が気づいてくれればいいが、とラシャドは考えている。イスラム教徒としてのアイデンティティと、イギリス人（もしくはアメリカ人、もしくはデンマーク人）であることは本質的に両立しえないという考えを打破したい、と。

だが、問題がひとつある。ラシャドは陰謀論を盲目的に信奉する思考法から人を解放しようとしているのだが、こうした「他者化」の考え方が現在急速に広まりつつあるのだ。「過激派」は末端を意味しない。「過激派」勢力が、ある国では最大勢力のひとつという場合もある。ISDが活動するにあたって指標としている「ポジティブ平和指数」のなかの「他者の権利の受容」と呼ばれる項目が、[7]現在欧米の多数の国々で急激に低下している。一方、「私の『内集団』の、ほかすべての『外集団』に対する優位性と支配権を認める」項目は急上昇している。

周囲を見渡しても、長い伝統ある政党の政治家でさえ、ヒズブのような組織が広めた戦略とそっくりのものを採用している、とラシャドは言う。宗教、移民、経済原理などのなかからテーマをひとつ選び、それがアイデンティティの目印となるように組み立てる。それは議論が可能な政策ではなく、こちらとあちらを分断する線だ。線のあちら側にいる人たちは全員のけ者にされ、こちら側にいる人たちはヒズブと同じ陰謀論のごった煮で囲いこまれる。

「宗教用語で派閥主義と呼ばれるものだ」とラシャドは言う。「イデオロギーの仮面を付けたアイデンティティだ」

先頃発表されたISDの報告書に、現在自分たちが活動する環境は「流動化社会」だという一文があった。その言葉は、かつての、はるかに確固としていた社会的役割が束縛をするりと脱け出し、情報があまりに簡単に移動するので帰属性にまつわる古い概念が破壊され、社会全体に不透明感が蔓延し、あらゆる種類の勢力にあなたが容易に作り変えられてしまう世界を想起させる。[8]

◉ポップアップ・ピープル

「今や政治はアイデンティティを創造する行為にほかならない」――それが、スピンドクターの主張だった。私たちは密集した葉が濃い影を落とすメキシコのバーにいた。頭上に広がるさわやかな青空の下で見るより、路上の葉の影は黒々としていた。彼は私に、階級やイデオロギーといった古い概念は死滅したと説明した。そこで選挙活動を運営するときは、互いに共通点のない、目立たない関心事を選んで、これまでにない「国民《ピープル》」の概念の下でそれらを統合する必要があった、と。

そのスピンドクターは細い縦縞のシャツを着て、髪をうしろになでつけていた。風貌は典型的なヤッピーだ。「ポピュリズムとはイデオロギーではなく戦略なのです」。そう断言すると、エセックス大学にゆかりのあるふたりの理論家、エルネスト・ラクラウ［一九三五〜二〇一四年。アルゼンチン出身の政治理論家］とシャンタル・ムフ［一九四三年〜。ベルギー出身の政治哲学者］の名を挙げた。「戦略としてのポピュリズム」という概念を考え出したのはこのふたりだが、それは新社会主義を前進させるためのものだった。私は、彼がお気に入りの理論家としてこのふたりの名前を挙げたことに驚いた。彼自身はそれほど社会主義に傾倒しているようには見えなかったからだ。本人によれば、個人的には左寄りだが、金さえ払ってもらえるなら仕事の相手は選ばないとのことだった。

ソーシャルメディアの性質は「戦略としてのポピュリズム」を促進する。スピンドクターの視点に立って考えてみよう。ソーシャルメディアのユーザーは、動物の権利、病院、銃、園芸、移民、育児、現代美術など、幅広い関心事を通じてグループ分けされている。これらの関心事のなかには明らかに政治的なものもあるだろうし個人的なものもある。スピンドクターであるあなたの目的は、これらの異なる集団にそれぞれ異なる方法で働きかけ、あなたの望む投票行為と彼らの最大の関心事を結びつけることにある。

この種の微細標的設定《マイクロターゲティング》では、ある有権者グループが別のグループのことを知る必要はない。これらの異なる集団を結びつける、なんらかの包括的なアイデンティティがあればいいのだ。それは、幅広い有権者が自分を重ね合わせることができるようななにか、たとえば「国民」とか「多数」といったカテゴリーだ。このようにして作られた「ポピュリズム」は、統一を求める巨大なうねりのなかで人々が団結している兆候ではなく、かつてないほど「国民」が分裂し、ひとつの国家として存在することすらあやうくなっている状態の結果なのだ。国民に共通点がほとんどないなら、新たな形の「国民」を考え出す必要がある。

このロジックにおいては、事実は二の次になる。つまるところあなたは、公共の場で、イデオロギー上の概念について、証拠重視の討論に勝利しようとしているのではない。言葉で築いた壁の中に支持者を封じこめることができればそれでいいのだ。それは、中道主義［右派、左派どちらにも偏らず、中正の政策を行なう政治のこと］の反対だ。中道主義の政治では、あなたは大きな天幕を張ってその中にすべての人を呼び集め、差異を均《なら》さなければいけない。ところがここでは、異なる有権者の集団は互いに会う必要さえない。この急ごしらえのアイデンティティを強固なものとするために必要となるのが、敵、すなわち「国民にあらざる人々」だ。誰もが自分自身の「特権階級」「エリート」「腐敗勢力」を思いつけるように、「敵」はできるだけ抽象的にとどめておくのが望ましい。そのためには汚い手を使う場合もある、とメキシコのスピンドクターは悲しそうに認めた。

アメリカはいい例だろう。トランプの大統領選挙活動は、自由市場主義者、アメリカ保護主義者、そして「反エリート層」をそれぞれ標的にした。[9] さらにソーシャルメディアではおびただしい数の小さなグループに標的を定めたが、それらのグループには接触さえしていない。一部のソーシャルメディアの宣伝は、ドナルド・トランプその人に言及することさえなく、中心人物を表に出すことを避けて、代わりに、トランプの毒舌とはまったく釣りあわない感傷的なメッセージをひたすら発信した。

あるいはイタリアに目を向けてみよう。イタリアの五つ星運動［イタリアの新興政党。既成政治勢力を厳しく批判し反EUなどの政治アピールを行なう。ポピュリズム政党ともされる］は、フェイスブックのブログ連載記事としてはじまった。その記事は、環境問題、移民問題、道路のくぼみ、そして外交政策と、まったく共通点のない不平不満を、まったく共通点のない人々に対してわめき散らし、すべてを既成権力のせいにした。これらのメッセージは、コメディアンから政治家に転身した巻き毛の無政府主義者で、罰当たりな時代のリーダー、ベッペ・グリッロの熱病に浮かされたようなエネルギーを通じて発信された。

イギリスも例外ではない。かつて私はイギリスは違うと思っていた。己が何者かを知っている国民がいるとすれば、それはイギリス人だと思っていた。だがなにかが変わってしまった。あらゆるものの根底に不透明感が浸透している。

イギリスでなにかが変わりつつあると最初に気づいたのは、EU離脱（ブレグジット）キャンペーンの設計者と話をしていたときのことだ。それは国民投票で離脱派が勝利した直後で、私たちはロンドンのパブにいた。彼は次のように話しはじめた。「あなた方のような国民の問題は……」その先、彼がなんと言ったかは思い出せない（おそらく、「大都市に住む自由主義者《リベラル》たちは現実を知らない」とか言ったのだろう）。というのも、そう言われて、まったく思いがけないことに私は舞い上がってしまった。これまでずっと私はロシア系（もしくはソ連系、もしくはウクライナ系？）移民だった！だが、EU離脱支持者の「国民」という言葉には私も入っていた。もはや私は部外者の役を演じてくれと言われていなかった。中に入れてもらえたのだ。その言葉に私はほんわかとした気分になった。とはいえ、この幸せな気分はすぐに失望に取って代わられた。私が入れてもらえたのは、「世界主義者《グローバリスト》」

という敵の手先を演じるためにすぎなかった。「あなた方のような国民」とは、たんに「本物の国民」と私たちを対比するための言葉だったのだ。

「ヴォウト・リーヴ（離脱に投票を）」という組織の最高デジタル責任者［選挙活動のデジタル戦略を推進する役職］、トーマス・ボーウィックに会って、運動の文化的ロジックと標的設定戦略のより詳細な実態が見えてきた。ボーウィックは、離脱派が勝利したからくりを、自分の悪知恵のオタクっぽい細かい手口に浮かれながら説明してくれた。ボーウィックの実家は保守党の大御所で（母親はチェルシー選出の下院議員、父親は准男爵）、彼の仕事への取り組み方は、パズルを解いたり、戦略ボードゲームで遊んだりする早熟な中学生のようだ。

デジタル・キャンペーン責任者としてのボーウィックの仕事は、第一に、有権者について可能なかぎり多くのデータを集めて、どの有権者が自分たちの陣営に投票する可能性がもっとも高いかを計算するというものだった。ここ数十年のあいだに、有権者に対する認識は変化してきた。冷戦中、有権者は階級と階級政治によって定義された。イデオロギー的左翼対イデオロギー的右翼、ガーディアン紙［イギリスの中道左派寄りの新聞］の読者対デイリー・テレグラフ紙［イギリスで発行部数一位を誇る保守寄りの新聞］の読者といった具合に。一九九〇年代から二〇〇〇年代初頭にかけて、政治はたんなる消費者向け製品に降格され、世論調査員はマーケティング企業から提供されるカテゴリーを利用するようになった。たとえばトニー・ブレア率いる新労働党は、「フォード・モンデオに乗る男性」（ある特定の車種にひかれる人物）といったカテゴリーに標的を定めて、彼らの経済的欲望を満たそうと努力した。もはやこれも時代遅れらしい。人々は消費者選択のような単純なカテゴリーに従って投票しない。もはや新聞や政党が明確な社会的カテゴリーを代表しているとはかぎらない。二〇一〇年代初頭の数年間は、幼児期の体験がその人の政治的選択を決定するという考え方に基づき、経済階級に代わって「オープン」マインドと「クローズ」マインドという心理タイプで国民を分けるのが流行した。いまでもイギリスの心理学的地図は存在し、この国の有権者を心理学的特性に従って定義する。その地図はEU離脱の是非を問う国民投票にもぼんやりと反映されている（離脱派はクローズ、残留派はオープンというわけだ）が、もっとも重大な無党派層については腹立たしくなるほど曖昧模糊としている。

現在、異質な集団を投票に促すことができる争点をもっとも正確に反映しているのはソーシャルメディアのグループだ。それは動物の権利か？　それとも道路のくぼみか？　同性婚か？　環境問題か？ボーウィックの見積もりによれば、人口二千万の国であれば、標的を絞ったメッセージが七、八十種類は必要になるそうだ。ボーウィックの仕事は個人の大義と自分が選挙で勝たせるべき主張を結びつけることだ。はじめは両者にほとんど関連性がないように感じられるとしても。

EU離脱の是非を問う国民投票の場合、有権者の票を獲得するうえでもっとも有効だったメッセージは、動物の権利に関するものだったとボーウィックは言う。EU離脱派は、EUは動物に残酷だ、闘牛用の牛を養育するスペインの農家を支援しているではないかと主張した。動物愛護派というくくりのなかでも、ボーウィックはさらに標的を絞ることができた。あるタイプの有権者たちには、解体された動物の写真が載った画像付き宣伝を送り、別のタイプの有権者たちには可愛い羊の写真が載った、より刺激の少ない宣伝を送った。

動物権利擁護派は移民について、じつはほかの離脱派とまったく違う立場を取っているのかもしれない。移民に対してはるかに寛容かもしれない。だが、あなたがさまざまな集団にそれぞれ的を絞った異なる宣伝を送り、それが他人の目にけっして触れないのであれば、そんなことは問題ではない。そしてもちろん、ボーウィックにはキャッチコピーもあった。「主導権を取り戻そう」あらゆる人にとってどんな意味にも解釈できるスポンジのように正体のない言葉である、と同時に、EUはイギリスの主導権を蝕もうと企む敵だという含みもある。

「はっきり特定できる敵は、あなたの票に反対の立場を取る二十パーセントでしょう」。彼は、どんな話をするときもデータ点を示すことに熱心だった。

そして、よそよそしくて超然としたEUにはカモにされやすい大勢の敵がいる。二〇一九年二月、私はミュンヘンの母校を訪れた。昔ながらの星型の校舎の隣に、鉄骨とガラスでできた立方体の新校舎があった。EUの拡大に伴い、生徒の数は九百人から二千人に増えていた。講堂はいまも生徒たちで賑わっていた。あまりに人が多く、騒々しくて、ひとつの言語も聞き取れなかった。EU職員の子供だけで定員を超過してしまうため、親がEUと関係ない生徒はもう受け入れていないという。ヨーロピアンスクールは模範となり、学校が置かれた共同体に浸透して、これを変革していくことを理想としていた。ところが、いまの校長先生によれば、ミュンヘン校は地元の人たちから嫌われているのだそうだ。私がハイヤム先生は立派な方だったと言うと、校長はますますむきになった。「ヨーロピアンスクールはヨーロッパの教育実験校になることを目指していました。ところがそうなる代わりに、孤立した企業の付属校になりつつあります」。学校のありようはEUのプロジェクトの縮図のようだった。なぜそれが万人に役立つ理想なのか、はっきり伝えることのできないまま、自分の思い描くユートピアの中に閉じこもっている。

EU離脱の是非を問うイギリスの国民投票はアイデンティティを再編するひとつの手段だった——だが、それが恒久不変であるとか、唯一の手段だと考えるのは間違いだろう。

次の総選挙に備えて、労働党はさっそく自分たちの公約を考えた。彼らのスローガンは、「少数ではなく多数のために」と決まった。その「多数」とは、EU離脱に投票し、裕福な西ロンドンの住民に憤りを感じているイギリス北部の人々から、EU残留に投票し、EU離脱という結果を労働党がひっくり返してくれるだろうと期待する裕福な西ロンドンの住民まで、まったく異なる集団の寄せ集めだった。総選挙では労働党が勝利し、保守党の議席は過半数を割った。「国民」は「多数」に、「国民の敵」は「少数」に再編成された。私たちは、ポップアップ式（パッと飛び出す）ポピュリズムの時代に生きている。それは「国民」の意味がころころ変わり、誰を部内者と見なし誰を部外者と見なすかが始終見直され、帰属するという言葉の意味がけっして定まらず、政治的アイデンティティが破裂しては別のなにかに作り変えられる時代だ。そしてこのゲームに勝利するのは、ころころ意味の変わる磁石のまわりに、誰よりも柔軟に、互いに共通点のない関心事という鉄粉を並べ直すことができる者なのだ。

労働党の躍進に胸を躍らせていたひとりがシャンタル・ムフだった。「戦略としてのポピュリズム」という考え方を最初に体系化した理論家だ。ムフは、経済階級というカテゴリーがもはや固定的でなくなった時代に左翼を再生させたいと考えている。私たちは一度ウィーンで会い、その後、植物と書物に占領されているロンドン北西部のムフのアパートメントで面会した。一九七二年からイギリスで暮らしているが、自分をイギリス人と思ったことは一度もないそうだ（イギリス人のユーモアは理解できないと言う）。だが、これほど長く暮らした国で、自分はいま大きな変化が起きているのを目撃している、とムフは語った。

一九八〇年代以降――そして冷戦で資本主義が共産主義に勝利してから数十年間――私たちは、ほかに選択肢がないように思えた「普通」のなかで生きてきた、とムフは主張する。権威主義的支配の下で戦いにとってきわめて重要な意味を持っていた言葉が、経済的利害関係に吸収されていくのをムフは見た。「選択」は学校や病院の公的管理の放棄を正当化する手段になり、「自由」は国家資産の売却に変わった。

「サッチャーは、国家は集産主義的で圧制的なやり方でしか恩恵を届けられない、一方、民営化は人々を自由にすると国民を丸めこむことに成功した」と、ムフは強い訛りのある英語で語った。ムフに言わせれば、「自由民主主義《リベラルデモクラシー》」は、「自由《リベラル》」という言葉を偏重するあまりゆがんでしまった。「自由《リベラル》」は、金融当局により多くの自由を与えるために用いられた。だが、私たちに必要なのはより多くの「民主主義」だ（ムフはこれを「平等」と呼んだ）。ムフは、「自由」と「民主主義」というふたつの言葉がくっつけられたのは間違いで、このふたつをひっぺがしたいと思っているようだった。

二〇〇八年の金融危機以来、ふたたびなにが勝利するかわからなくなった。言葉、欲望、意味、行為がひとつになって溶解し、権力をめぐるもっとも重要な戦いが繰り広げられた。ヒズブの「培養」のプロセスそっくりだった。これが「現実」を決めるものであり、「普通」になるものだ。ムフはこのプロセスを表すためにイタリアの哲学者、アントニオ・グラムシ［一八九一～一九三七年。イタリアの思想家。マルクス主義の研究で知られる］が考えた「メタ・ポリティクス」という用語を使った。

ムフはたんなる理論家ではない。スペインの「ポデモス」と、フランスの「服従しないフランス」というふたつの左翼政党と緊密に連携して活動している。ムフによれば、新左翼の政治家たちは、反移民政策を掲げるマリーヌ・ル・ペンの政党（旧「国民戦線」、現在は「国民連合」）の票田となっているフランスの地方に行って、あなたたちの本当の敵は移民ではなく、あなたたちを貧しさから抜け出せなくしている経済システムなのだと説得を試みたという。こうした会話のあいだに支持者たちの認識は手に取るように変化したとムフは記し、「アイデンティティは政治的構築の結果である」と断言している。

だが、ムフの意気ごみとは裏腹に私は当惑していた。古い自由のなかには（「自由」という言葉がまだ使えるとして）存在するに足る理由を持つものもあったのではないか？ ムフは、カリスマ的指導者の必要性について語った。新たに作られた「国民」のてんでばらばらな大義と不満をひとつにまとめることのできる「弁の立つ代弁者」が必要なのだ、と。激情が、すなわち、人のもっとも根源的な無意識の欲求を表現してそれらをひとつにまとめることが必要であり、敵を明確にすることがいかに重要であるかを語った。[10] それを民主主義のルールのなかで実現することは可能だとムフは主張したが、おそろしいものに変わりかねないことは容易に想像できた。

いまがおそろしい時代であるということにはムフも同意した。

「さらに権威主義的な方向に進むこともありえます……あるいは、より民主的なものに向かうかもしれません。大きな問題は、『私たち』と『彼ら』をどう構築するかなのです」

このゲームを誰よりもよく理解しているのは、おそらく私が第2章で紹介したアイデンティタリアン運動の指導者、マルティン・ゼルナーだろう。そのときゼルナーは、文化的に均質なヨーロッパという自分の理想を追求するために、スルジャ・ポポヴィッチの抵抗戦略の考えを利用していた。

「われわれがヨーロッパ人になるためにはメフメトもムスタファも必要ない」。フランスの若手右翼運動「アイデンティティの世代」のマニフェストはそう断言する。「ヨーロッパはヨーロッパ人だけのものだ。われわれはアイデンティティ世代なのだから」

ゼルナーも、ムフと同じようにメタ・ポリティクスについて（そしてアントニオ・グラムシについて）語っていた。私はふたたび彼に連絡を取り、今回はBBCラジオのドキュメンタリー番組に出演してもらった。ゼルナーは「右派の前衛である私たちの仕事は、明日の普通が、今日普通と考えられているものである必要はないと人々に示してみせることだ。政治における普通はきわめて不安定で動的で相対的なのだから」と説明した。

ゼルナーは権利や自由、とくに女性の権利にまつわる言葉を巧みに利用して、それらを自分の目的と結びつける。あるときは、ドイツで開かれた女性の権利を擁護する集会に女性のアイデンティタリアンたちを参加させ、イスラム教徒移民によるレイプ事件を宣伝するために、レイプ警報《アラーム》を鳴らしてみせた（移民による暴行事件はたしかに数件起きているが、性的暴行事件の加害者の圧倒的多数は、住所不定の移民ではなく被害者をよく知る人物だ）。またあるときはゼルナー自身が、ウィーンにあるオーストリア＝ハンガリー帝国の女帝マリア・テレジアの銅像にブルカをかぶせるというスタンドプレイを行なった。ところが、ゼルナーの言葉が呼びかけるのは、暴力ではなく、言論の自由であり、民主主義であり、新しい考え方への寛容さなのである……。

「私たちの敵が無力なのは、彼らがいまだに、数十年前に対決した昔の弱小政党でしかなかった右翼と私たちが同じであるかのように記述し、戦おうとしているからだ」。私が司会をつとめる番組で彼はそう語った。プロデューサーと私は困惑した。今回のインタビューで、ゼルナーをますます本流に押し上げることに自分たちが手を貸してしまったのではないかと思って。そもそも「本流」などという概念がいまもあればだが。

◉未来はロシアに先にやってきた

はてしなく変化し続ける「多数」と「国民」、めまぐるしくアイデンティティを作り直す、必死の場当たり的な試み、こうしたものについて思いをめぐらせているうちに愕然とした。これらすべてをかつて私はロシアで見ていたではないか、と。

「プーチンの過半数というアイデアを最初に考えたのは私だ」。プーチンの初期のスピンドクターのひとり、グレブ・パブロスキーからそんな話を聞いたとき、私はまだモスクワに住んでいた。「そしてそのアイデアが現実になったのだ！」

二〇一〇年、私はほぼ十年暮らしたロシアを去った。前著に記したように、「なにひとつ真実はなく、あらゆることが可能」というハンナ・アーレントの洞察を無意識に想起せずにはいられないシステムのなかで生きていくことに疲れはててしまったのだ。それはまだウクライナ侵攻が行なわれる前で、モスクワでは比較的穏やかな日々が続いていた（とはいえ、ジョージア（グルジア）侵攻や、チェチェンに対する絨毯爆撃はその前兆だったに違いない）。が、すでにそこは、けばけばしい見世物が良識を押しのけ、偽情報の霧のなかを直感を頼りに進むしかない世界だった。ロンドンに戻ったのは単純無邪気にも、「言葉が意味を持つ」世界で暮らしたくなったからだ。ロンドンなら、あらゆる事実が、勝ち誇る冷笑によって「たんなるPR」や「情報戦争」として片づけられることはあるまい、と思っていた。

冷戦で敗北して以来、ロシアは自分自身とも、二十世紀に負ったあらゆる精神的外傷《トラウマ》とも折りあいがつけられなくなってしまったように見えた。ロシアはついに本流から外れてしまった、みずからの苦悩のなかにホルマリン漬けされた骨とう品になってしまったと私は思っていた。

そして二〇一六年、大転換の年がやってきて状況が一変した。突然、かつて私が知っていたロシアがいたるところに出現した。極端な相対主義が、真実を知ることは不可能だとほのめかし、反吐の出る郷愁《ノスタルジー》のなかに未来が溶解し、陰謀論がイデオロギーに取って代わり、事実と嘘《フイブ》が同等と見なされ、会話が、すべての議論は情報戦争にすぎないという非難の応酬に変わり、足元にあるすべてはつねに動いていて、本質的に不安定で流動的であると感じられるようになった。

さらに、ロシアでぞっとするほど蔓延していた風潮だけでなく、ロシアという国そのものも四六時中トップニュースで報じられるようになった。ロシアはウクライナを侵攻し、シリアを爆撃し、アメリカをハッキングし、ヨーロッパを買収した。新聞売り場で、十時のニュース番組の冒頭で、プーチン大統領が不敵に笑いかけてきた。「逃げられると思ったのか？」と言うかのように。

ロシアから逃れようとするあらゆる努力にもかかわらず、ロシアは私を追いかけてきた。ロシアで暮らしているあいだ、私が勘違いしていたのだとしたら？　ロシアが歴史のどん詰まりに置き去りにされた骨とう品でなかったとしたら？　かつて西側と呼ばれた国々に訪れようとしているものの先触れだったとしたら？

こうした疑問が湧いてきて、いつしか私はロシアに、モスクワで過ごした数年間この目で見ていたシステムのルーツに、リーナがロシアで番組を制作していた時代に目を向けるようになっていた。

私はふたたびグレブ・パヴロフスキーに連絡を取り、電話インタビューを申しこんだ。彼は応じてくれて、ＢＢＣのレコーディング・スタジオにいる私に、過半数のアイデアを作り出した戦略や、一九九〇年代のロシアの人々について説明してくれた。すべてが驚くほど身近に感じられる話だった。

「共産主義体制は怠惰だったが、それでもイデオロギー的存在であることに変わりはなかった」。パヴロフスキーはそう言ってから、もっと的確な質問をするようにと穏やかな口調で助言した。「いよいよ終わりが来ても、共産主義のいい点と悪い点について少なくとも議論することはできた。そこに真空が生じて、新しい言葉が必要になった。私たちはまっさらなカンバスだった。言うなれば、政治制度の原理をもう一度考え出さなくてはならなかったのだ。それもできるだけ最良のものを」

「自由」がもたらす輝かしい未来という展望は、一九九〇年代初頭の荒廃の時代に砕け散った。それに代わってぽつりぽつりと現れたのが泡沫的な政治運動で、彼らは政策綱領として独自の用語を作り出した。国家ボリシェヴィキ党、自由民主党（実態は陰謀論を唱える国粋主義者の集まりだった）、伝統的な独裁体制と社会計画とを合体させた共産党。パヴロフスキーは世論調査を行なった結果、ロシア人が、左翼や右翼といった古い概念にあてはまらない矛盾を信じていることに気づいた。大多数のロシア人が信じていたのは強い国家だった。ただし自分たちの個人的な生活が巻きこまれないかぎりという前提の下で。選挙で勝利するには、「労働者」「集団農場《コルホーズ》の農民」「インテリゲンチャ［頭脳労働者］」といったソ連時代の人口統計学的区分は役に立たなかった。パヴロフスキーは票をかき集めるために従来と違う方法を試みた。イデオロギー上の議論に焦点を絞る代わりに、異なる、そして対立することも多い社会集団に標的を定め、それらをマトリョーシカ［ロシアの代表的な木製人形。大きさの違う人形が入れ子式に体内におさめられるようになっている］のように集めはじめた。彼らの意見の内容は問題でなかった。十分な数の票が集まれば、それだけでよかった。

「短期間で、文字通り一瞬で有権者を集めるのです。しかしそうすることで全員がまとまってひとりの人物に投票してくれる。そのためには、有権者全員に共通するおとぎ話を作らなくてはならない」そのおとぎ話が、政治的イデオロギーであるはずはなかった。進歩という共通概念を支えてきた偉大な思想は滅びたのだから。共通点のない集団をまとめるには核となる感情が必要だった。彼らをひとつにまとめられるほど強力で、かつ、誰にとってもなにかしらの意味を持つほど漠然とした感情が。一九九六年、持病があるうえに人気のないエリツィン大統領の選挙戦でパヴロフスキーが考えたおとぎ話は、エリツィンが勝利しなければ内戦が起きるかもしれないという、国民の恐怖感情を煽るものだった。パヴロフスキーは、エリツィンは、自分が選挙に負けたら国を内戦に突入させる気でいる無謀な危険人物だというイメージを人々に植えつけた。「生き延びる」という部分が物語で、「すべてを失うかもしれないという恐怖」が感情だった。

パヴロフスキーが運営する「効果的政策財団」は、ライバルだった共産党を、今日のフェイクニュースやソックパペットの先駆けとなる方法で中傷した。「共産党は人民の家を国有化する」と書かれた、共産党のものと見せかけたポスターを作った。役者たちに共産党員のふりをさせて、彼らが教会のパンフレットを燃やすようすを撮影した。占星術師を雇ってテレビに出演させ、共産党が選挙で勝利すれば悪夢が待っている、ウクライナと戦争がはじまるかもしれない、などと予言させた。

大方の予想を裏切り、エリツィンが勝利した。

パヴロフスキーは過半数という新たな概念を考え出したが、それは政治的内容をほとんど伴わない感情の操作にすぎなかったので、選挙が終わったとたんにばらばらになった。そこでただちに新たな過半数作りに取りかかった。パヴロフスキーはひっきりなしに世論調査を行ない、その結果、国民からもっとも尊敬を集める候補者は、ジェームズ・ボンドのような「頭脳派のスパイ」であることが明らかになってきた。こうしてクレムリンと新興財閥勢力はＫＧＢのＯＢのなかから未来の大統領候補を探しはじめ、ウラジーミル・ウラジーミロヴィチ・プーチンに白羽の矢を立てた。

それは、パヴロフスキーのような人物の最終的な落ち着き先としては奇妙に思えるかもしれない。なにせ彼はかつて反体制派だったのだ。ブルガリアのイワン・クラステフという政治学者との対談集では、一九六〇年代にオデッサで過ごした学生時代を回想し、当時からいたずらで、「私はジョン・Ｆ・ケネディに投票する」と書いた紙を教師たちの背中に張りつけた話をしている――それはまさしく反ソ的活動だった。

青年時代は、地下出版されたソルジェニーツィンの『収容所群島』を配布していた。一九七四年にＫＧＢに逮捕され、本人も驚いたことに、圧力をかけられてパニックを起こし、友人のひとりを密告してしまったという。その後証言は撤回したが、友人は監獄の代わりに精神病棟で短期間服役しなければならなかった。

一九八〇年代に入ってから、パヴロフスキーはモスクワに行って、「捜索」という反体制派の主要雑誌の編集に携わり、ふたたび逮捕された。このときは、「ソヴィエト連邦を誹謗中傷する」罪を犯したと自白した。こうした自白は、国家の圧力に立ち向かう個人の主権をなにより尊ぶ反体制側の文化において恥ずべき行為とみなされていた。パヴロフスキーは、一九八二年に逮捕されてから数年間を刑務所と国内の追放先で過ごしたが、そのあいだも、ＫＧＢはソヴィエト連邦のために反体制派と手を結ぶべきだと主張する手紙をＫＧＢに書き送っていた。一九八六年に彼は釈放された。ペレストロイカの進行中は、改革が成功して世界に門戸を開いたソ連のほうが、人種差別的傾向のあるロシアナショナリズムよりも、進歩に向かう手段としてすぐれているとあいかわらず信じていた。そしてしだいに強力で中央集権的な国家の必要性を痛感するようになり、[11] 一九九九年にはKGBのOBを権力の座につけるために働いていた。

二〇〇〇年の大統領選挙に際して、パヴロフスキーは、エリツィンが大統領だったあいだに自分たちは敗北し、「置き去りにされてしまった」と感じているすべての人々をひとつにまとめ、今回が、彼らが勝者になれる最後のチャンスだという感覚を植えつけた。教師、秘密情報機関の手先、学者、軍人――社会のなかではまったく異質な集団で、ソ連時代だったらそれぞれ異なるバリケードの背後にいたであろうこれらの人々を、パヴロフスキーは「プーチンの過半数」というアイデアの下に束ねた。トーマス・ボーウィックらが数十年後に気づいたように、古いイデオロギーがことごとく消滅し、首尾一貫した政治思想をめぐる競争が行なわれなくなった時代では、選挙のたびに更新される「国民」の概念と、誰もが自分なりに解釈することが可能なあいまいだが強力な感情を核として、異質な集団をひとくくりにし、彼らに害をなすおそれのある仮想の敵をこしらえて封印することが選挙の目的になる。

プーチンは選挙に勝った。おりしも、チェチェンからイスラム教徒のテロリストたちがやってきて、ロシア郊外の集合住宅街で強力な爆弾を次々と爆発させ、瓦礫の下で数百人が犠牲になるという、身の毛のよだつ、人々のパニックを誘発するニュースがひっきりなしにテレビで放映されており、保安委員会出身の人物はいかにも大統領に適任だという印象が強まった。

パヴロフスキーの力を借りてプーチンが権力の座に就いてから約二十年間、「国民」の概念は何度も再編されたが、くるくる変わる敵のまわりに異質な集団を団結させる構図はずっと変わらなかった。敵は、最初はオリガルヒ、お次は大都市に住む自由主義者《リベラル》、さらに最近では外の世界全体だ。プーチンは行動主義者のパフォーマンス・アーティストさながらにカメラの前で勇ましいポーズを取る。一貫したイデオロギーを提示する代わりに「ロシアよ、立ち上がれ」と呼びかける。その言葉は、「アメリカをふたたび偉大な国に」と呼びかけられるアメリカ人と同じ高揚感をロシア人にもたらす。

インタビュー当時、パヴロフスキーは多忙だった。彼が創設に尽力した「ナーシ」という青少年組織は、エストニアで分散型サービス妨害（ＤＤｏＳ）攻撃を開始して、反体制派やジャーナリストたちを苦しめている。「ナーシ」はロシア語で「私たちの」という意味で、政治を、「私たち」、「彼ら」、「私たちの」、「彼らの」という代名詞の羅列に降格させている。ロシアの陰謀論を分析するリーズ大学講師、イリヤ・ヤブロコフによれば、パヴロフスキーは二十一世紀の最初の十年間メディアに頻繁に露出し、ロシアは敵に包囲されており、欧米はウクライナを「反ロシアテクノロジーの巨大実験場」に変えようとしているというイメージを喚起し続けた。彼が作り出した「プーチンの過半数」は、「反対者を非合法化するための警棒の役目を果たし、社会をプーチンの過半数と敵に二分することが政治戦略の主流になった」[12]。

あるとき、パヴロフスキーは自分で作ったふたつのグループの間違った側に付いて、二〇一一年に、首相任期を満了したプーチンが大統領に復帰する必要はなかろうと主張した。彼はクレムリンから放り出された。ロシアの政界の裏でも表でも働き、いまなお毀誉褒貶にさらされているパヴロフスキーは、ロシアの数多くの物語にひょっこり登場するエブリマン［普通の人］だった。

パヴロフスキーに言わせれば、今日の欧米は、一九九〇年代のロシアとまったく同じ変化のプロセスをたどっている最中で、同じような危機に遅れて反応しているだけなのだそうだ。

「冷戦は地球文明を、人類によりよい未来を約束するふたつの選択肢に引き裂いた」。BBCのスタジオで彼はそう語った。「ソ連が敗北したのは間違いない。だがその後、そこには選択肢を失った奇妙な西側のユートピアが出現した。このユートピアを支配していたのは経済技術官僚《テクノクラート》たちで、彼らの失敗はありえないはずだった。そしてそれが破綻した」

アイデンティティとイデオロギーが流動化した社会で、欧米の選挙活動家たちが最終的に採用している戦略は、パヴロフスキーの戦略に驚くほどよく似ている。ただし、今やソーシャルメディアとビッグデータがこれを強化している。

「この点についてはロシアのほうが進んでいて、現在欧米が追いつこうとしている段階だ。ひと言でいうと、欧米は原理プーチン主義とでもいったものを追いかけていると言えるだろう」。パヴロフスキーは皮肉たっぷりにそう言った。

それは冷戦の終結から生じた途方もない逆説だ。未来は、というより未来を失った現在は、ロシアに先にやってきた。欧米にいる私たちはいま追いつこうとしている。ひょっとするとここには、単純な文化的ロジックが働いているのかもしれない。私たちのイデオロギーの首尾一貫性が、ソ連のイデオロギーと敵対することのうえにいささかでも成り立っていたのなら、ソ連が崩壊すれば、私たちがそのあとを追いかけるのは必定だ。

クラステフとの対談集で、パヴロフスキーは、彼の師であるロシアの歴史家でホロコーストの研究者、ミハイル・ゲフターの言葉を引用している。ゲフターはすでにソ連時代末期に、人類は歴史的発展の統一的・普遍的展望を失いつつあると主張し、一九九〇年代には、冷戦の終結が「主権殺人」の時代を招くことを予見している。世界から規範が消えれば真空が生じ、その真空の中では混乱分子たちが、自分たちの行動に都合がいいように勝手に作った規則に従って行動する。彼らはそれぞれの「主権」の論理に従って国民を、いやそれどころか国民をまるごと殺害する。パヴロフスキーはこの言葉を予言的と考えている。一九九〇年代初頭の段階で二〇一九年を予見したビジョンである、と。「共通普遍の人類というイメージがありえなくなり、それに代わるものが出てきていない。すべての人が自己流の『普通の』人間像を、自己流の『正しい』歴史」を思いつく」

現ロシア政権はこの状況にすっかりなじんでいる。なぜならロシアは、ほかの国々より長くこの環境に慣れる方法を模索してきたのだから。世界中にこの状況が広まっていることもなんら不思議ではない。ロシアは少し早くスタートを切っただけだ。

そして私たちの世界が、新生ロシアを追いかけるかのように、ますます不透明で流動的になっていくにつれ、人はますます冷戦の見せかけの確実性を恋しいと思いたくなるかもしれない。クレムリンがふたたび巨大な敵になれば、私たちもふたたび自分自身を、かつての勝利の意味を見出せるかもしれない、と。裏を返せば、その欲望はロシアの現政権の地位を高めることであり、それこそまさにロシアの思うつぼだ。

パヴロフスキーの「政治工学」のすべてに最優先する目標は、崩壊する寸前の強国のイメージを復活させるというものだ。一九九〇年代当時、パヴロフスキーは、現実のソ連政権は弱いかもしれないが、人々の生活のなかの情報の流れやマスコミの風景のいたるところにソ連は強国であるというイメージをまき散らせば、国内では強いように見せかけることができることを理解した。クラステフとの対談によれば、現在はプーチンがお抱えハッカー集団や情報操作の指紋を世界中のいたるところにわざと残して、世界的影響力があるかのように見せかけることができるという。「これぞまさしく世界の聴衆に向けた劇場、世界劇場《テアトルム・ムンディ》だ！」

第6章 未来はここからはじまる

◉結論と提言

サウス・ケンジントン駅で私と会う前に、ナイジェル・オークスはヴィクトリア&アルバート博物館を訪れ、「未来はここからはじまる」と題する展覧会を観ていた。会場をぶらぶら歩いていたオークスは、突然ある展示の前で棒立ちになった。あまりの衝撃に心臓の鼓動が速くなり、空気を求めて戸外に飛び出さなくてはならなかった。

それは「民主主義はインターネットを乗り越えられるか?」という展示で、ケンブリッジ・アナリティカという「国際的な選挙コンサルティング」会社に捧げられていた。ケンブリッジ・アナリティカは、アメリカの全有権者についてネット上で五千点のデータを集めたと主張していた。あなたはなにが好き? ソーシャルメディアでなにを共有している? どこで、どうやって買い物する? 友達は誰? など。ケンブリッジ・アナリティカは、あなたがネット上に残した足跡を収集し、それを利用して親兄弟もかなわないほどあなたを理解することができる、さらにあなたの思考ばかりか行動パターンを変えることもできると豪語していた。その言葉は成功によって裏づけられたようだ。ケンブリッジ・アナリティカは、アメリカ大統領選挙でドナルド・トランプ陣営に与し、二度にわたりテッド・クルーズをアメリカ上院議員に当選させ、アフリカ、アジア、カリブ海諸国、中南米およびメキシコでも顧客を勝利に導いていた。

オークスが展示にこれほど興奮したのは、自分がずっと正しかったことが、いまここでやっと証明されたからだ。ケンブリッジ・アナリティカは、彼が自分の哲学を土台として創設した「戦略的コミュニケーション研究所（ＳＣＬ：Strategic Communication Laboratories）」の別会社だった。オークスは社会に出て働きはじめてから、「説得の究極兵器」と誇りをこめて呼んでいるものを自分が発見したことを証明しようとしてきた。最初は笑われ、その後批判された。だが、自分のアイデアが今やこうして、「ここからはじまる」未来として示されている。みんながこれを真似して、ヴィクトリア＆アルバート博物館の展覧会で展示されている。

私と会ったとき、オークスはグレーのスーツを着て、戦略的コミュニケーション研究所のロゴがついたキャップを目深にかぶっていた。帽子のつばの下で、サファイア・ブルーの瞳がらんらんと耀いていた。

「ほとんどの宣伝と効果的な選挙運動について言えるのは――そいつがまったくのナンセンスってことだ」。口を開くなり、彼はそう言った。自分の夢は究極の影響兵器を作ることなのだ、と何度か繰り返した。どんな兵器にも言えることだが、それは良い目的にも悪い目的にも使える、とオークスは主張する。自分には道徳観念がない、とみずからそんなことも言う。

オークスはもともと作曲家になりたかったのだそうだ。だが、王立音楽大学には作曲科がなく、器楽科に入学できるほどの演奏技術もなかった。そこでしばらく劇場音楽の作曲家として活動したが、それでは食べていけなかった。いまでも結婚式用のオルガン曲を後期バロック様式で作曲しているという。満場の参列者を音楽で魅了するよろこびを語るとき、オークスは満面の笑みを浮かべてメロディをそっと口ずさんだ。とはいえ、キャリアが必要だったので、一九八八年にサーチ&サーチという大手広告代理店に入社した。

オークスは大学に進学していない。世に名だたる名門パブリックスクール、イートン・カレッジの出身だが、在学中はずっとほかの学生たちに比べて自分は勉強ができない（そして貧乏だ）と感じていたという。そうした学業面での劣等感を克服する必要があったのだろうか、サーチ社では学術的アプローチを取り入れてみようと思った。広告代理店は、自分たちの広告や宣伝活動が効果を上げていることを実際に証明できるだろうか？　と同僚に尋ねてみた。

意外にも確立された方法論は存在しなかった。広告業界は、宣伝する製品について情報を集めたり、人の注意をひくきらびやかで美しいものを作り出したりするのは得意だった（議題設定）。ひとつの問題について切り口を変えて、ちょっとした匙加減で、ある政治家やある国をより魅力的に見せたり、その逆に見せたりすることはできた（フレーミング）。だが、実際に人の行動を変えることはできていただろうか？　オークスが好んで取り上げるのが喫煙に関する例だ。喫煙はあなたの寿命を縮める、そういう広告を作ることはできる。広告を見た人は、喫煙は有害だという意見に同意するだろう。しかしそれでも煙草を吸い続ける。なぜその人が煙草を吸うのか、そこを解明する必要があるのだ。オークスはある調査プロジェクトの最中に、若い女性が煙草を吸うのは、煙草を吸うと魅力的に見えると思っているからだと気づいた。であるなら、煙草を吸うと髪も息も臭くなる、肌もくすみがちになると宣伝すればいい。

一九八九年、オークスは行動力学研究所（ＢＤＩ：Behavioural Dynamics Institute）を立ち上げた。研究所の使命は、どういった形の説得が効果的で、どういったものが効果的でないかに関する歴史的調査を収集するというものだった。それから四年間、広告業界の投資家たちから資金援助を受けながら、オークスは、大衆煽動術の歴史、社会心理学、行動科学を専門とする数十人の研究者に調査を行なわせた。たとえば彼らが書いた論文のひとつに、ヒトラーの宣伝大臣だったゲッベルスが、ジークハイルという挙手式敬礼の使用を奨励した理由について述べたものがある。それは、強制的に二回息を吐いて、腕を激しく上下させる運動と一緒に繰り返せば、ヒトラーの支持者たちは過呼吸状態になり疲労して一種の催眠状態に陥り、相手の言うことを受け入れやすくなる、と気づいたからだという。

研究所は社会集団の本質を明らかにする方法を開発した。年齢、性別、社会階級といった記述的カテゴリーは、行動の予測材料としてはあまり役に立たなかった。オークスは、人類学専攻の学生たちを使った世論調査の方法を開拓した。学生たちは、通常自分たちの使命をあかさず、ひとつの共同体に長期間潜入して、住民たちが誰を嫌い、誰を尊敬しているか、なにをもっとも欲しているか、どの友人に影響力があるか、集団内でのふるまいをなにが決定しているかを調査した。

一九九〇年にオークスはモスクワに赴き、ある研究所を訪問した。それは衝撃的な出来事だった。ガスプロムという国営エネルギー会社で、広告と影響に関する講演を三日間行なったあと、オークスは互いへの敬意と知識の交換の印としてＫＧＢのＡ課に所属する理数科研究センターを見学してみてはどうかと勧められた。当時ソ連は崩壊まで秒読み段階に入っていて、互いにオープンであることが歓迎されていた。

オークスが連れていかれたのはKGBの本部ではなく別館だった。十一月だったので、オークスは厚いコートを着てハイキングシューズをはいていたが、KGBに改まった服装を求められた場合に備えて、鞄にはフォーマルな革靴も入れておいた。建物には暖房が入っていなかった。コンピュータもろくにない、仕切りのない広々とした部屋で、研究者たちも厚いコートを着て椅子に座っていた。ほとんどの職員は彼と話すことに慎重なようすだった。しばらくして主任研究者が到着するとようすが一変した。主任は自分の研究についてオークスになんでも話したがった。自分には村をまるごと使って対照試験を行なう権限がある。意思伝達と説得に関する仮説を検証することもできる、と言った。

オークスはこうしたすべてが孕んでいる倫理問題について一瞬考えた（仮説を試すために誰かの命を奪うことも可能なのだろうか？）が、ひどく興奮してしまってじっくり考えることができなかった。そんな研究はイギリスでは不可能だった。それからみんなで昼食を取った。出てきたのは水っぽいスープだった。コックが歓迎のしるしに、自分の皿に骨と肉の切れ端を入れてくれたことにオークスは気づいた。A課が行なっていた研究は、規模としては壮大だったが、社会全体のシステムは崩壊しかけていた。

一九九三年、オークスはBDIの知見をまとめて、戦略的コミュニケーション研究所（SCL）を設立した。申しこみが殺到するだろう、なにしろ自分は業界にいるほかの連中と違って、自分の方法がうまくいくことを証明できるのだから、そう思っていた。ところが、チェルシーのロッツ・ロードのオフィスに顧客が詰め掛けるどころか、誰も彼の話を理解してくれなかった。板チョコ一枚売るために、何か月も共同体に潜入する意味がどこにある？　しばらくして一本の電話がかかってきた。南アフリカからだった。アパルトヘイトが撤廃される直前で、選挙権を与えられた黒人たちにとって初めての選挙が行なわれるところだった。とはいえ、彼らは投票所に足を運ぶだろうか？　オークスは、「ターゲット・オーディエンス［広報宣伝活動の目標となる視聴者］分析」を行ない、投票を勧められた人々が耳を傾ける各地の「インフルエンサー」を特定してくれと頼まれた。調査は成功した。チョコレートより選挙のほうが商売になることにオークスは気づいた。依頼は増えていった。一九九五年には、初めて選挙を行なうことになったインドネシアのスハルト大統領を説得して、国を構成する数千の島々に分散して暮らす二億人の国民を対象に、居住区域ごとに完全に独立した選挙運動を行なわせた。だが、顧客の数は増えはじめたものの、大手広告企業の仲間入りは果たせなかった。彼のやり方は金も時間もかかった。顧客のなかにはオークスを雇って調査させた挙句、支払いを拒否する支配者もいたのではないか。そして、そういった国では司法が独立していない場合も多く、オークスは涙を飲むしかなかった。

二〇〇八年、同じくイートン校出身のアレクサンダー・ニックスがSCLに加わった。オークスと違い、ニックスは途方もない資産家の御曹司で、大学では美術史を専攻し、友人たちから「バーティ」と呼ばれていた（エドワード朝風の趣ある愛称だ）。ニックスは会社の研究成果をデジタル時代に応用して、金儲けがしたかったのだ、とオークスは言う。客あしらいはニックスのほうがうまかった。二〇一二年、彼はSCLの選挙部門を引き抜き、自分の会社とし、名称をSCL選挙ケンブリッジ・アナリティカと改めた。そして、ソーシャルメディアの活用法に注目することで、行動変化方法論を再現できないかと精力的にさまざまな方法を試した（後日内部告発者は、名門大学の名前を企業名に入れることで、その大学といっさい関係がなくてもアメリカの顧客にいい印象を与えることができたと主張している）。

ケンブリッジ・アナリティカはサイコグラフィックスの可能性を追究した。サイコグラフィックスとは、ソーシャルメディアにおける嗜好や言葉遣いからその人の人格が予測できるという考え方だ。たとえば、あなたが銃を所持する権利を訴える選挙活動を行なっているとしよう。その場合、選挙運動部長は誰が心配性かを割り出して、身の安全を守るには銃が必要だと主張するメッセージをその人たちに送ればいい。

それは新しいメディアから生まれる悪夢かもしれない。私たちのデータが、本人以上に「私」をよく知っていて、本人の気づかないところで「私」に影響をおよぼすために利用されているのだとしたら。だがこれは、「彼ら」が、私の個人的な、他人には秘密にしているつもりの事柄について知っているという話ではない。それはそれで不愉快ではあるが、本人が完全に自覚している確固とした「私」が存在して、彼らから守らなくてはならないという考え方を補強しているのだから、いくらか気も休まる。だが、これはもっと不穏な話なのだ。「彼ら」は私についてなにかを知っているが、その「私」とは、本人にも自覚がなく、私が「私」と思っている者ではないなにか――完全にデータに分解されて、たったいまも誰か別の人間に操作されているなにかなのだとしたら……。

とはいえ、オークス自身はフェイスブックの「いいね！」やネットの購入履歴が、現場で何か月もかけて行なわれる徹底的な調査を再現できるとは思っていない。彼は、自分の事業を欧米の軍事機関に集中させることにした（自分の事業部門はSCL防衛と名づけた）。イラクおよびアフガニスタンへの侵攻が惨事となったのは、ひとつには、誰も現地の人々のことを理解しようとしなかったのが原因だ、「少なくともアフガニスタンから撤退するとき、われわれは現地の人々のことを理解していた。われわれは入ったときよりずっと周到に出ていった」とオークスは言う。

二〇一八年、ニックスはケニアの顧客候補に、ケンブリッジ・アナリティカは政敵にハニートラップを仕掛けることができるとか、フェイスブックの八百万ユーザーのデータに本人の承諾なくアクセスしたことがあるなどと言ったことをジャーナリストに告発された。[1] これに続くスキャンダルによってケンブリッジ・アナリティカは破産した。SCL防衛で、オークスの顧客だった軍事関係者も全員消えた。間接的とはいえ、アナリティカとつながりのある人物に関わろうとする政府はなかった。だがオークスの口調からニックスに対する悪意は感じられなかった。ふたりは同志であり、ニックスは収益の一部をオークスと分かちあっていた。

自分はビジネスでは敗北したが、頭脳戦では勝利したとオークスは思っている。今や誰もが、影響力とは視聴者を、隣にいる人以上に深くしっかりと理解することだという考えに同意している。それには自分を相手に強制するのではなく、相手の心の奥底にある虚栄心をくすぐり、ひとつのイデオロギーを上から押しつける代わりに自分のメッセージを相手に合わせる必要がある。

「これが民主主義ってものじゃないのか?」オークスの問いはあくまでも修辞的だ。「人々が欲するものを与える時代が、さ」

オークスの元同僚であるニックスも、イギリス・デジタル・文化・メディア・スポーツ委員会で証言するにあたり同様の主張をしていた（多数の「専門顧問」のひとりとして私も委員会に参加していた）。「私たちは、有権者がもっとも関心を抱いている問題や政策に関わるメッセージを、有権者が確実に受け取れるように努力しているのです……それは民主主義にとって善にほかなりません」ニックスは、自分の行動についてまったく悪びれることなく委員たちに語った。

私が参加した頃には、すでに委員会が発足してから二年が過ぎていた。そして委員会は、「情報があふれかえる」時代において、実際のところ「民主主義にとっての善」とはなにかという問題に取り憑かれていた。委員会は手はじめに「フェイクニュース」の実態を調査した。すると、ミャンマーの民族浄化がフェイスブックで激しく煽られた件、ロシア政府が欧米に干渉している件、インターネット上の情報が本人の知らないうちに選挙活動に利用されている件が証言され、下院議員たちは愕然とした。委員会が二〇一九年二月に発表した「偽情報と『フェイクニュース』」という報告書には、「わが国の既存の法的枠組みではもはや目的を満たすことができない」とある。さらに「こうした環境においては、人々は自分の意見を強化する情報を、どんなにゆがんだ不正確なものであれ受け入れ、信頼すらしてしまう。それは世論の両極化を招き、客観的事実に基づいた合理的な議論を可能にする共通の土台を蝕む。……われわれの民主主義の構造そのものが脅かされている」とも述べている。

二〇一九年二月、私はイギリス議会の一室の後方に座っていた。すべての党の議員と彼らの顧問とで構成された委員会が、彼らの結論と提言が記された詳細な項目をひとつずつ検討していた。それは長い工程のはじまりにすぎなかった。委員会の報告書はこれから政府に提出され、政府がこの問題に関する計画を記した白書を作成し、さらにそれが国会で審議される。委員会の編集作業はまるで法廷のようで、細部にいちいち立ち止まった。議員たちが、短いフレーズのひとつひとつの意味や、それぞれの評価基準の妥当性に疑問を投げかける。作業は遅々として進まなかったが、私はふしぎと安心感を覚えた。十九、二十世紀の多くの小説が、役所や政策や法律の細かすぎる言葉遣いを諷刺しているが、意味がまったくあてにならない時代において、委員会のやたらと時間のかかる、法律遵守で証拠重視の作業は英雄的とさえ感じられた。

議員たちの背後には、十八世紀の下院のようすを描いた絵がかかっていた。かつらをかぶった男たちが優雅な議論とでもいったものを行ない、対峙する側は礼儀正しく、熱心に傾聴している。きっと現実の場面を描写したものではないのだろう。下院はつねに下衆《げす》と嘘つきでいっぱいの騒々しい場所だったのだから。だが少なくともそこには、デジタル・文化・メディア・スポーツ委員会が「合理的議論」や「民主主義の構造」といった言葉で言わんとしているもの、すなわち民主主義のあるべき姿が描かれていた。私たちがいる部屋には、オーク材の羽目板と、ペイズリー模様の重厚なエメラルドグリーンの壁紙が張られていた。壁には歴代首相を描いた油彩画が並び、彼らの瞳は尊大さと機知を湛えていた。暖炉には木彫りの紋章が施されていた。この部屋に座っていると伝統の一端を感じることができた。だが、これはいまの時代に合っているのだろうか？

委員会の報告書は、この問題を議論するにあたり共通言語を設ける必要性を強調するところからはじまった。委員会は最初にフェイクニュースに対する懸念を述べたが、その言葉の意味が少しずつ変化して、誰かの気に入らない内容を意味するようになっていることに気づいた。そこで今度は「偽情報」（意図的に人を欺こうとするコンテンツ）と「誤情報」（偶然人の判断を誤らせるコンテンツ）を区別しようとした。委員会は、こうしたコンテンツの定義をはっきりと定め、監視するシステムが必要だと言った。しかし、私がこれまで見てきたもっとも有害な活動の多くは、必ずしも偽情報を利用してはいなかった。そして、偽情報であることが確認されたとしても、それは例外なく違法となるだろうか？　違法とすべきだろうか？

注目する対象を、偽情報の内容から動作に移してはどうだろう？　視聴者を混乱させるために意図的に身元を偽る、ボット、サイボーグ、トロール。有機的に見えるが、実際は偽アカウントでいっぱいの組織的活動の一部であるサイバー民兵。独立した複数のサイトに見せかけて、じつはひとつの情報源がひそかに運営しており、すべてが同じ計略を推し進めている大量の「ニュースサイト」。有機的に見えてじつは人工的に組織されたものであることを知る権利が、人間が交流している現実がどのように設計されているかを知る権利が、私たちに与えられるべきではないか？

つまるところネット上で、スルジャ・ポポヴィッチが思い描くような、権限を付与された民主的な市民であるとはなにを意味するのか？　どうすればデジタルの世界が、血を抜かれ生気を失った「自由」や「権利」などの大仰なすべての言葉が甦り、意味を与えられる空間になるだろう。

カミーユ・フランソワが論じているように、それにはまず、権力者たちが組織的に行なっている脅しと嫌がらせからの保護が必要になる。国家が支援するトロール行為は、ただちに身元を割り出して、根絶されなければならない。煽動者には説明義務を負わせるべきだ。プライバシーの保護も重要だ。あなたのインターネット上の活動の断片が、最終的に誰の手におさまり、なんの目的に使われるのかをはっきりさせるのである。

委員会の椅子に腰かけながら、私は、自分たちの周囲で情報の雲行きがどう形成されるかを誰もが理解できるネットライフを想像していた。その世界では、コンピュータのプログラムが、あなたにあのコンテンツでなくこのコンテンツを表示するのはなぜか？　この広告、記事、メッセージ、画像がとくにあなたを標的としているはなぜか？　あなたのデータのどの部分があなたに影響を与えるために利用されているのか？　そしてそれはなぜか？　あるコンテンツは本当に人気があるのか、それとも誇張されているだけなのか？　こういったことがすべて理解できるようになる。そうなれば私たちは、目に見えない謎の力によって右往左往させられたり、うかがい知ることのできない理由のために震えたりおびえたりする生き物のようでなくなり、自分たちを取り巻く情報の力と対等に渡りあえるようになるだろう。私たちのまわりで情報がどう形成されるかの意思決定プロセスに関与する権限さえ与えられるかもしれない。であれば、私たちが暗闇のなかでしか世界を知覚できない現状にふんぞり返っているインターネット企業に公然と意見できるようになるだろう。

これらの原理を浸透させることができたなら、情報戦争の土台は大半が崩壊するだろう。情報を判断する基準は、情報の出どころが「あちら」なのか「こちら」なのかではなく、あなたが対等に渡りあえるように提供されているかどうかになるだろう。そうすれば現在のように、行動原理の理解を本人から奪っているなんらかの勢力に見くびられることもなくなるだろう。[2]

エメラルドグリーンの部屋に腰を下ろし、理想化された議会制民主主義の絵を見上げているうちに、思いは別のことに移っていた。「客観的事実に基づいた合理的な議論を可能にする共通の土台」をすでに自分は見つけていたではないか、と。デンマークで、私は初めて「建設的報道」の話を聞いた。それはたんにある立場の見方と別の見方のバランスを取るだけでなく、視聴者が直面している問題に現実的な解決策を見つけようとつねに努力するジャーナリズムだ。政治家には証拠に基づく提案を行なうことを余儀なくさせ、その提案を時間をかけて審議し、彼らの言葉を現実と突きあわせながら対話する。そこではふたたび事実が必要とされるだろう。この方法なら、ジャーナリズムに対する信頼を回復させることもできるかもしれない。なぜなら私たち人間は、なんらかの大きな目標に向かって一緒に取り組む人を信頼するからだ。そして、変化の主導権を取り戻すことによって、陰謀論を押し売りする政治家たちが、私たちに植えつけようとしている無力感を克服できるかもしれない。彼らはそうすることで、乗り越えがたい不可解な力に満ちた真っ暗闇の世界で、人々を導くことができるのは自分たちだけだと信じこませようとしている。

下院議会で新たな投票を知らせる鐘が鳴り、私ははっと現実に引き戻された。二〇一九年二月中旬、二年前にトーマス・ボーウィックとその仲間たちの勝利によって決定されたEU離脱をどう進めるべきかで議会は紛糾していた。願わくは、読者のみなさんがこの本を手に取る頃には、この問題がうまく解決されていますように。政治の言葉がふたたび明晰になり、政党が明確な利害関係を代表し、未来が鮮明になっていますように。だがこの時点では、下院はそうなっていなかった。ゆるやかな曲線を描く石造りのゴシック調吹き抜け階段のまわりで、緑とベージュの狭い通路で、干しプルーンに似た顔のバーテンダーたちがいる混雑したバーで、テムズ川に落っこちそうなテラスの上で、「ブレグジット」「国民の意志」「主権」「合意なし」という言葉が繰り返し聞こえてきた。どれもつかみどころのない言葉だった。ボーウィックは、おびただしい視聴者にそれぞれ異なる方法で語りかけることによって選挙に勝利した。そのため、国民の意志が本当はなんだったのか、まったくわからなくなってしまった。この国は投票によって移民を阻止することを決めたのか？　動物の権利を守ることを決めたのか？「ブレグジットはブレグジットだ」と首相は言った。だが、「ブレグジット」とはなにを意味するのか？当時の国民の意志は、現在労働党が少数派に対して擁護すると主張している多数派の意志と同じものだったのか？　だがそもそも、労働党が反対の立場を取る少数派は、自分たちは国民の意志を代表しているとたびたび主張してきた人々だった。そしてこれらの党が誰を代表しているかはともかく、二〇一九年二月中旬の時点ではすべての党が指導権だけでなく、自分たちの意味をめぐって戦っていた。

●壁を飛び越える

イギリス、ロシア、西側と呼ばれる国々、そして冷戦終結後「民主化」を経験した多くの国々は、めまぐるしい渦に巻きこまれた。その渦の中では、進歩の概念、政治的・社会的アイデンティティと意味が流動化した。多少の規則を設けたくらいでは、この状態を終息させることはできないだろう。だが中国はどうだろう？　中国は別の道筋を進んできたではないか？　たぶん私はその道筋を好きになれないだろうが、たとえ自分は反対するにせよ、少なくともその道筋には一貫性があり、人が向きあうことのできる未来の概念があるのではないか？　北京でなら未来を見つけられるだろうか？

中国を訪れるのは初めてだった。入国審査で、私は指紋を採取され、写真を撮影された。私の写真は中国全土に張りめぐらされたウェブカメラのシステムに吸いこまれた。これでどこにいようと瞬時に身元が特定される。実際この国は、本書で言及してきたあらゆる操作と圧政の手法を、そしてそれ以上のものを備えた巨大なプロパガンダのテーマパークに見える。中国西部には、二十世紀中頃の全体主義的独裁体制から生まれた強制労働収容所がある。そこにはイスラム教を信仰するウィグル族の村々が、独立運動の勃発をおそれる政府によって、「再教育」のために村中まるごと無差別に検挙されて収容されている。そのほかにも一九七〇年代を彷彿させる状況がある。

中国では二〇〇八年に数々の要求を宣言した零八憲章《れいはち》と呼ばれる人権運動が起きた。一九七七年にヴァーツラフ・ハヴェルをはじめとするチェコスロヴァキアの反体制派が署名した憲章七十七を模倣するものだ。冷戦時代の反体制派と同様、中国でも憲章に署名した多くの人々が「消された」。ある人は投獄され、ある人は自宅に軟禁され、またある人はテレビの前で「人民に対する犯罪」を告白させられた。国外追放された人たちは幸運だった。

もっと現代的な手法のひとつに五毛党《ウーマオタン》という組織がある。五毛党という名は、中国のソーシャルメディアに、共産党政権に有利な書きこみをするたび五毛支払われることに由来すると言われる。これらのトロール予備軍が、多少の批判は見逃しても、抗議を匂わせる文言は例外なく即座に削除することを立証したハーバード大学の研究がある。「中国人は、個人個人は自由だが、全体としては鎖につながれている」と、ある研究は結論している。[3]

中国にはそのほかにもさらに洗練された「国家公認」の活動が複数存在し、カミーユ・フランソワは、国家が支援するトロール行為を調査している。あるフランス人ジャーナリストが中国から強制退去させられた。中国の人権侵害をあえて批判したことに対して、国外追放を求める声がネット上で爆発したからだ。中国政府は、「人民」が要求したためそのジャーナリストを強制退去させざるをえなかったと述べた。実際、本人の身の安全のためにはそうするしかなかった。だが、そこに至るまでのあいだ、中国政府はネットを炎上させた首謀者たちを北京に招いて表彰したりごちそうしたりして、彼らを焚きつけていたのだ。「なんというしたたかさ」と、フランソワは舌を巻く。「嫌がらせを促すサインを送り、実行した者に褒美を与え、自分たちは人民の意志に従っているだけと主張するとは」

中国では欧米の多くのウェブサイトが「防火長城（グレート・ファイアウォール）」によってブロックされている。そのため中国では体制に忠実な企業が管理するインターネットサービスを利用するしかない。認知・サイコグラフィー・行動のパターンに従って国民に狙いを定めるために、データの痕跡を完璧に使いこなせる最初の国は中国だろう。

さらにまだ開発段階だが、「社会信用システム」がある。これは、酒にどれだけお金を使っているか、家計は健全か、定期的に両親を訪問しているかといった個人的な行動に関する情報を集めて、それらの情報をデータ処理してスコア化し、銀行ローンが組めるか、就職できるか、旅行の許可が下りるかを決定するシステムだ。

中国は外交政策に関する情報戦略も一式装備している。中国グローバルテレビジョンネットワーク（CGTN）という国際放送局があり、ソーシャルメディアではトロールたちが台湾の政治家たちを愚弄し、中国を研究する外国の学者たちに圧力をかける。二〇一三年、経済・メディア・法律をめぐる三つの戦争に対する中国の基本原則《ドクトリン》をまとめたアメリカ国防省機密文書は次のように結論した。「二十一世紀の戦争は新たに生じた、きわめて重大な局面によって導かれる。具体的には、誰の軍隊が勝つかではなく、誰の物語が勝つかのほうが重要になるという信念だ」。中国は南シナ海でこれを実証した。南シナ海に人工の島々を造成して広大な海域を併合し、周辺一帯の領有権を主張している。そしてこの間、銃口が火を噴くことは一度もなかった。[4]

だが私は、二〇〇八年のオリンピックに際して、中国が超大国の仲間入りを果たしつつあることを示すために建設された、塵ひとつなく清潔な空港の中を移動しながらこんなことを考えていた。これらの技術はすべてなにを支えようとしているのだろう？

二〇四九年。北京ではこの数字がマントラのように繰り返されていた。共産党の演説でも、ポスターでも、ニュース番組でも、ポップスのビデオでも、ソーシャルメディアの投稿でも、その数字があまりに繰り返されるため、このコミュニティ全体がこのひとつの年に集約されているという印象を受けた。全国人民代表大会は、二〇四九年は中華人民共和国がついに「完全な近代化」を成し遂げる年だと宣言している。それはちょうど中華人民共和国建国百周年の年でもある。いまもこの国を率いているのは、東洋に革命を広めるために一九二〇年代にソ連からやってきた工作員が創設した政党だが、中国ははるか昔にその先達を追い越し、ずっと豊かでずっと奇妙な国になった。

初めて北京に降り立ったとき、二〇四九年へのこの集中ぶりに私は魅了された。未来を失くした惨憎たるモスクワ、ロンドン、ワシントンを、もやもやした郷愁《ノスタルジー》を見てきたあとで、ここでなら歴史的展望のヒントが見つかるのではないか、そんなふうに思えた。

　北京の都市景観を見て、その思いはますます強くなった。そそり立つビルの足元に旧市街の路地が広がり、そこでは白い肌着姿の労働者たちが薄暗い戸口で眠り、彼らの背後でスープの入った寸胴型の鍋が湯気を立てていた。上空をおおう厚いスモッグ。集合住宅街の四角い丘がはてしなく続き、ここはモスクワかと何度も錯覚しそうになる。そして北京中心部の、自慢風を吹かせながら弱いものいじめをする中国の野望を体現したかのような高層ビル群。巨大でどこかずんぐりとしたその姿は、一列に並んだトイレの便器にしゃがみこむ巨人を思わせる。さらにその先に見えるのがCGTNの本社が入った奇想天外な建物だ。CGTNは、巨大で、おそろしくて、動かすことも避けて通ることもできない中国のイメージを全世界に売りこむ国際放送局だ。その建物は、遠くから見ると、巨大な空っぽのズボンが地平線をまたごうとしているように見える。だがもっと近づくと、連続した一本のチューブであることがわかる。左右のふたつのタワーが上と下で連結されて、設計者いわく「三次元の折れ曲がったループ構造」を成している。ガラスと鋼鉄で作られた巨大なギザギザのウロボロス［自分の尾を飲みこんで円形を成す蛇または竜。完全・永遠・不滅を象徴すると言われる］。

　北京市清華大学の教員用カフェテリアで（大学構内の清潔な芝生には自前のオペラハウスまである）、二〇四九年が示す未来について、ふたりの研究者に尋ねてみた。ふたりの意見は初っ端から食い違った。ひとりは公式見解をそのまま論じた。中国はいまだ共産主義の発展段階にあるが、共産主義の客観的歴史観によれば、共産主義は資本主義から発生することが必定であるため、真の共産主義によって超克できるように中国共産党は中国式資本主義を育成しているのだそうだ。もうひとりの研究者は、中国は、偉大なる中国の過去の手本である、儒教に基づいた国家に回帰する手段として資本主義を利用しているのだと考えていた。その研究者によれば、儒教には直線的な歴史的発展という概念はほとんどないという。とすれば、二〇四九年は中国が未来のない過去へ回帰する年ということになる。

中国が以前より身近に感じられてきた。

翌日、私は北京出身のメディア・コミュニケーション研究者で、現在はニューヨーク大学で教えているアンジェラ・ウーに会った。ウーは以前、中国のインターネットにおける政治的アイデンティティの形成を研究テーマにしていた。体制派、あるいは反体制派であることが、実際のところなにを意味するのか教えてほしいと私は頼んだ。渋滞した車道の隣を歩いていると、中国政府の最新のスローガンを掲げるポスターが目に入った。

「人類運命共同体！　民主！　自由！　正義！　友愛！」

スローガンが現実とあまりにも矛盾しているため、これらの美辞麗句からはいっさいの意味がはぎ取られ、忠誠心を示すために忠実に繰り返さなければならない暗号と化していた。

私たちは、ウーが子供時代に通った学校へ向かっていた。中国のインターネットで自己形成がどうなされるかを探究する旅の原点となった場所だ。学校の外壁に、近年華々しく活躍している卒業生の顔写真が貼り出されていた。雨に濡れても大丈夫なように、写真はラミネート加工されたポスターに印刷されている。進学先の大学名もあった。大半がアメリカの大学だった。

壁の向こう側は広々とした運動場だった。ウーの政治的アイデンティティの探究がはじまった場所だが、きっかけはまったくの偶然だという。学校に通っていた頃、ウーは自分がなぜ中国共産主義青年団に入れてもらえないのかわからなかった。「政治的パフォーマンス」の点が低かったからなのだが、当時は政治のことなどこれっぽっちも考えていなかった。ようやくひとりの教師が理由を教えてくれた。その学校では、生徒たちは毎朝登校後に「ラジオ体操」をする決まりだった。授業の前にラジオの拡声器から聞こえてくる耳障りな音楽と号令に合わせて全校生徒で運動するのである。表向きはたんなる体操だったが、教師たちは、集団活動への参加という観点から政治的適性を測るひとつの目安にしていた。一から十まで指示どおりに体を動かすなんて馬鹿げているとウーは思っていた。政治的反抗を気取ったつもりはなかったが、いずれにせよ教師たちには減点された。

その後、香港中文大学で学ぶようになって、「普通」と言われるものについて以前より疑問を持つようになった。図書館で、一九八九年の天安門広場で起きた反政府抗議集会後に殺害された中国人の写真が載った本を見つけた。「民主化の最初の波」の最中に世界中で起きた大半の反乱と違い、その集会は鎮圧された。ウーは中国本土でこれらの事件の写真を一度も見たことがなかった。そして初めて見たとき、はらわたが煮えくり返るような気がしたという。とはいえ、その本は中国政府の公式見解を支持するものだった。本に掲載された写真は兵士たちに殺害された市民のものではなく、デモ参加者に殺害されたとされる中国軍兵士たちの写真だった。写真の横には、「嘘だ！」という誰かの殴り書きがあった。これが香港と中国の違いだ、とウーは考えた。一九八九年の出来事について、香港では政府が認めた話を載せた本を作らなければならない。だが、本土ではこの事件について話すことさえできない。

それは二〇〇八年の出来事で、当時中国ではブログ文化が花盛りだった。だが、ウーは、国民を分類する政府のやり方にも反体制派のやり方にもうんざりしていた。中国では、あいかわらず冷戦時代のロジックに従って、国民の政治的態度を以下のように二分していた。政府に批判的な「右翼」は「自由肯定派」とされ、その言葉には政治的自由から自由至上主義経済まであらゆる自由が含まれた。それ以外は、欧米企業や欧米文化に門戸を開いている点以外すべてにおいて中国政府を支持する「左翼」だった。どちらのカテゴリーも、ウーには単純化されすぎているように思えた。たとえば、人権を尊重している人が、自由至上主義経済を信奉しているとはかぎらないのではないか。[5]

ウーはアメリカのノースウェスタン大学の博士課程に進学して、メディア・テクノロジー・コミュニケーション学を専攻した。そして、アメリカ人による中国分析もまた、生まれながらにして自由を愛するインターネット・ユーザーたちが、圧政的な国家によって沈黙を強いられ、検閲を逃れる隙さえあれば、アメリカのような民主主義国の腕の中に進んで飛びこむ、といったステレオタイプばかりであることに気づいた。

ウーは、中国ではなにが政治的アイデンティティを決定するのかを解明することにした。そこで、中国のインターネットではどんな争点が人々を分断しているのか調査した。「左翼」対「右翼」といった分類に含まれる経済的争点は、実際にはそれほど世論を分けないことがわかった。検閲に対する是非の考え方も人々を分断してはいなかった。政府に肯定的な人も否定的な人も、検閲は少ないほうが良いと考えていた。代わりに人々を分断していたのは、ウーが「中国超大国イデオロギー」と呼ぶものだった。この考えを信奉しているのは、領土に関して他者を支配することに躍起になっている愛国精神の塊のような軍国主義者たちだ。この考え方によれば、中国は、中国に不利な陰謀論をでっち上げる敵に四方を囲まれている。彼らは、中国が十九世紀にヨーロッパの宗主国によって舐めさせられた屈辱の話をやたらと蒸し返した（共産党も過去の偉大さを取り戻すことによってその屈辱を挽回できると主張している）。中国は別の選択肢を提供してくれるというより、アメリカやロシアで私が目にしたものが形を変えただけであるようだ。ここでは「屈辱の世紀」以前の偉大さへの郷愁《ノスタルジー》が売り物になっている。「ロシアを立ち上がらせる」と約束するプーチン、「アメリカをふたたび偉大な国に」と言うトランプと大差ない。

ウーは、なにが人々を分断しているかをはっきりさせてから、これに反対の立場を取る人がどんな人たちか調べてみることにした。彼女が観察対象に選んだのは、反体制派の作家、評論家、詩人たちが集まる牛博網というブログサイトだった。ウー自身、長年牛博網の熱心なフォロワーだった。このサイトを訪れる人たちについてもっとくわしく知りたいと思った。彼らにはどんな共通点があるのだろう？　ウーは中国全土を旅して歩いた。それまで一度も訪れたことのなかった都市や町にも足を運んだ。牛博網で活動する人たちの経歴は千差万別だった。地方の気難しい公務員、沿岸部の巨大都市に住む流行に敏感な学生、たたき上げの実業家、主婦……。彼らには共通する一貫したイデオロギーのようなものはなかったが、中国全土で二十七回におよぶインタビューを行なった結果、ウーにはあるパターンが見えてきた。

第一に、牛博網のメンバーの多くは幼い頃からむさぼるように本を読んできた人たちだった。事実に基づいた題材にかぎらず、フィクション、小説、詩、なんでもよく読んだ。その事実は、ウーがこれまでに読んできた、読書は自分の周囲の環境と異なる社会的・政治的現実を想像する能力と関連があることを発見した先行研究と一致した。

成人すると、牛博網のメンバーたちは書物からほかのメディアに目を向けるようになり、それらと深い感情的な絆を築いた。ある男性は、自分が住む田舎の村に初めてテレビがやってきたとき、声をあげて泣いたという。テレビは、その男性がさらに大きな世界と初めてつながったことを象徴していた。友人や家族よりブログや新聞の仲間のほうが好きだと言う人たちもいた。

こうしてメディアと深い絆を結んだ彼らは、自分たちの世界観や人格がどの程度メディアによって形成されているかに自覚的になった。やがて中国国営メディアがいかに不誠実かを思い知る瞬間が訪れる。多くの人にとってその瞬間は、地震や電車の衝突事故など、政府がもみ消そうとした国家的大災害のあとにやってきた。自分たちは政府に洗脳されていた、これまで吸収してきた情報を体内から一掃しなくてはならない、そんな感覚が芽生えた。

こうして彼らが「壁を飛び越える」と呼ぶ旅がはじまった。壁とは、具体的には中国のインターネットに張りめぐらされた「防火長城」という検閲システムを指す。さまざまなコンピュータのプログラムを使って、壁を飛び越える方法を探すのがサブカルチャーになり、独自のマニュアルもできた。とはいえ、牛博網のメンバーたちは壁を飛び越えても、自分たちが現実の上に、すなわち確固とした地面に着地できたという感触を得られなかった。中国には反体制派の複数のサイトがあったが、それらも自分たちの偽情報をむさぼっているのかもしれない。さらにその向こうにある欧米のサイトも情報に裏付けられた現実によって動かされているようには見えなかった。こうして彼らは先へ先へと無限に壁を飛び続けた。その都度古いアイデンティティを脱ぎ捨てようとしながら。

自分の研究の結果にウーは失望したと言う。期待していたような確固とした地面は見つからなかった。博士号を取得したあと、ウーは研究テーマをビッグデータの分析に変更した。それなら少なくとも確固とした答えが得られる。だが、まさにその固定した終着点のないところが、私には魅力だった。ヨーロピアンスクールで、ヨーロッパ人であるとは、新たな超越的アイデンティティではなく、異なるアイデンティティのあいだを行き来して、さっと身に着ける能力を意味していた。あるいは、過激派組織に引きずりこまれた人々に、閉塞的な思考パターンから抜け出そう、きみたちはイスラム教徒であると同時にイギリス人で、アジア人で、ヨークシャー人であることもできるのだからと励ますラシャドの活動はどうだろう。

牛博網のメンバーたちは、テレビやラジオ、書物やブログと築いた絆によって、何度も新たな自分を見つけることができた。

北京で過ごしたその蒸し暑い日、高架交差道で渋滞に巻きこまれ、折れ曲がったループ構造のCCTNビルを遠くに眺めながら、いつしか私の思いはイーゴリの処女小説『フォークナーを読む』に戻っていった。不思議なことに、その小説が今日ふたたび意味を持っているように思えたのだ。そこには冷戦だけでなく今日の状況が描かれていた。いや、むしろ見つめなおす必要があるのは冷戦のほうかもしれない。

小説のなかで、著者は自分の人生と生まれ故郷のチェルニフツィを、私淑するウィリアム・フォークナーに倣って文体や様式を変えながら何度も書き直す。その小説はある意味、人とメディアの関係についての物語であり、どのページからもタイプライター、ラジオ、詩の音が聞こえてくる。私の両親にとっては、地下出版物が入った靴箱、ラジオ放送、詩といったものに文字通り人生がかかっていた。

物語の冒頭で、著者は自分の自意識がいつ目覚めたかを明らかにしようとする。人間の意識が芽生える場所をつねに探究するフォークナーの作品に言及しながら。アイデンティティは政治からはじまるのか？　とイーゴリは問う。

僕は煙と音楽が充満する部屋にいる。父さんのぴんと伸びた背中。新聞のぞっとする社説。父さんはその重々しい言葉を宙に放り投げて曲芸《ジャグリング》しなきゃならない。機械・トラクターステーション、党命令……フォークナーはここからはじめたか？ 否。

ならば、宗教と使徒信条、アイデンティティはそこからはじまるのか？ クナーはこんなところからはじめたか？ 否。

正午、クーポラのヘルメット、急な階段、僕らはTシャツを着ている、六歳。教会のひんやりとしたかび臭い空気。上から声がする。あばた面が唸る。「出ていけ、ユダヤのガキども」フォークナーはこんなところからはじめたか？ 否。

そしてイーゴリはこれらのものを超越したどこかに到達する。私の理解が正しければ、アイデンティティはそこで、ほかの誰かの存在を認識する場面で初めて登場する。

娘がひとり、おまえの浜辺に。なんて高い空。なんて濃厚なキス。僕らは互いを「きみ《ユー》」でなく「僕／私《アイ》」と呼びあう。僕はきみのなかにどこまでも泳いでいく。ブイを通過し、水平線を通過する。ちらりと振り向くと岸の片鱗も見えやしなかった。よろこびが湧きあがった。十年前の七月、息をのむような黒海に入って、温かな潮の流れになったときのことを覚えているか？ だが、フォークナーはこれと関係あるだろうか？ あるさ、あるとも！

このくだりを読むたびに、イーゴリは実際にこの海で泳いでいて、岸に上がったところをKGBに逮捕されたのだと思わずにはいられない。

◉チェルニフツィ／チェルノヴィッツ

チェルノヴィッツを何十年も離れているあいだに、イーゴリの故郷に対する見方は変わった。子供の頃、この街がかつてオーストリア＝ハンガリー帝国の辺境だったことはぼんやりと知っていた。この街がソヴィエト帝国内でアールヌーボー様式を堅持する建築の反体制派であることもわかっていた。だが、かつてどれだけ多くの文学者を輩出していたかについてはまったく知らなかった。キエフ、ウィーン、ケルンを訪れて初めて、この街がかつて（ホロコースト、第二次世界大戦、そしてソ連軍が進駐してくるまで）、ドイツとオーストリアの高名な詩人や作家（パウル・ツェラーン、ローゼ・アウスレンダー、グレゴール・フォン・レッゾーリ）、伝説的なラビやイスラエル人の小説家（アハロン・アッペルフェルト）、ルーマニアの古典作家、大オーストリア＝ハンガリー帝国のテノール歌手、経済学者、生化学者、ありとあらゆる人たちの故郷だったことを知った。こうした錚々たる文人たちが、二十世紀初頭のエネルギーと悲劇のすさまじいほとばしりのなかでこのちっぽけな街から誕生したのである。彼らの記憶はソヴィエト連邦では封印されていたので、イーゴリは西側にやってきて初めて、生まれ故郷の名前を口にしたとたん、いきなり大はしゃぎする人々に出会った。「チェルノヴィッツの出身だって？　天才の街じゃないか！」

そしてオーストリア＝ハンガリー帝国時代の前、街にはオスマン帝国の前哨基地としての人生があった。この小さな場所にはあまりにも多くの歴史があって、トルコ人もウィーン人も、ルーマニア人もソ連人もウクライナ人も互いをほとんど知らなかった。街にはその時々で違う名前がつけられた。チェルニフツィ、チェルノヴィッツ、チェルノフツィ、チェルナウツィ、チェルニョフツェ、ツェルノヴィッツ、チェルン（黒い町）。

街そのもの以外に、十九世紀のはじめに建てられた監獄もイーゴリに霊感を与えた。監獄が立つ広場は、かつては犯罪広場で、その後ソヴィエト広場になり、いまは大聖堂広場と呼ばれている。監房の壁にはいったい何か国語で、呪い、詩、約束の言葉がきざまれたのだろう、いったい何人の領主たちを憤慨させたことだろう？

イーゴリは何十年間も電波の中に、言葉によってひとつの世界を構築しようとしてきた。異文化と異文化がつながって誰かの故郷になる、そんな世界を。題材はいつもチェルノヴィッツから取ってきた。そうこうするうち、コンピュータ科学者が真っ暗なデータのプールの中から未知の相互接続を作り出すように、失われていた歴史が浮かび上がってきた。

「子供だった頃」とイーゴリは記す。「僕らは小さな野蛮人だった。足の下に確固とした地面を感じることができなかった。自分たちがのしのし踏んで歩く地面の下に、金脈や途方もなく貴重な遺跡が埋まっているなどこれっぽっちも知らなかった。もちろん、僕たちはただの野蛮人じゃない。ロシア文学もアメリカ文学もフランス文学も知っていた。だが、野蛮とは記憶の不在だ。それは僕たちの落ち度じゃない。彼らが僕たちから記憶を奪っていたのだ」

二〇〇九年から、イーゴリはチェルノヴィッツに戻るようになった。そして街で詩の祭典を組織した。世界中から詩人たちがやってくるようになった。自分たちの文学の英雄の忘れ去られた故郷をひと目見ようと。すると、自分たちの多声の先祖のことなど長らく忘れていた古ぼけた講堂や図書館やカフェで、突然ひっきりなしに朗読会が開かれるようになった。英語、フラマン語、フランス語、スペイン語、さらにはドイツ語、イディッシュ語、ヘブライ語、ルーマニア語、ウクライナ語、ロシア語、ポーランド語でも。

イーゴリは街の記憶を呼び覚まそうとしたのだ。過去は取り戻せるから、ではない。記憶を回復したチェルニフツィとウクライナが、それによって勢いを得て、明日には本当の自分を知り、情報戦争の袋小路から抜け出せるように、だ。

イーゴリとリーナは現在プラハに住んでいる。プラハは一九六八年にソ連の戦車が侵攻した街だ。その出来事がきっかけで、イーゴリは反体制派になった。現在、ラジオ・フリー・ヨーロッパの本部はプラハにある。一九九五年、当時大統領だったヴァーツラフ・ハヴェルが、西側メディアが冷戦時代に支援してくれたことへの感謝の印として招いてくれたのだ。ハヴェルはすでに世を去り、「真実のなかに生きる」という彼の理想をいまも声高に唱える人たちは、ややもすれば幼稚なハヴェルかぶれと蔑《さげす》まれる。ラジオ・フリー・ヨーロッパは奇妙な宙ぶらりん状態にある。理想をひたむきに追求する精神はいまも健在だが、アメリカが今後もその理想を支持するふりをするかどうかさえ不透明だ。「ラジオ」というのも妙だ。RFEは、テレビ、ポッドキャスト、テキストにも活動の場を広げようとしているのだから。「ヨーロッパ」と呼ぶのも適当とは言い難い。現在、外国語放送部門の大半は、中央アジアおよび中東の出身者で占められている。中欧・東欧局の大多数は、これらの国々がEUに加盟するようになってから解体された。その後ハンガリーとポーランドは後退して、かつて反ソ反体制派だった国粋主義的政治家たちが率いる権威主義にすり寄っている。だが、こうした国粋主義者たちにとって「国民の権利」と「人権」は同じではない。つまり「反共産主義」という看板は、それ自体はたいした政治的アイデンティティでなかったということだ。

明日の朝、イーゴリは仕事に行く。彼はラジオ・フリー・ヨーロッパで働く冷戦最後の古参兵だ。学生たちが見学に訪れると、博物館の展示品かなにかのように指さされる。彼はいまも未来のラジオを夢見ている。「人類の魂を融合」し、マニラとサンクトペテルブルクとメキシコとタリンの物語のなかで、共鳴しあい、つながりあう部分を見つけ出せる未来のラジオを。最近書いたある本のなかに、イーゴリは悲劇的かつ喜劇的な自分の分身を登場させている。その人物は国際的なラジオ局で働くうち、ラジオの力で人間を復活させることができるという考えに取り憑かれるようになる。その物語には、メディアで働く人たちが抱きがちな誇大妄想と、彼らに与えられた現実の力が奇妙に混じりあった状態が描かれている。

そのアイデアを最初に思いついたのは、冷戦時代の政治犯が、自分たちの事件が西側の放送局に取り上げられていることを知って、数分間の自由を確保できたかのような、あるいは少なくとも戸外で体操する許可を与えられたかのような気分になったというエピソードを思い出したときだったという。秘密警察に締めあげられているときも、電波の中にはもうひとつの人生があったのだ。イーゴリの分身はその感情をさらに拡大する。

幾千もの声を僕は宇宙に放出している
物理学の法則によれば
これらの声は永遠に生き続ける
誰がそんなこと考えただろう
家と職場を毎日往復する

そんな日常を送っている人間が
どこかの誰かの声を記録して、そして……
そうさ、その声に永遠の命を授けているなんて！

学期半ばの短い休みに、私は九歳になる双子の息子たちを連れて両親を訪れている。双子たちは知りたがる。おばあちゃんが若いときも、世界はいまと同じだった？　リーナは一九七〇年代のキエフを説明しようとする。双子たちには面食らう話が多い（「おじいちゃんは本を読んで逮捕されたって？　なぜ？　どうやって？」）。そのほかのことはいまと大差ないようだ。

「身のまわりにある政府の大げさな言葉はすべて、もうなんの意味もないように感じられたわ。風に吹かれるぼろ布のように、空虚だった」。そう言って、リーナは詩の一節を引用する。

「死んだ言葉は腐臭を放つ」

いま私の周囲にあるのは死んだ言葉ばかりだ。あるいはもっと正確に言えば、私が継承した言葉とイメージ、物語と意味の連想はその力を失ってしまった。独裁者の銅像が解体されていく光景は、彼らに支配されていた人々にとってはいまも重要な意味を持つ。だが私がそのイメージを、かつてないほど大きな自由の物語にただちに結びつけることはもはやない。一九八九年に街中の通りに繰り出した数百万の人々がただちに幸せな未来の象徴となることもない。ソーシャルメディアがミームという様式を好むのは偶然ではないだろう。インターネットにアップされた画像は、そのイメージの意味を変化させる新たなフレーズを誰かが付け加えるたびに損なわれていく。それは意味がたえずうつろい変化する時代の症例だ。誰かがパイプの写真を撮って、その下に「これはパイプじゃない」と書くかもしれない。

古い連想は不完全で、間違いであることも多かった。だが、そこには、そもそもなぜそれが重要だったのかという記憶も内包されていた。ある特定のイメージと言葉遣いがタブーとされてきたのは、それらが「容認できないもの」との小さな結び目の役目を果たしていたからだ。いまこれらの小さな結び目がほどけかけている。

二〇一八年、ハンガリーの街々に、ハンガリーの国益を損なっているとしてユダヤ人投資家たちを非難する政府のポスターが貼られた。そのポスターは一九三〇年代を彷彿させるものだった。だが、かつてないほど親密な、当時のハンガリー大統領とイスラエル首相の同盟関係はそんなものではびくともしなかった。イスラエルの首相は、ナチス式の言葉遣いを利用する人物と友人であり続けることになんのためらいも感じないようだった。アメリカでは、大統領を批判すれば「マッカーシズム」［一九五〇年代にアメリカでマッカーシー上院議員を中心に行なわれた反共活動］の烙印を押される。ロシアのトロール軍団は九・一一同時多発テロ事件や真珠湾攻撃になぞらえられる。そうした言葉は本来の文脈からまったく外れている。それはたとえば、砂漠に飛行機が墜落して、ガタガタいっているエンジンのまわりに評論家たちが集まり、エンジンをレンチで叩いて派手な音を立てるが、彼らが叩いているものと音はまったく無関係といった状況を連想させる。イギリスでは最大発行部数を誇る新聞が、独自の判断を下す人々を「国民の敵」と言って非難し、政府に反対する「破壊分子を粉砕せよ」と呼びかける。大量殺人を正当化するためにソ連で普及した言葉遣いで。現代にあってこうした言葉を使うとは、大量殺人という悪事の記憶を貶める行為にほかならない。

この本のなかで両親についての文章を書きはじめたとき、私がまず注目したのは、二十世紀から二十一世紀にかけてなんと多くのことが変わってしまったかということだった。「自由」「民主主義」「ヨーロッパ」という言葉は血肉を失った骨と化し、あらゆるジャンルの芸術も意味をはぎ取られるか、ハッキングされた。とはいえ、私自身は、これらの言葉に本来の力を取り戻させる経験、未来においてこれらの言葉を復活させる可能性に通じる経験を実感している。

一週間もすれば、私たちはロンドンの自宅に戻り、私は丘の上の学校に息子たちを送っていくだろう。それはヴィクトリア朝のれんが造りの建物で、校内には生徒たちの出身国の旗がすべて掲げられている。まるで国連みたいだ。そしてそのうち半分は私の知らない旗だ。こういった環境ではアイデンティティはどうやって再編されるのだろう？　国民かそうでないかが、ますます激しく問い直されるようになるのだろうか？　双子たちはいつになったらこんな質問をはじめるだろう？　僕たちはイギリス人なの？　それともロシア人？　ユダヤ人？　ヨーロッパ人？　ウクライナ人？　こういう言葉はいったいなにを意味しているの？　なんと答えたらいいのだろうか。すでに私は頭が痛い。

「本当のきみたちは、そういったものが衝突する場所で生まれるんだ。チェルニフツィを考えてごらん！」

イーゴリの言葉を引用したら、双子たちはわかってくれるだろうか？　それともすでになにかが伝わっているのだろうか？

先日、双子たちは地元の公園の遊び場にいた。よその子が近づいてきて質問をはじめた。「きみたちなんなの？　きみたち誰なの？　教えてよ」

一瞬の沈黙。双子はなんと答えるだろう？　どの国、どの宗教、どの民族、どの内集団、どの外集団を自分たちのものだと主張するのだろう？　それは未来へのどんな手掛かりを与えてくれるだろう？

双子は真剣にその質問を考えていた。そしてぱっと顔を上げて同時に答えた。

「僕はスーパーマンさ」

相手の子は答えた。「それじゃ僕はバットマンだな」

謝辞

本書は、「グランタ」「ガーディアン」「アメリカン・インタレスト」および「ロンドン・レビュー・オブ・ブックス」に掲載されたエッセーが基になっている。アイデアを発展させる機会を与えてくださった編集者のみなさんにこの場を借りて御礼申し上げる。いずれの小文も以下に挙げるみなさんの支援と助言がなければ日の目を見ることはなかっただろう。その方々とは、シグリッド・ラウジング、ルーク・ニーマ、プル・ローランドソン、ジョナサン・シャンアン、ダミール・マルシッチ、ダニエル・ソアー、メアリー＝ケイ・ウィルマース、レナード・バーナード、クリス・ウォーカー、トーマス・ジョーンズである。

ジノーヴィ・ジーニク、フランク・ウィリアムズ、セヴァ・ノヴゴローツェフ、ピーター・アデル、マーシャ・カープ、ディラン・メグルブリアンは、BBCロシアサービスの歴史について、セルゲイ・ダニロチキンとアーチ・プディントンはラジオ・フリー・ヨーロッパについて、包括的かつ洞察あふれる背景知識を提供してくれた。マーティン・デューハーストからは長年にわたる貴重な情報をご教示いただいた。ミハエル・ザントフスキーからはヴァーツラフ・ハヴェルについて、マリオ・コルティからは「時事クロニクル」についてご助言をいただいた。

クロエ・コリヴァーとメラニー・スミスはたぐいまれなるやさしさで、私がデータ分析の基礎と「例の空間」を理解するのを手伝ってくれた。プロパガンダの歴史については、ニック・カルが知識の泉の役を果たしてくれた。

アント・エイディーンはすぐれたプロデューサーで、BBCラジオ4で放送された私の分析番組「イギリスの政治、あるロシア人の見解」（二〇一八年七月九日放送）、「普通をめぐる戦争」（二〇一九年一月二十八日放送）でその腕をふるってくれた。

アン・アップルバウム、ダニエル・ソアー、アント・エイディーン、ベン・ウィリアムズは編集作業を支える貴重な戦力となってくれた。ロンドン・スクール・オブ・エコノミクスの優秀な同僚であるキャロライナ・スターンは厖大な資料の翻訳を手伝ってくれた。

終始辛抱強く、原稿を何度も読み返して作品がより良いものとなるように協力してくれたポール・コープランドと両親に、また、サーシャ叔母さんの驚異的な助けに心から感謝申し上げる。

そしていついかなるときも、誰よりも私を深く理解してくれる妻と子供たちに感謝を捧げたい。

訳者あとがき

二十一世紀に入って戦争は大きく様変わりした。従来の戦争や内戦には、国家もしくはそれに準ずる交戦団体のような大規模な組織が必要だった。だが今やパソコンさえあれば、いやスマートフォンと数秒の待ち時間があれば、誰でも参戦することが可能だ。二十一世紀の戦争――それはインターネット上で何億人もが地球規模の戦いを繰り広げる情報戦争だ。

二〇一六年のアメリカ大統領選挙戦は格好の例と言えよう。ドナルド・トランプはソーシャルメディアという新手のツールを開拓・利用して大統領の座を勝ち取り、政治のありようを大きく変えた（この選挙戦において、ロシアがトランプを勝利させるためにサイバー攻撃やSNSを駆使した世論工作を行なっていたのは周知のとおり）。

本書『嘘と拡散の世紀――「われわれ」と「彼ら」の情報戦争』は、Peter Pomerantsev, *This Is Not Propaganda: Adventures in the War Against Reality* (Faber & Faber, London, 2019) の全訳であり、情報戦争の実態を最前線から伝える戦場レポートだ。

著者であるポメランツェフはイギリス在住のジャーナリスト兼テレビプロデューサー。ロンドン・スクール・オブ・エコノミクス（LSE）国際情勢研究所ではビジティング・シニア・フェローという立場にあり、プロパガンダとメディアの発展を専門的に研究している。前著『プーチンのユートピア――21世紀ロシアとプロパガンダ』（池田年穂訳／慶應義塾大学出版会／二〇一八年）は、プーチンが大統領に就任した二〇〇〇年以降の狂奔するロシア社会を活写した傑作で、二〇一六年には王立文学協会オンダーチェ賞を受賞している。本書でもそのいきいきとした筆致は健在で、情報戦争の最前線にいるさまざまな立場の人々の肉声を私たちに届けてくれる。

本書で取り上げられた情報戦争の最前線をいくつかふり返ってみよう。

マニラでは、世界で初めてSNSを活用して大統領に就任したドゥテルテが、彼にうっかり手を貸したソーシャルニュースサイト、ラプラーの記者たちに牙をむく。サンクトペテルブルクでは、国家が後ろ盾となったトロール工場が、プーチンの政敵や欧米のSNSに対して大規模に妨害工作や世論操作を行なっている。メキシコ北東部の町レイノサでは、腐敗した警察と麻薬ディーラーが跋扈する社会に対して市民がスマートフォンで抵抗している。ウクライナのドンバスでは、親ロシア派と親ウクライナ派が軍事行為のみならず、インターネット上でも熾烈な戦いを繰り広げている。エストニアは一九九一年にソ連から独立して、その後NATO、EUに加盟した。さらにヨーロッパ随一のデジタル先進国になることで後進国のイメージを払拭したが、ロシアと敵対した結果、分散型サービス妨害攻撃（DDoS攻撃）を仕掛けられて国中のネット機能がダウンしてしまった。それは武力攻撃ではなく、攻撃の主体も明らかでなかった。そのため、「条約締約国一国あるいは二国以上への武力攻撃はすべての締約国への攻撃とみなす」というNATOの条項では対処することができなかった。こうした生々しい戦場レポートが突きつけるのは、もはや既存の法制度では現代の情報戦争に対処することは不可能という現実である。

インターネットの実態調査に乗り出した「イギリス・デジタル・文化・メディア・スポーツ委員会」

の報告書には、インターネット環境をめぐる現状について、「こうした環境においては、人々は自分の意見を強化する情報を、どんなにゆがんだ不正確なものであれ受け入れ、信頼すらしてしまう。それは世論の両極化を招き、客観的事実に基づいた合理的な議論を可能にする共通の土台を蝕む。……われわれの民主主義の構造そのものが脅かされている」とある。

　ポメランツェフは、そもそもソーシャルメディアそのものが「事実」や「真実」「公平」「客観性」をないがしろにし、より過激で煽情的なコンテンツを求めるように設計されていることを指摘する。「客観的事実に基づいた合理的議論」「事実」「真実」が軽視される社会では、トランプやプーチンのように「事実は重要ではない」という態度を公然と取り、支離滅裂な発言、感情を思うがまま吐き出す独裁的な為政者が支持を集めるようになる。

　本書がとくにすぐれているのは、「情報戦争」という事象を通じて、冷戦終結後の三十年間、古いイデオロギーがことごとく消滅した世界で政治のありようがどのように変質していったか、さらに、冷戦時代にはなぜ「事実」や「真実」が意味を持っていたのかについて深く洞察している点にある。これらの洞察を可能にしたのがポメランツェフの生い立ちだ。本書には、著者の家族歴史《ファミリーヒストリー》や、著書の父親であるイーゴリの創作が随所に挿入されている。イーゴリはウクライナ出身の詩人、小説家で、一九七〇年代に「有害文学」を配布した罪でＫＧＢに逮捕され、最終的にソ連から亡命した過去を持つ（著者自身、父親がＫＧＢの取り調べを受けていた一九七七年にウクライナで誕生した）。

　著者は冷戦時代と現代を対比させながら、なぜ冷戦時代には「事実」や「真実」に価値があったのか、それは、冷戦時代にはよりよい未来を約束するイデオロギーが存在したからであり、人類が過去から未来に向かって進歩発展していることを証明するために事実が必要とされてきた。だが、こうした展望が消えた今、不都合な現実を突きつける事実を誰も欲しがらなくなったと主張する。

すでに二〇〇一年の時点でスヴェトラーナ・ボイム（一九五九〜二〇一五年。ソ連からアメリカに亡命した比較文学者）が「二十世紀はユートピアで幕を開け、郷愁《ノスタルジー》で幕を閉じた。二十一世紀は新しさの追求ではなく郷愁の拡散の時代と言えよう」と予見したように、現在、アメリカもイギリスもロシアも未来を見失い、ぼんやりとした懐古主義の霧に包まれている。「アメリカをふたたび偉大な国に」「主導権を取り戻そう」「ロシアよ、立ち上がれ」という感情を奮い立たせる漠然としたスローガンを唱えながら。だが、こうした漠然とした、かつ強力な感情は「われわれ」と「彼ら」を分断する線の役割を果たし、「彼ら」を積極的に排除もしくは支配しようとする動きにつながるとポメランツェフは警鐘を鳴らしている。

本書には、こうした現状に対する具体的な解決策が述べられているわけではない。だが、独裁政権を倒す方法を可能なかぎり多くの人に伝えようとするセルビアのスルジャ・ポポヴィッチ、事実の神聖性を取り戻そうと奮闘するファクトチェッカーたち、イスラム過激派組織から脱退して新たなアイデンティティのありようを提示するイギリス在住のアジア系青年……情報戦争の最前線で戦う彼らの姿を通して、私たちにとって本当に重要なものはなにかを考えるヒントが提示されている。

最後になるが、あとがきを執筆するにあたっては『「いいね！」戦争――兵器化するソーシャルメディア』（P・W・シンガー、エマーソン・T・ブルッキング著／小林由香利訳／NHK出版／二〇一九年）を参照させて頂いた。ここに記して感謝申し上げる。

本書の翻訳は序章から三章までを築地誠子さんが、四章から六章までを竹田が担当した。すぐれた情報と示唆に満ちた本書をご紹介してくださり、翻訳する機会を与えてくださった原書房の中村剛さんにこの場を借りて心から感謝申し上げる。

二〇二〇年三月

竹田　円

参考資料

イーゴリ・ポメランツェフ（Igor Pomerantsev）の引用

「Reading Forkner フォークナーを読む」翻訳：Frank Williams（フランク・ウィリアムズ） 一部をピーター・ポメランツェフが脚色した。

「KGB Lyrics KGBのうた」翻訳：Frank Williams（フランク・ウィリアムズ）

「Eye and a Tear 目と涙」翻訳：ピーター・ポメランツェフ（Syntaxis, 1979）

「Right to Read 読む権利」翻訳：Marta Zakhaykevich（マルタ・ザハイケヴィチ）（Partisan Review 49, no.1, 1982）

「Radio Times ラジオ・タイムス」翻訳：Frank Williams（フランク・ウィリアムズ）

リーナ・ポメランツェフ（Lina Pomerantsev）が制作に参加したドキュメンタリー映画

「*Tripping with Zhirinovsky* ジリノフスキーとの旅」監督：Pawel Pawlikovsky（パヴェウ・パヴリコフスキ）（1995年公開）

「*The Betrayed* 裏切られて」監督：Clive Gordon（クライヴ・ゴードン）（1995年公開）

「*Mother Russia's Children* 母なるロシアの子供たち」監督：Tom Roberts（トム・ロバーツ）（1992年公開）

ラジオ番組

「Reading Faulkner フォークナーを読む 」朗読：Ronald Pickuop（ロナルド・ピックアップ） BBC ラジオ3，1984年8月2日放送。

注

本書に登場する人たちを守るために、意図的にひとりの人物の名前を変え、数名の人物の姓を省略した。

第1章　トロールの町

1 Alfred McCoy, "Dark Legacy: Human Rights Under the Marcos Regime," September 20, 1999, World History Archives, www.hartford-hwp .com/archives/54a/062.html.

2 H. P. Beck, S. Levinson, and G. Irons, "Finding Little Albert: A Journey to John B. Watson's Infant Laboratory," *American Psychologist* 64, no. 7 (2009): 605-614, http://dx.doi.org/10.1037/a0017234.

3 Jonathan Corpus Ong and Jason Vincent A. Cabañes, *Architects of Networked Disinformation*, University of Leeds, 2018, https://newtontechfordev.com/wp-content/uploads/2018/02/ARCHITECTS-OF-NETWORKED-DISINFORMATION-FULL-REPORT.pdf.

4 Maria A. Ressa, *From Bin Laden to Facebook: 10 Days of Abduction, 10 Years of Terrorism* (London: Imperial College Press, 2013).

5 "Philippine President Duterte Calls God 'Stupid,'" BBC News, June 26, 2018, https://www.bbc.com/news/world-asia-44610872.

6 Adam Forrest, "Jair Bolsonaro: The Worst Quotes from Brazil's Far-Right Presidential Frontrunner," *Independent*, October 8, 2018, www.independent.co.uk/news/world/americas/jair-bolsonaro-who-is-quotes-brazil-president-election-run-off-latest-a8573901.html.

7 Tom Parfitt, "Putin Praises Sexual Prowess of Israeli President," *Guardian*, October 20, 2006, www.theguardian.com/world/2006/oct/20/russia.tomparfitt; "Czech Women's Lobby Wants Zeman to Apologize for Remarks About Rape," January 23, 2013, www.romea.cz/en/news/czech/czech-women-s-lobby-wants-zeman-to-apologize-for-remarks-about-rape; "Prezident Zeman o Straně zelených: Vypálit, počůrat, posolit," Zdroj, September 12, 2013, www.denik.cz/z_domova/den-druhy-milos-zeman-dnes-navstivi-orlickoustecko-20130912.html.

8 Mikhail Mikhailovich Bakhtin, *Rabelais and His World* (Blooming ton: Indiana University Press, 1984).

9 Maria A. Ressa, "Propaganda War: Weaponizing the Internet," Octo ber 3, 2016, www.rappler.com/nation/148007-propaganda-war-weaponizing -internet; Chay F. Hofileña, "Fake Accounts, Manufactured Reality on So cial Media," October 9, 2016, updated February 6, 2019, www.rappler.com/newsbreak/investigative/148347-fake-ac-

counts-manufactured-reality-social-media; Maria A. Ressa. "How Facebook Algorithms Impact Democracy," October 8, 2016, updated February 6, 2019, www.rappler.com / newsbreak/148536-facebook-algorithms-impact-democracy.

10 Alfred W. McCoy, *A Question of Torture: CIA Interrogation, from the Cold War to the War on Terror* (Ogden: Owl Books, 2006), 79-80.

11 Carlos H. Conde, "Aquino's Last Chance on Human Rights," Human Rights Watch, July 27, 2015, www.hrw.org/news/2015/07/27/aquinos-last --chance-human-rights; Seth Mydan, "Aquino Said to Condone Human Rights Abuses," *New York Times*, June 18, 1988, www.nytimes.com/1988/06/18/world/aquino-said-to-condone-human-rights-abuses.html.

12 Nataysha Gutierrez, "Bots, Assange, an Alliance: Has Russian Propaganda. Infiltrated the Philippines?" February 26, 2018, www.rappler .com/newsbreak/in-depth/196576-russia-propaganda-influence-interference -philippines.

13 Tim Lister, Jim Sciutto, and Mary Ilyushina, "Exclusive: Putin's' Chef, the Man Behind the Troll Factory," CNN, October 28, 2017, https://edition.cnn.com/2017/10/17/politics/russian-oligarch-putin-chef-troll-factory /index.html.

14 Boris Nemtsov, "My Father Was Killed by Russian Propaganda, Says Nemtsov's Daughter," *Guardian*, June 19, 2015, www.theguardian.com /world/2015/jun/19/russia-boris-nemtsov-zhanna-nemtsova.

15 Philip Howard et al. *The IRA, Social Media and Political Polariza tion in the United States, 2012-2018* (Oxford: University of Oxford, 2019), https://comprop.oii.ox.ac.uk/wp-content/uploads/sites/93/2018/12/IRA - Report.pdf.

16 Nick Fielding and Ian Bobain, "Revealed: US Spy Operation That Manipulates Social Media," *Guardian*, March 17, 2011, www.theguardian .com/technology/2011/mar/17/us-spy-operation-social-networks; Andrew Cave, "Deal that Undid Bell Pottinger: Inside Story of the South Africa Scandal," Guardian, September 5, 2017, www.theguardian.com/media/2017/sep/05 /bell-pottingersouth-africa-pr-firm.

17 Nicholas Monaco and Carly Nyst, "State-Sponsored Trolling: How Governments Are Deploying Disinformation as part of Broader Digital Harassment Campaigns," Institute for the Future, 2018, www.iftf.org/fileadmin/user_upload/images/DigIntel/FTF_State_sponsored_trolling_report.pdf.

18 Tim Wu, "Is the First Amendment Obsolete?" Knight First Amendment Institute, Columbia University, September 2017, https://knightcolumbia.org/content/tim-wu-first-amendment-obsolete.

19 Jodesz Gavilan, "Maria Ressa's Arrest Part of Broader Gov't Campaign, Say Rights Groups," Rappler.com, February 14, 2019, www.rappler.com/nation/223457-human-rights-groups-statements-maria-ressa-arrest; Lian Buan, "Tax Court Denies Maria Ressa Appeal, to Proceed with Trial," Rappler.com, February 15, 2019, www.rappler.com/na-

tion/223549-court -tax-appeals-denies-maria-ressa-appeal-trial-to-proceed.

20 "Maria Ressa Accepts the 2018 Knight International Journalism Award," International Center for Journalists, www.icfj.org/maria-ressa -accepts-2018-knight-international-journalism-award.

第２章　迷える民主主義

1 www.alo.rs/vesti/aktuelno/srda-popovic-rusi-vlade/120133/vest. 2013年度ペンタゴン報告書は中国の三大課題への闘い（経済，メディア，法律）に関する政策について，次のように結論した。「21世紀の戦争は新しいきわめて重要な領域に導かれる。すなわち誰の軍隊が勝つかより誰の物語が勝つかということが重要なのである」

2 Srdja Popovic and Matthew Miller, *Blueprint for Revolution: How to Use Rice Pudding, Lego Men, and Other Nonviolent Techniques to Galvanize Communities, Overthrow Dictators, or Simply Change the World* (New York: Spiegel & Grau, 2015).

3 "Democracy Continues Its Disturbing Retreat," *The Economist*, January 31, 2018, www.economist.com/graphic-detail/2018/01/31/democracy -continues-its-disturbing-retreat.

4 Matthew Karnitschnig, "Aleksandar Vučić: Let's Not Go Back to the '90s," POLITICO, April 14, 2016, www.politico.eu/article/aleksandar -vucic-interview-serbia-balkans-migration-kosovo-bosnia.

5 "Serbian Media Coalition Letter to the International Community," October 22, 2018, http://safejournalists.net/serbian-media-coalition-alerts -international-community; Matteo Trevisan, "How Media Freedom in Serbia Is Under Attack," EUobserver, November 2, 2018, https://euobserver.com Topinion/143268. .

6 Matthew Karnitschnig, "Serbia's Latest Would-Be Savior Is a Modernizer, a Strongman-or Both," POLITICO, April 14, 2016, updated April 21, 2016, www.politico.eu/article/aleksandar-vucic-serbias-latest-savior-is-a -modernizer-or-strongman-or-both.

7 D. Mercea and M. T. Bastos, "Being a Serial Transnational Activist," *Journal of Computer-Mediated Communication* 21, no. 2 (2016): 140-155, http://openaccess.city.ac.uk/13151/7/Being%20a%20serial%20transnational %20activist_prepublication.pdf.

8 Klint Finley, "Pro-Government Twitter Bots Try to Hush Mexican Activists," *Wired*, August 23, 2015, www.wired.com/2015/08/pro-government -twitter-bots-try-hush-mexican-activists.

9 Dulce Olver, "El 81.3% de los ataques de bots en Edomex fueron contra Delfina, confirma otro análisis técnico," June 1, 2017, www.sinembargo.mx/01-06-2017/3230408; Erin Gallagher, "Manipulating Trends & Gaming Twitter," December 18, 2016, https://medium.com/@erin_gallagher Imanipulating-trends-gaming-twitter-6fd-31714c06c.

10 Samuel C. Woolley and Douglas R. Guilbeault, "Computational Propaganda in the United States of America: Manufacturing Consensus On line," Working Paper No. 2017.5, Project on Computational Propaganda, http://blogs.cii.ox.ac.uk/politicalbots/wp-content/uploads/sites/89/2017/06 /Comprop-USA.pdf.
11 Em Griffin, *A First Look at Communication Theory*, 7th ed.（New York: McGraw-Hill, 2008）, www.afirstlook.com/docs/spiral.pdf.
12 Elisabeth Noelle-Neumann, *The Spiral of Silence: Public Opinion Our Social Skin*, 2nd ed.（Chicago: University of Chicago Press, 1993）.
13 Ibid., 218.
14 Damien McGuinness, "How a Cyber-Attack Transformed Estonia," BBC News, April 27, 2017, www.bbc.com/news/39655415.
15 For background see Gatis Pelnens, ed., "The Humanitarian Dimension of Russian Foreign Policy Toward Georgia, Moldova, Ukraine, and the Baltic States," Centre for East European Policy Studies, International Centre for Defence Studies, Centre for Geopolitical Studies, School for Policy Analysis at the National University of Kyiv-Mohyla Academy, Foreign Policy Association of Moldova, International Centre for Geopolitical Studies, 2010. The Security Police of the Republic of Estonia, *Annual Review* 2003, 12.
16 エストニアは，ファシストとナチズムを復活させ，ナチスのシンボルを崇拝し，ナチス親衛隊を美化し，ロシア語話者の住民をひどく差別し，ホロコーストを否定し，ヒトラー主義を賛美したと非難された。2007年4月26日から28日にかけての暴動のあと，エストニアへの直接的な脅迫とエストニア人を標的にした誹謗中傷がロシアのマスコミで蔓延するようになった。エストニアという国名をもじったものが（たとえば，ナチス親衛隊を指すSSを入れた「eSStonia」や「eSStonians」），マスコミ，インターネット，クレムリン支持の勢力が組織したデモに現れた。下記はその典型的な例である。

・ロシアの「インテルファックス通信」4月26日：モスクワ市長ユーリ・ルシコフの発言「エストニアの指導者たちはファシズムを大目に見るようになり，ファシストと協力するようになった。彼らに歴史を書き換える権利はない！　彼らはヨーロッパ中の人が戦った相手に仲間意識を持っている」

・「インテルファックス通信」4月26日：ロシア下院議長ボリス・グルィズロフの発言「エストニアで起こっていることは，まさに狂気だ。ナチスが生者に対してしなかったことを，エストニア政府は今や死者に対してしようとしている」

・「リアノーボスチ」，オスロ，4月26日：ロシア外務大臣セルゲイ・ラブロフの発言「青銅の兵士像をめぐる状況は見下げはてたものだ。正当化することはできない。それはロシアとNATOとの関係，ロシアとEUとの関係に深刻な結果をもたらすだろう。なぜならこれらの組織が新しいメンバーとして歓迎した国は，EUとヨーロッパ文化と民主主義の基礎を作るすべての価値を踏みにじったからだ」

・「インテルファックス通信」4月26日：ロシア下院外交委員会委員長コンスタンチン・コサチェフの発言「エストニア政府は国際世論――勝利のために払った犠牲を誰もがまだ覚えている――と反対の立場を表明した。エストニアの指導者たちの行動は，ネオナチズムや失地回復主義者を刺激する。その結果，エストニアは現代のヨーロッパ文明や全文明社会と真っ向から対立する。エストニアは，ナチスへの勝利の記憶を大切に心に留めているすべての国との関係を損ないつつある」

・「インテルファックス通信」4月27日：ロシア共産党の声明「第二次世界大戦が終結してから六十年という年月が流れた今，ファシズムがエストニアで蘇った！兵士像の撤去はファシストによる乱痴気騒ぎだ。21世紀のファシズムとの最初の闘いはエストニアで起こった」

・「ストラナ・ルー」5月2日：国際連合情報委員会でのロシア代表ボリス・マラーホフの発言「ソヴィエトを解放した兵士像がなぜ撤去されるのか？　こうした行動はナチスの犯罪を復活させようとする試みではないか――という問題を提起する。ネオナチスは世界中で増加している。それは兵士・解放者に捧げられた記念像の撤去によって立証された」

・「インテルファックス通信」5月8日：ロシア連邦会議（上院）議長セルゲイ・ミロノフ「エストニア政府がしたことによって，ファシズムとナチズムがエストニアで復活していることが示された」

17 Renee DiResta et al., "The Tactics & Tropes of the Internet Research Agency," https://disinformationreport.blob.core.windows.net/disinformation-report/NewKnowledge-Disinformation-Report-Whitepaper.pdf.

18 Mark Hosenball, "British Authorities Ban Three Foreign Right Wing Activists," Reuters, March 12, 2018, https://uk.reuters.com/article /uk-britain-security-deportations/british-authorities-ban-three-foreign-right -wing-activists-idUKKCN1GOZLO.

19 Julia Ebner and Jacob Davey, "The Fringe Insurgency: Connectivity and Convergence of the Extreme-Right," Institute for Strategic Dialogue, 2018, https://www.isdglobal.org/wp-content/uploads/2017/10/The-Fringe -Insurgency-221017.pdf.

第３章　史上最大の電撃情報作戦

1 *New York Times*, January 29, 1977.

2 "What Price a Soviet Jew?" *New York Times*, February 22, 1981, www.nytimes.com/1981/02/22/opinion/what-price-a-soviet-jew.html.

3 Frances Stonor Saunders, *The Cultural Cold War: The CIA and the World of Arts and Letters* (New York: New Press, 2000).

4 Jean Seaton, *Pinkoes and Traitors: The BBC and the Nation, 1974-1987* (London: Profile Books, 2015).

5 "Ricin and the Umbrella Murder," CNN.com, October 23, 2003, http://edition.cnn.

com/2003/WORLD/europe/01/07/terror.poison.bulgarian.

6 Igor Panarin, *The First Information World War: The Collapse of the USSR*, Piter, www.koob.ru/panarin_i_n/collapse_ussr_p; see also Ilya Yablokov, *Fortress Russia: Conspiracy Theories in the Post-Soviet World* (Cambridge: Polity, 2018), chapter 3; Shelepin Lischkin, "The Third Information Psychological World War." Moskva, 1999; and Sergey Rastorguev, "Information War," *Radio and Communications*, 1999.

7 Rossiijskaja Gazeta, "I Packed My Gun with Data," Interview with Igor Ashmanov, https://rg.ru/2013/05/23/ashmanov.html

8 Ibid.

9 Speech to Federation Council, September 13, 2018, www.youtube.com/watch?v=-fyRinBuUmhE.

10 Talk on Freedom of Speech as an Instrument, www.youtube.com/watch?v=cb-6fqc02vt0.

11 Rossiijskaja Gazeta, "I Packed My Gun with Data," interview with Igor Ashmanov, https://rg.ru/2013/05/23/ashmanov.html,

12 Rosemary Foot, "The Cold War and Human Rights," in Melvyn P. Leffler and Odd Arne Westad, eds., *The Cambridge History of the Cold War, Vol. III* (Cambridge: Cambridge University Press, 2010), 445-448.

13 "Question That: RT's Military Mission," Medium, January 8, 2017, https://medium.com/dfrlab/question-that-rts-military-mission-4c4bd9f72c88.

14 Michael Kofman, "The Moscow School of Hard Knocks: Key Pillars of Russian Strategy," War on the Rocks, January 27, 2017, https://warontherocks.com/2017/01/the-moscow-school-of-hard-knocks-key -pillars-of-russian-strategy.

15 Janis Berzins, "Russia's New Generation Warfare in Ukraine: Implications for Latvian Defense Policy," National Defense Academy of Latvia, Center for Security and Strategic Research, 2014.

16 A good resource for Kremlin influence campaigns in Ukraine is www .stopfake.org/en/news.

17 "Disinfo News: The Kremlin's Many Versions of the MH17 Story," May 29, 2018, www.stopfake.org/en/disinfo-news-the-kremlin-s-many -versions-of-the-mh17-story.

18 Thomas M. Hill, "Is the U.S. Serious About Countering Russia's Information War on Democracies?" November 21, 2017, www.brookings .edu/blog/order-from-chaos/2017/11/21/is-the-u-s-serious-about-countering-russias-information-war-on-democracies.

19 Andrey Shtal, personal website, https://www.stihi.ru/avtor/shtal.

20 Howard Amos, "There Was Heroism and Cruelty on Both Sides': The Truth Behind One of Ukraine's Deadliest Days," *Guardian*, April 30, 2015, www.theguardian.com/world/2015/apr/30/there-was-heroism-and -cruelty-on-both-sides-the-truth-behind-one-of-ukraines-deadliest-days.

第４章　やわな事実

1 Ennis, Stephen, "Vladimir Danchev: The Broadcaster Who Defied Moscow", BBC Monitoring, 8 March 2014; http://www.bbc.co.uk/news/magazine-26472906.

2 "A Nuclear Disaster That Brought Down an Empire", *The Economist*, 26 April 2016; https://www.economist.com/europe/2016/04/26/a-nucleardisaster-that-brought-down-an-empire.

3 Radio interview for BBC Russian Service, Margaret Thatcher Foundation, 11 July 1988; https://www.margaretthatcher.org/document/107072.

4 Ibid.

5 PolitiFact, "Donald Trump's File," www.politifact.com/personalities/donald-trump, accessed July 20, 2016; PolitiFact, "Hillary Clinton's File," www. .politifact.com/personalities/hillary-clinton, accessed July 20, 2016

6 BBC Breadth of Opinion Review; http://downloads.bbc.co.uk/bbctrust/assets/files/pdf/our_work/breadth_opinion/content_analysis.pdf.

7 "Kremlin's Chief Propagandist Accuses Western Media of Bias" BBC News, 23 June 2016; http://www.bbc.co.uk/news/world-europe-36551391.

8 Yaffa, Joshua, "Dmitry Kiselev Is Redefining the Art of Russian Propaganda", New Republic, 1 July 2014; https://newrepublic.com/article/118438/dmitry-kiselev-putins-favorite-tv-host-russias-toppropogandist.

9 Tom Balmforth, "Gene Warfare? Russia Raises Eyebrows", Radio Free Europe/Radio Liberty, 3 November 2017; https://www.rferl.org/a/russiabiological-warfare-accusations-raise-eyebrows-lawsuit/28834069.html. Giorgi Lomadze, "Does US Have a Secret Germ Warfare Lab on Russia's Doorstep?", Coda Story, 19 April 2018; https://codastory.com/disinformation/information-war/does-the-us-have-a-secret-germwarfare-lab-on-russias-doorstep/. 以下も参照。EU Versus Disinfo（偽情報を追跡し，虚偽の記事を保管しているウェブサイト）。https://euvsdisinfo.eu. https://euvsdisinfo.eu/report/ukraine-asked-the-united-states-to-spreadthe-ebola-virus/; https://euvsdisinfo.eu/report/there-is-a-secret-laboratory-near-kharkivwhere-ukrainians-with.

10 Maurizio Ferraris, *Introduction to New Realism*（London: Bloomsbury, 2014）.

11 F. Zollo et al., "Emotional Dynamics in the Age of Misinformation", PLoS ONE, 10（9）: e0138740（2015）; https://doi.org/10.1371/journal.pone.0138740.

12 Tony Judt, "From Military Disaster to Moral High Ground", New York Times, October 7, 2007; www.nytimes.com/2007/10/07/opinion/07judt.html.

13 Brian C. Schmidt and Michael C. Williams, 'The Bush Doctrine and the Iraq War: Neoconservatives Versus Realists", *Security Studies*17, no.2,（2008）: pp. 191-220, www.tandfonline.com/doi/full/10.1080/09636410802098990; "In Bush's Words: 'Iraqi Democracy Will Succeed'", *New York Times*, November 6, 2003, www.nytimes.com/2003/11/06/politics/inbushs-words-iraqi-democracy-will-succeed.html.

14 Svetlana Boym, "Nostalgia and Its Discontents" Agora8, https;//agora8.org/SvetlanaBoym_Nostalgia.

15 Jamie Tarabay, "For Many Syrians, the Story of the War Began with Graffiti in Dara'a", CNN, March 15, 2018; https://edition.cnn. com/2018/03/15/middleeast/daraa-syria-seven-years-on-intl/index.html.

16 Lisa Wedeen, *Ambiguities of Domination: Politics, Rhetoric and Symbols in Contemporary Syria* (University of Chicago Press, 1999).

17 "A Look at Key Events in Syria's Aleppo since 2016", Associated Press, December 14, 2016; https://apnews. com/300da72a31284420810e1ba9ebef2052.

18 Somini Sengupta and Anne Barnard, "Syria, Russia Appear Ready to Scorch Aleppo", New York Times, September 25, 2016, www.nytimes.com/2016/09/26/world/middleeast/syria-un-security-council.html.

19 "Indiscriminate Aerial Attacks on Aleppo," Breaking Aleppo, Atlantic Council, www. publications. atlanticcouncil.org/breakingaleppo/attacks-overview.

20 "UN Security Council Calls for End to Attacks on Doctors, Hospitals" Physicians for Human Rights, May 3, 2016, https://phr.org/news/un-security-council-calls-for-end-to-attacks-on-doctors-hospitals/

21 *The Failure of UN Security Council Resolution 2286 in Preventing Attacks on Healthcare in Syria*, Report of Syrian American Medical Society, January 2017, https://www.sams-usa.net/wp-content/uploads/2017/03/UN-fail-report-07-03.pdf.

22 Bethan McKernan, "Aleppo Attack: Syrian Army to Invade City with Ground Troops", 23 September 23, 2016, Independent, www. independent.co.uk/news/world/middle-east/aleppo-syria-war-assad-troops-to-invade-city-under-siege-rebels-a7326266.html.

23 "Indiscriminate Aerial Attacks on Aleppo," Breaking Aleppo, Atlantic Council, www. publications. atlanticcouncil.org/breakingaleppo/attacks-overview.

24 "Syria Conflict: US Accuses Russia of Barbarsim in Aleppo", BBC News, September 26, 2016, www.bbc.co.uk/news/world-middleeast-37468080.

25 Ibid.

26 Samuel Osborne, "Donald Trump Wins: All the Lies, Mistruths and Scare Stories He Told During the US Election Campaign," Independent, 9 November 2016; https://www.independent.co.uk/news/world/americas/donald-trump-president-lies-and-mistruths-during-us-electioncampaign-a7406821.html.

27 David Graham, "The Wrong Side of the Right Side of History." *The Atlantic*, December 21, 2015, https://www.theatlantic.com/politics/archive/2015/12/obama-right-side-of-history/420462/.

28 Kareem Shaheen, "Hell Itself: Aleppo Reels from Alleged Use of Bunker-Buster Bombs", *Guardian*, September 26, 2016, www.theguardian.com/world/2016/sep/26/

hell-itself-aleppo-reels-fromalleged-use-of-bunker-buster-bombs.

29 www.vdc-sy.info/index.php/en/martyrs/1/c29ydGJ5PWEua2lsbGVkX2RhdGV8c29y-dGRpcj1ERVNDfGFwcHJvdmVkPXZpc2libGV8ZXh0cmFkaXNwbGF5PTB8cH-JvdmluY2U9NnxzdGFydERhdGU9MjAxMi0wNy0xOXxlbmREYXRlPTIwMTYtM-TItMjJ8; 以下も参照。Schluter, Guha-Sapir, et al., "Patterns of Civilian and Child Deaths Due to War-Related Violence in Syria," The Lancet, December 6, 2017, www.thelancet.com/journals/langlo/article/PIIS2214-109X（17）30469-2/fulltext.

30 Syrian Network for Human Rights, Interactive Charts of the Civilian Death Toll, http://sn4hr.org.

31 Megan Specia, "Death Toll in Syria: Numbers Blurred in Fog of War", *Irish Times*, April 14, 2018. www.irishtimes,com/news/world/middle-east/death-toll-in-syria-numbers-blurred-in-fog-of-war-1.3461102; Priyanka Boghani, "A Staggering New Death Toll for Syria's War ? 470,000," Frontline, www.pbs.org/wgbh/frontline/article/a-staggering-new-death-toll-for-syrias-war-470000; Anne Barnard, "Death Toll from War in Syria Now 470,000, Group Finds," *New York Times*, February 11, 2016; www.nytimes. com/2016/02/12/world/middleeast/death-toll-from-war-in-syria-now470000-group-finds.html; "2015 Marks Worst Year for Attacks on Hospitals in Syria," Physicians for Human Rights, December 18, 2015, https://phr.org/news/2015-marks-worst-year-for-attacks-on-hospitals-in-syria.

32 Steve Dove, "The White Helmets Is the 2017 Oscar Winner for Documentary（Short Subject）," ABC, February 27, 2017, https://oscar.go.com/news/winners/the-white-helmets-is-the-2017-oscar-winner-for-documentary-short-subject.

33 Olivia Solon, "How Syria's White Helmets Became Victims of an Online Propaganda Machine," *Guardian*, December 18, 2017, www. theguardian.com/world/2017/dec/18/syria-white-helmets-conspiracy-theories.

34 Andrew Buncombe, "Trump Suggests 'Vicious World' Should Be Blamed for Khashoggi Murder While Disputing Saudi Responsibility," Independent, November 22, 2018, www.independent.co.uk/news/world/americas/us-politics/trump-khashoggi-murder-blame-viciousworld-saudi-journalist-a8647701.html.

35 Amnesty International, "AT Any Cost: The Civilian Catastrophe in Wet Mosul, Iraq," 2017, www.amnesty.org/download/Documents/MDE1466102017ENGLISH.PDF; "A Spiralling Conflict," Amnesty International, Yemen War: No End in Sight, updated March 14, 2019, www.amnesty.org/en/latest/news/2015/09/yemen-the-forgotten-war; Micah Zenko, "America Is Committing War Crimes and Doesn't Even Know Why," Foreign Policy, August 15, 2018, https://foreignpolicy.com/2018/08/15/america-is-committing-awful-war-crimes-and-it-doesnt-even-know-why.

36 Michael Cruickshank, "A Saudi War-Crime in Yemen? Analysing the Dahyan Bombing," Bellingcat, August 18, 2018, www.bellingcat.com/news/mena/2018/08/18/19432

37 Michael Safi, "Sri Lanka Blocks Social Media as Deadly Violence Continues," *Guardian*, March 7, 2018; https://www. theguardian.com/world/2018/mar/07/sri-lanka-blocks-social-media-as-deadly-violence-continues-buddhist-temple-anti-muslim-riots-kandy.

38 Eleanor Hall, "Syrian War Crimes Evidence Strongest Since Nuremberg Trials," ABC News, December 3, 2018, www.abc.net.au/radio/programs/worldtoday/these-are-crimes-the-world-wont-forget-stephen-rapp-on-syria/10577142.

第５章　ポップアップ・ピープル

1 Arch Puddington, *Broadcasting Freedom: The Cold War Triumph of Radio Free Europe and Radio Liberty*（Kentucky: University Press of Kentucky, 2015）.

2 Eugene Parta, *Discovering the Hidden Listener, an Assessment of Radio Liberty and Western Broadcasting to the USSR in the Cold War*（Stanford, CA: Hoover Institution Press, 2007）.

3 Zinovy Zinik, *Soviet Paradise Lost', Carnegie International*, Vol. 1（New York: Rizzoli, 1991）.

4 Boris Groys, *History Becomes Form: Moscow Conceptualism*（Cambridge, MA: MIT Press, 2010）.

5 Sheikh Taqiuddin, An-Nabahani, *The Islamic Personality*, Vol. 1., 2005, www.hizb-australia.org/wp-content/uploads/2012/03/Shakhsiyya-I.pdf.

6 Central Intelligence Agency, November 2017 release of Abbottabad Compound Material, www.cia.gov/library/abbottabadcompound/index.html.

7 Institute for Economics & Peace, "Positive Peace Report 2018: Analysing the Factors That Sustain Peace," October 2018, http://visionofhumanity.org/app/uploads/2018/11/Positive-Peace-Report-2018. pdf.

8 Amarnath Amarasingam and Lornel L. Dawson, "I Left to Be Closer to Allah": Learning about Foreign Fighters from Family and Friends, ISD Global, 2018, www.isdglobal.org/wp-content/uploads/2018/05/Families_Report.pdf.

9 "Study: No One Issue Clearly Unites 5 Groups of Trump Voters," National Public Radio, July 2, 2017, http://www.npr.org/2017/07/02/535240706/study-no-one-issue-clearly-unites-5-groups-of-trump-voters; Karlyn Bowman, "Who Were Donald Trump's Voters? Now We Know," Forbes, June 23, 2017, www.forbes.com/sites/bowmanmarsico/2017/06/23/who-were-donald-trumps-voters-now-we-know/#bdc19a138942.

10 Chantal Mouffe, "The Affects of Democracy," *Eurozine*, November 23, 2018; https://www.eurozine.com/the-affects-of-democracy.

11 Ivan Krastev, "Experimental Motherland. A Conversation with Gleb Pavlovsky," *Europa*, 2018.

12 Ilya Yablokov, *Fortress Russia: Conspiracy Theories in the Post-Soviet World*（Cambridge,

UK; Medford, MA: Polity, 2018), 30.

第６章　未来はここからはじまる

1 Carole Cadwalladr, “Exposing Cambridge Analytica,” *Guardian*, September 29, 2018; Channel 4 News, “Revealed: Trump’s Election Consultants Filmed Saying They Use Bribes and Sex Workers to Entrap Politicians,” March 19, 2018.

2 “Disinformation and ‘Fake News’: Final Report”, Committee for Culture, Media and Sport, February 18, 2019; https://publications.parliament.uk/pa/cm201719/cmselect/cmcumeds/1791/179102.htm; Cathrine Gyldensted, *From Mirrors to Movers: Five Elements of Constructive Journalism* (G Group Publishing, 2015), Kindle edition; Dipayan Ghosh and Ben Scott, “The Technologies Behind Precision Propaganda on the Internet,” New America, January 23, 2018, www.newamerica.org/public-interest-technology/policy-papers/digitaldeceit.

3 Gary King, Jennifer Pan, and Margaret E. Roberts, “How Censorship in China Allows Government Criticism But Silences Collective Expression,” *American Political Science Review*107, no.2 (May 2013): 1-18, https://gking. harvard.edu/publications/how-censorship-china-allows-government-criticism-silences-collective-expression; Rebecca MacKinnon, “Liberation Technology: China’s ‘Networked Authoritarianism,’” *Journal of Democracy*, 22, no.2 (2011): 32-46, https://muse.jhu.edu.

4 Eleanor Roy, “I’m being Watched: Anne-Mary Brady, the China Critic Living in Fear of Beijing,” Guardian, January 23, 2019, www.theguardian.com/world/2019/jan/23/im-being-watched-anne-marie-brady-the-china-critic-living-in-fear-of-beijing.

5 Angela Wu, “Ideological Polarization Over a China-As-Superpower Mindset: An Exploratory Charting of Belief Systems Among Chinese Internet Users, 2008-2011,” *International Journal of Communication* 8 (2014): 2243-2272.

ピーター・ポメランツェフ（Peter Pomerantsev）
ジャーナリスト兼テレビプロデューサー。ロンドン・スクール・オブ・エコノミクス（LSE）国際情勢研究所のビジティング・シニア・フェロー。プロパガンダとメディアの発展を専門に研究。アメリカ合衆国下院および上院外交委員会，イギリス議会国防特別委員会において情報戦に関する証言を行う。フィナンシャル・タイムズほか多くの新聞・雑誌に寄稿。邦訳書に『プーチンのユートピア――21世紀ロシアとプロパガンダ』（池田年穂訳／慶應義塾大学出版会／2018年）あり。同書は2016年の王立文学協会オンダーチェ賞を受賞。

築地誠子（つきじ・せいこ）
翻訳家。東京都出身。東京外国語大学ロシア語科卒業。訳書に『紅茶スパイ』（サラ・ローズ著，原書房），『レーニン対イギリス秘密情報部』（ジャイルズ・ミルトン著，原書房），『ヒトの変異』（アルマン・マリー・ルロワ著，みすず書房）などがある。

竹田 円（たけだ・まどか）
翻訳家。東京大学人文社会系研究科修士課程修了。訳書に『「食」の図書館　お茶の歴史』（ヘレン・サベリ著，原書房），『かくしてモスクワの夜はつくられ，ジャズはトルコにもたらされた』（ウラジーミル・アレクサンドロフ著，白水社），『近代科学の形成と音楽』（ピーター・ペジック著，NTT 出版）などがある。

嘘《うそ》と拡散《かくさん》の世紀《せいき》
「われわれ」と「彼《かれ》ら」の情報戦争《じょうほうせんそう》

●

2020年3月26日　第1刷

著者………ピーター・ポメランツェフ
訳者………築地誠子《つきじせいこ》・竹田《たけだ》　円《まどか》
装幀………佐々木正見
発行者………成瀬雅人
発行所………株式会社原書房
〒160-0022　東京都新宿区新宿1-25-13
電話・代表03(3354)0685
振替・00150-6-151594
http://www.harashobo.co.jp

印刷………新灯印刷株式会社
製本………東京美術紙工協業組合

ISBN978-4-562-05751-1 Printed in Japan